CYFLWYNIAD

Yn 2017 cyhoeddais lyfryn yn dwyn y teitl *Enwau tai a ffermydd Bont-goch (Elerch)*. Bu'r ymateb yn un caredig, ac ail argraffwyd y gwaith ymhen rhai misoedd. Wrth gasglu deunydd i'r gyfrol honno, fe ddaeth hi'n amlwg fod nifer o bobl ddiddorol wedi byw, neu wedi bod yn gysylltiedig â'r pentref dros y blynyddoedd, ac ymgais yw'r chwaer gyfrol hon i greu portreadau byr o rai o'r prif gymeriadau. Penderfynwyd cyhoeddi'r gyfrol hon yn ddwyieithog gan fod nifer o bobl ddi-Gymraeg wedi fy nghynorthwyo, a thybiwyd y byddai ei hapêl yn ehangach o wneud hynny. Mae hefyd yn adlewyrchiad o'r sefyllfa ieithyddol a demograffig bresennol sydd ohoni yn nghefn gwlad Cymru.

Dibynnais yn drwm ar adnoddau a charedigrwydd arbennig staff Llyfrgell Genedlaethol Cymru, Llyfrgell Ceredigion ac Archifau Ceredigion, a gwnaethpwyd cryn ddefnydd o adnoddau arlein a chatalogau'r sefydliadau hyn. Bu ôl-rifynnau *Papur Pawb* a'r *Tincer* yn arbennig o ddefnyddiol, a cheisiwyd nodi rheiny a'r holl ffynonellau eraill mewn atodiad llyfryddol ar ddiwedd y gyfrol. Yn ogystal, lluniwyd mynegai yn cysylltu bywgraffiadau unigol gyda'u tai neu eu ffermydd perthnasol yn ardal Bont-goch (Elerch).

INTRODUCTION

In 2017 I published a Welsh language book entitled *Enwau tai a ffermydd Bont-goch / The house and farm names of Bont-goch (Elerch)*. The response was kind, and the work was reprinted some months later. Whilst collecting material for the volume it soon became apparent that many interesting people had lived, or had been associated with Bont-goch over the years, and this companion volume is an attempt to frame short biographies of a selection of those characters. It was decided to publish this volume bilingually as many non-Welsh speakers assisted me, and it was also thought that it might increase the general appeal of the volume. It is also a reflection of the changing demographic and linguistic profile of rural Wales.

I relied heavily on the resources and kindness of the exceptional staff of the National Library of Wales, Ceredigion Library and Ceredigion Archives, and considerable use was also made of their online resources and catalogues. Past issues of *Papur Pawb* and *Y Tincer* proved especially useful, and other principal sources are also listed by each individual in the appended bibliography. In addition, an index was compiled linking all biographies listed with their relevant houses and farms in the Bont-goch (Elerch) area.

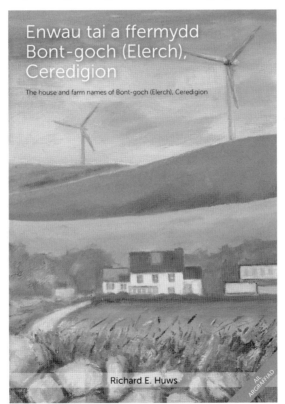

Enwau tai a ffermydd Bont-goch (Elerch), Ceredigion

The house and farm names of Bont-goch (Elerch), Ceredigion

Richard E. Huws

AIL ARGRAFFIAD

Bu nifer o unigolion yn hael iawn eu cymorth. Mae fy nyled yn anferth i Owain Hammonds, fy ffrind a chymydog, am ei barodrwydd i gynllunio'r gyfrol gyda'i sgil a'i arddeliad arferol, ac am sawl cymwynas arall. Ni fyddai'r gyfrol hon wedi gweld golau dydd heb ei gymorth.

Hoffwn ddiolch yn arbennig hefyd i Carys Briddon, Cledwyn Fychan ac Erwyd Howells am nifer o awgrymiadau ac am rannu eu gwybodaeth eang o'r pentref. Bu'r diweddar Barchg W. J. Edwards (Bow Street) hefyd o gryn gymorth gyda'i wybodaeth leol helaeth. Rwy'n ddiolchgar hefyd i'm gwraig Eirlys am ddarllen y testun cyfan sawl gwaith drosodd, a gwneud nifer o awgrymiadau defnyddiol.

Ceisiwyd bendith gymaint o deuluoedd â phosibl i gynnwys hanes eu perthnasau, ac rwy'n ddiolchgar iawn iddynt, bron yn ddieithriad, am eu cydweithrediad caredig yn hynny o beth. Y maent ymhlith nifer sylweddol a gynigiodd gymorth i mi, a / neu sydd wedi darparu delweddau y medrais gynnwys yn y gyfrol. Nodwyd eu henwau yn y nodiadau ar ddiwedd y gyfrol.

Rwy'n ddiolchgar iawn hefyd i glerc Cyngor Ceulanamaesmawr Rab Jones a'i ddau ragflaenydd, Lowri Jones a Gwilym Huws, am ateb sawl ymholiad am fynwent Tal-y-bont. Diolch hefyd i Angharad Fychan am ei chyngor gwerthfawr ar nifer o faterion.

Diolch hefyd i staff y Lolfa am eu gofal arferol, ac yn arbennig i Paul Williams, y Rheolwr Gwaith, am ei gyngor a'i gymorth parod.

Many people have been very generous with their help. I owe a great debt of gratitude to Owain Hammonds, a good friend and neighbour, for his assistance in designing the volume with his usual flair and skill, and for many other favours. This volume would not have seen the light of day without his contribution.

I would also like to offer special thanks to Carys Briddon, Cledwyn Fychan and Erwyd Howells for many helpful suggestions, and for their willingness to share their extensive knowledge of the village with me. The late Revd W. J. Edwards (Bow Street) also shared his encyclopaedic local knowledge with me. I am also extremely grateful to my wife Eirlys for reading the text several times over, and making many useful suggestions and improvements.

I have sought the permission of as many as possible to include the history of their family members, and I am grateful to them, in almost every instance, for their kind co-operation in that regard. They are among many persons who have assisted me, and / or provided images for reproduction in this publication, and whose names appear in the notes appended to the text.

I am also grateful to the present clerk of Ceulanamaesmawr Community Council – Rab Jones and his predecessors, Lowri Jones and Gwilym Huws, for answering many enquiries about Tal-y-bont cemetery. I also owe Angharad Fychan a debt of gratitude for her valuable advice on several issues.

I would also like to thank the staff at Y Lolfa for their usual care and support, and especially Paul Williams, Production Manager, for his advice and assistance.

Edrychodd bugail y Drosgol allan i'r storm ryw noson, a dweud,
'Mae'n siŵr o fod yn arw ar bobol y *topie* 'na heno'.

Cledwyn Fychan: 'Lluestau Blaenrheidol', *Ceredigion* 5 (1964), t. 286.

Dyddiad cyhoeddi / Publication date:
Tachwedd / November 2020.

ISBN: 978-1-5272-7577-5

Cyhoeddwyd gan / Published by:
Gwasg Pantgwyn, Pantgwyn, Bont-goch, Ceredigion SY24 5DP. rehuws@aol.com

Delweddau / Images: fel a nodwyd / as acknowledged.

Cynllun y clawr a'r testun / Cover design and text layout: Owain Hammonds.

Argraffwyd gan / Printed by: Y Lolfa, Tal-y-bont, Ceredigion SY24 5HE.

CYNNWYS / CONTENTS

Badger, Mervyn Hector (1903-1986)

Ficer Penrhyn-coch ac Elerch, 1961-1970.

Ganwyd Mervyn Hector Badger ar 5 Mawrth 1903 yn Bridge Row, Felin-foel, Llanelli yn bedwerydd mab i William Henry Badger, *forge-man*, a'i briod Mary Ann. Pan adawodd i fynd i'r brifysgol yn Hydref 1922, roedd yn byw yn 8 Dimpath Terrace, Felin-foel. Fe'i haddysgwyd yng Ngholeg yr Iesu, Rhydychen, gan raddio BA yn 1926 ac MA yn 1930, a hynny yn y gwyddorau naturiol gan arbenigo mewn daeareg. Cwblhaodd ei astudiaethau diwinyddol yng Ngholeg Dewi Sant, Llanbedr Pont Steffan yn 1930, ac fe'i hordeiniwyd yn 1939. Bu'n gurad Llanrhian 1939-42, Llangorwen 1942-45, ac Eglwys Newydd (Hafod) 1945-46, Ficer Dwyrain Waltwn a Llys-y-frân, 1946-56, a rheithor St. Florence a Redberth, 1956-1961. Bu'n ficer Penrhyn-coch ac Elerch o 1961 hyd at 1970 gan fyw yn y Ficerdy, Penrhyn-coch.

Ymddeolodd i Sir Benfro – yn gyntaf i Drecŵn, cyn symud i 2 Hyfrydle, Treletert. Bu farw'r Parchg Mervyn Badger yn Ysbyty Llwynhelyg, Hwlffordd ar 11 Awst 1986 a chynhaliwyd ei angladd a'i gladdedigaeth yn Eglwys St. Giles, Treletert ar 14 Awst. Gadawodd weddw Mary Noel (née Davies; 1920-1990), a briododd yn 1948, a merch Mary Cecilia Charles a'i theulu.

Ordeiniwyd Mary Cecilia Charles yn offeiriad yn 1996, a gwasanaethodd yng Nghwm Gwendraeth o 2015 hyd at ei hymddeoliad yn 2019.

Vicar of Penrhyn-coch *w.* Elerch, 1961-1970.

Mervyn Hector Badger was born on 5 March 1903 at Bridge Row, Felin-foel, Llanelli, the fourth son of William Henry Badger, *forge-man*, and his wife Mary Ann. When he left for university in October 1922, he lived at 8 Dimpath Terrace, Felin-foel. He was educated at Jesus College, Oxford, graduating BA in 1926 and MA in 1930, reading natural sciences and specializing in geology. He completed his theological studies at St. David's College, Lampeter in 1930, and was ordained in 1939. He was curate of Llanrhian 1939-42, Llangorwen 1942-45, and Eglwys Newydd (Hafod) 1945-46, vicar of East Walton (Walton East) *w.* Llys-y-frân 1946-56, and rector of St. Florence *w.* Redberth 1956-61. He served as Vicar of Penrhyn-coch *w.* Elech from 1961 until 1970, and resided at the Vicarage, Penrhyn-coch.

He retired to Pembrokeshire – initially to Trecŵn, before settling at 2 Hyfrydle, Letterston. The Revd Mervyn Badger died on 11 August 1986 at Withybush Hospital, Haverfordwest and his funeral service was held at St. Giles' Church, Letterston on 14 August where he is also buried. He was survived by his widow Mary Noel (née Jones; 1920-1990) whom he married in 1948 and by his daughter Mary Cecilia Charles and her family.

Mary Cecilia Charles was ordained as a cleric in 1996, and she served the Gwendraeth Valley group of parishes from 2015 until her retirement in 2019.

Charles, David (1876-1955)

Ficer Elerch, 1927-1934.

Ganwyd David Charles ar 18 Awst 1876 yn Nhirmorgan, Llangyndeyrn, Sir Gaerfyrddin. Fe'i bedyddiwyd mewn Eglwys Fedyddiedig ym Mancffosfelen ar 10 Chwefror 1891. Treuliodd gyfnod yn gweithio yn y pyllau glo, cyn mentro yn ei 30au i Goleg Dewi Sant, Llanbedr Pont Steffan gan ennill ei Drwydded mewn Diwinyddiaeth yn 1910. Priododd Mary Jane Bevan (1889-1956), merch i ffermwr o Gilcarw, Llangyndeyrn yn 1911. Ordeiniwyd David Charles yn 1912, ac fe'i hapwyntiwyd yn gurad Ystalyfera 1912-16, a Llangyfelach 1916-21.

Symudodd i Sir Aberteifi pan benodwyd ef yn ficer Ysbyty Cynfyn yn 1921, cyn ei apwyntiad yn ficer Elerch yn 1927 gan fyw gyda'i deulu yn Ficerdy Elerch. Arhosodd yno hyd Ionawr 1934 pan apwyntiwyd ef i ofal plwyf Llannewydd ar gyrion Caerfyrddin, 1934-43, cyn symud i Grai ym Mrycheiniog 1943-46. Ymddeolodd i Varlen House, Trecastell, Sir Frycheiniog cyn symud i 4 Glannau Senni, Defynnog.

Roedd David Charles yn ŵr talentog iawn, yn fardd crefftus yn y gynghanedd ac enillodd nifer o gadeiriau eisteddfodol. Roedd ganddo hefyd ddiddordeb mawr mewn gwyddoniaeth, yn arbennig seryddiaeth, a gyda chymorth ei fab John adeiladodd set radio grisial cynnar. Effeithiodd ei gyfnod o weithio dan ddaear yn

Vicar of Elerch, 1927-1934.

David Charles was born on 18 August 1876 at Tirmorgan, Llangyndeyrn, Carmarthenshire and was baptized at Bancffosfelen Baptist Chapel on 10 February 1891. He worked for many years in the coal mines until in his early 30s he entered St. David's College, Lampeter, gaining his Licence in Divinity in 1910. He married Mary Jane Bevan (1889-1956), a farmer's daughter from Cilgarw, Llangyndeyrn in 1911. Ordained in 1912, David Charles served as curate of Ystalyfera 1912-16 and Llangyfelach 1916-21.

He moved to Cardiganshire in 1921 as vicar of Ysbyty Cynfyn, prior to his appointment as vicar of Elerch in 1927. He remained in Bont-goch, living with his family at Elerch Vicarage until January 1934 when he was appointed vicar of the parish of Newchurch on the outskirts of Carmarthen, 1934-43, before moving to Cray in Breconshire where he served from 1943-46. He retired to Varlen House, Trecastell, Breconshire before moving to 4 Glannau Senni, Defynnog.

David Charles was a very talented man, an accomplished poet mastering *cynghanedd* and he won several eisteddfodic chairs. He also had a great interest in science, especially astronomy, and with his son John built a pioneering crystal radio set. His period of working underground adversely affected his health

ddrwg ar ei iechyd, ac ni fu yn ŵr iach a chryf drwy gydol ei oes, gan ddioddef yn enbyd o salwch ar yr ysgyfaint.

Bu farw'r Parchg David Charles ar 19 Chwefror 1955, a'i gladdu yn Eglwys Crai ar 22 Chwefror. Bu farw ei briod o fewn deunaw mis ar 26 Hydref 1956 a'i chladdu yn Eglwys Crai ar 1 Tachwedd 1956, yn 67 oed. Roedd ganddynt bedwar o blant: Harold John (1914-1987, a nodir isod), Maisie Bronwen (1917-2004), Nancy (1918-1982) a David Cynfin (1924-1999). Bu Maisie yn brifathrawes ym Mhontsenni, Nancy yn nyrsio yng Nghaerdydd, a David yn athro ac yn ddarlithydd y tu allan i Gymru.

and throughout the course of his life he suffered badly from emphysema.

The Revd David Charles died on 19 February 1955, and was buried at Cray Church on 22 February. His wife died in October 1956 and was also buried at Cray on 1 November, aged 67 years. They raised a family of four children: Harold John (1914-1987, noted below), Maisie Bronwen (1917-2004), Nancy (1918-1982) and David Cynfin (1924-1999). Maisie was headteacher at Sennybridge, Nancy, a nursing sister in Cardiff, and David a teacher and lecturer in England.

Charles, Harold John (1914-1987)

Esgob Llanelwy, 1971-1982. Yn ei arddegau bu'n byw yn Ficerdy Elerch.

David Charles a'i briod Mary, a nodir uchod, oedd rhieni Harold John Charles (1914-1987). Ganwyd Harold John ar 26 Mehefin 1914 yng Nghwm Tawe, a bu'n byw yn Ficerdy Elerch yn ei arddegau tra'n mynychu Ysgol Sir Ardwyn. Yn dilyn addysg yng Ngholeg y Brifysgol, Aberystwyth a Keble College, Rhydychen fe'i hordeiniwyd yn 1938. Bu'n gurad Abergwili 1938-40, ac yn negesydd Esgob Abertawe ac Aberhonddu 1940-48, ac yn aelod o staff Coleg y Brifysgol Bangor 1948-52. Bu'n ficer St. Iago, Bangor 1952-54, Canon Preswyl Eglwys Gadeiriol Bangor 1953-54, Warden Coleg St.

Bishop of St. Asaph, 1971-1982. As a teenager he lived at Elerch Vicarage.

David Charles and Margaret his wife, noted above, were the parents of Harold John Charles (1914-1987). Harold John was born on 26 June 1924 in the Swansea Valley, and lived as a teenager at the Vicarage in Elerch attending Ardwyn County School, Aberystwyth. He was a student at University College of Wales, Aberystwyth and at Keble College, Oxford. Ordained in 1938, he served as the curate of Abergwili 1938-40, and messenger to the Bishop of Swansea & Brecon from 1940-48, before being appointed to the staff of the University College of North Wales, Bangor,

Mihangel, Llandaf 1955-57, a Deon Llanelwy 1957-71. Cyfrannodd yn helaeth tuag at baratoi cyfieithiad newydd Cymraeg y Testament Newydd (1967). O 1971-1982 gwasanaethodd fel Esgob Llanelwy.

Yn ôl ei ferch fe wnaeth ei thad fwynhau ei fagwraeth yn Bont-goch, lle cafodd flas arbennig ar ddiddordebau cefn gwlad, yn arbennig pysgota – diddordeb a fu ganddo ar hyd ei oes, ac a ddysgodd yng nghwmni ei dad ar lannau'r Leri, afon a red y tu cefn i'r Ficerdy.

Priododd Margaret Noeline Jenkins (1908-98) yng Nghaerfyrddin yn 1941, ac roedd ganddynt un ferch, Margaret (Greely), sy'n byw gyda'i phriod yn Swydd Hertford, ac a fu'n gymorth mawr i mi wrth baratoi'r nodyn hwn.

Ymddeolodd yr Esgob a'i briod i Brestatyn. Bu farw'r Esgob John ar 11 Rhagfyr 1987 yn 73 oed. Cynhaliwyd ei wasanaeth angladdol yn Eglwys Gadeiriol Llanelwy ar 16 Rhagfyr, ac fe'i claddwyd ym mynwent y Gadeirlan.

1948-52. He served as vicar of St. James' Church, Bangor 1952-54, Bangor Cathedral Chapel Residential Canon, 1953-54, Warden of St. Michael's College, Llandaff 1955-57 and Dean of St. Asaph Cathedral, 1957-71. From 1971-82 he served as Bishop of St. Asaph. He made a significant contribution to the work of preparing the revised text of the New Testament in Welsh (1967).

According to his daughter, her father enjoyed his childhood in Bont-goch, and it gave him a lifetime's passion for country life, especially fishing, an interest which was first kindled in the company of his father on the River Leri, which flows behind the Vicarage.

He married Margaret Noeline Jenkins (1908-1998) in Carmarthen in 1941, and they had one daughter, Margaret (Greely) who lives with her husband in Hertfordshire, and who assisted me with these notes.

Bishop John and his wife retired to Prestatyn. He died on 11 December 1987, aged 73 years. His funeral service was held at St. Asaph Cathedral on 16 December, followed by interment at the Cathedral Churchyard.

Corton, John (1973-2017)

Gwyddonydd a symudodd i fyw i 2 Penrow yn 2013.

Ganwyd John Corton ar 3 Mehefin 1973 yn Sprotbrough, Doncaster, Swydd Efrog, yn fab i William 'Bill' Corton, peiriannydd plymio a gwresogi, a'i briod Ann, nyrs gofrestredig. Symudodd John a'i briod Brigid i fyw i 2 Penrow, Bont-goch yn 2013. Addysgwyd John yn Ysgol Ridgewood, Doncaster, ac ar ôl ennill cymhwyster HND cwblhaodd radd BSc ym Mhrifysgol Leeds mewn gwyddoniaeth anifeiliaid. Dilynodd hyn gyda gradd meistr ym Mhrifysgol Fetropolaidd Manceinion ar y testun o raddfeydd difodiant mewn adar ysglyfaethus. Yn ddiweddarach astudiodd ym

A scientist who moved to 2 Penrow in 2013.

John Corton was born on 3 June 1973 at Sprotbrough, Doncaster, Yorkshire, the son of William 'Bill' Corton, a plumbing and heating engineer, and his wife Ann, a nursing sister. John moved with his wife Brigid to live at 2 Penrow, Bont-goch in 2013. He was educated at Ridgewood School, Doncaster and after obtaining a HND he completed his BSc degree at Leeds University in animal science, and gained his MSc at Manchester Metropolitan University on the subject of the extinction rates in raptors. He later studied at Aberystwyth University, where he gained a doctorate

Mhrifysgol Aberystwyth lle enillodd ddoethuriaeth yn 2014 am draethawd yn dwyn y teitl 'The management of semi natural landscapes for biodiversity and bioenergy'. Bu'n aelod o staff Athrofa y Gwyddorau Biolegol, Amgylcheddol a Gwledig (IBERS), Prifysgol Aberystwyth, gan arbenigo mewn prosesau biomas ar gyfer creu bio-ynni a bio-gynhyrchion.

Ar ôl cymryd ei radd gyntaf sefydlodd John fusnes yn cynnig cyrsiau dysgu o bell mewn ymddygiad anifeiliaid, adara a gwyddoniaeth pysgod, ac yn ddiweddarach astudiodd aciwbigo a thyliniad tuina. Ar ôl cymhwyso mewn aciwbigo bu John yn rhedeg practis iacháu, wrth astudio'n rhan-amser am ei radd meistr.

Meddai John feddwl agored a brwdfrydedd tuag at nifer o bynciau. Golyga hyn fod ei ddiddordebau yn eang ac yn ogystal â'i ddiddordebau gwyddonol, roedd yn ymddiddori'n fawr iawn mewn athroniaeth, celf, cerddoriaeth a llenyddiaeth. Roedd yn gerddor medrus ac yn chwarae sawl offeryn a medrau farddoni a throi ei law at arlunio. Byddai'n mwynhau ymddiddori mewn gwahanol gredoau yn arbennig Bwdïaeth a Daoïaeth. Roedd ei feddwl dyfeisgar ac agored yn gaffaeliad mawr iddo nid yn unig yn ei waith beunyddiol ond yn ogystal yn ei ddiddordebau hamdden.

Bu John Corton farw'n sydyn yn ei gartref yn ŵr ifanc 43 oed ar 29 Ebrill 2017. Cynhaliwyd cwrdd coffa iddo yn yr Hen Goleg, Prifysgol Aberystwyth ar ddiwrnod ei ben-blwydd, 3 Mehefin, a'i angladd yn Amlosgfa Rose Hill, Doncaster ar 21 Mehefin 2017.

in 2014 for his thesis entitled 'The management of semi-natural landscapes for biodiversity and bio-energy'.

As a member of the staff of the Institute of Biological, Environmental and Rural Sciences (IBERS), Aberystwyth University, John specialized in biomass processes and the creation of its bio-products.

After taking his first degree John established a business writing correspondence courses on animal behaviour, ornithology and fish science, and later studied acupuncture and tuina massage. After qualifying as an acupuncturist he ran a healing practice running alongside his other business, whilst also studying part-time for his higher degree.

John was certainly open-minded and enthusiastic about so many different subjects. This meant that his interests were really broad in scope, so that as well as all his many scientific interests, he was also fascinated by music, art, literature and philosophy. As well as being musically gifted on various instruments, he wrote poetry and songs, and painted, and also enjoyed exploring different facets of philosophical thinking, especially Daoism and Buddhism. His mind was incredibly inventive and open and this served him really well, not only in his career as a scientist, but also in his leisure interests.

John died suddenly at home, aged 43 years, on 29 April 2017. A memorial service to celebrate his life was held on what would have been his birthday at the Old College, Aberystwyth University, on 3 June, followed by his funeral at Rose Hill Crematorium, Doncaster on 21 June 2017.

Dare, John Harry Westwood (1919-2006)

Milwr yn yr Ail Ryfel Byd a dyn amryddawn a lwyddodd i adfer ffermdy Bwlchrosser.

Bu'r teulu Dare yn gysylltiedig â Bont-goch am yn agos at ddeugain mlynedd. Ond yn ardal Sculcoates, Kingston-upon-Hull, Swydd Efrog ceir gwreiddiau John Dare, ac yno fe'i ganwyd ar 19 Medi 1919. Roedd y teulu'n byw yn Holderness Road, ac mae John Dare yn ei atgofion yn nodi fod y tŷ yn edrych dros gae Old Craven Park, lle'r oedd Hull Kingston Rovers yn chwarae rygbi'r gynghrair ar y pryd.

Cafodd yrfa ddisglair yn yr Ail Ryfel Byd yn gwasanaethu gyda'r Fyddin Diriogaethol yn y Royal Army Service Corps o Ionawr 1939 hyd at Awst 1945 gan ennill dyrchafiad yn Gapten. Treuliodd cryn dipyn o amser gyda'r fyddin yn Affrica yng ngwledydd Ethiopia, Kenya, Madagascar a Somalia. Mae ei bapurau personol sy'n cyfeirio at ei wasanaeth milwrol wedi eu diogelu yn yr Imperial War Museum yn Llundain. Yn ogystal gadawodd gasgliad sylweddol o ysgrifau yn cynnwys atgofion plentyndod ac atgofion am y Rhyfel, sy'n dal yn nwylo'r teulu.

Ar ddiwedd y Rhyfel yn 1945 priododd ei wraig gyntaf Sylvia B. Mailes (1920-1956) yn Henffordd. Ailbriododd yn 1958 gyda Joan Eleanor Riley o Swydd Warwick. Bu plant o'r ddwy briodas.

Ar ôl iddo golli ei waith fel mewnforiwr cig, symudodd John Dare a'i briod Joan i Gymru yn 1978,

A soldier in the Second World War and a versatile man who restored Bwlchrosser farmhouse.

The Dare family has been associated with Bont-goch for nearly forty years. However, the family roots of John Dare can be traced to the Sculcoates area of Kingston-upon-Hull, Yorkshire, where he was born on 19 September 1919. The family lived at Holderness Road, and their house overlooked Old Craven Park, where Hull Kingston Rovers played their rugby league matches at that time. In his reminiscences John Dare remembers having a grandstand view of games from his bedroom window.

John Dare had an illustrious career in the Second World War serving with the Royal Army Service Corps of the Territorial Army from January 1939 to August 1945 where he gained promotion to the rank of Captain. He spent a considerable time with the army in Africa in the countries of Ethiopia, Kenya, Madagascar and Somalia. His personal papers documenting his military service are preserved at the Imperial War Museum in London. He also left a large quantity of writings including his reminiscences of his childhood and the war and which are still in the possession of the family.

At the end of the War 1945 he married his first wife Sylvia B. Mailes (1920-1956) in Hereford. He married his second wife, Joan Eleanor Riley of Warwickshire, in 1958. There were children from both marriages.

a buont yn rhedeg Swyddfa'r Post, Penrhyn-coch tan 1984, pan benderfynasant ymddeol a rhentu fferm Bwlchrosser yn Bont-goch. Aethant ati cyn hir i brynu ac adfer yr hen adeiladau, gan symud ymhen amser o'r tŷ fferm i fyw yn y tai allanol, sy'n dyddio o'r ail ganrif ar bymtheg. Gwerthwyd y tŷ fferm ac ail enwyd maes o law yn Erw-las, ac aethpwyd â'r enw Bwlchrosser ganddynt er mwyn ei roi ar y tai allanol. Adroddir y stori yn llawn mewn ysgrif ddifyr gan John Dare yn y gyfrol *Ein Canrif*.

Bu farw John Dare ar 9 Mehefin 2006 a chynhaliwyd ei wasanaeth coffa yn Amlosgfa Aberystwyth.

After John Dare was made redundant from his work as a meat importer, he and his wife Joan and family moved to Wales in 1978, where they ran the Post Office at Penrhyn-coch until 1984, when they decided to retire and rent Bwlchrosser farm in Bont-goch. They soon purchased the farm and restored the old buildings, moving eventually from the relatively new farmhouse to live in the restored seventeenth century longhouse. The new farmhouse was sold and renamed Erw-las, and the name Bwlchrosser was given to the restored longhouse and outbuildings. The restoration story is fully documented in an entertaining bilingual chapter by John Dare in *Ein Canrif*.

John Dare died on 9 June 2006 and his memorial service was held at Aberystwyth Crematorium.

Darlington, Thomas (1864-1908)

Ysgolhaig ac arolygwr ysgolion a fu'n byw ym Mhlas Cefn Gwyn.

Yn 1903 cyhoeddwyd yn y *Welsh Gazette* fod 'Cefngwyn, plasdy bychan ar gyrion Pumlumon, wedi ei gymryd gan Mr T. Darlington, Arolygydd Ysgolion, lle byddai ef a'i deulu yn treulio misoedd y Gwanwyn a'r Haf'. Parhaodd y teulu i fyw yn ei tŷ arall, Hafodunos, Rhodfa Fuddug, Aberystwyth. Yn ddiweddarach prynwyd ganddynt The Larches (bellach wedi ei ail-enwi yn Garth Celyn) yn Ffordd Llanbadarn gan symud o Gefn Gwyn.

Roedd y Darlingtons yn sicr yn un o'r teuluoedd mwyaf diddorol i fyw yn Bont-goch, ac yn nhraddodiad y Plas byddent yn cynnal te parti blynyddol i blant y pentref. Bu Thomas Darlington hefyd yn cymryd rhan flaenllaw ym mywyd cymdeithasol y pentref trwy lywyddu mewn cyngherddau a chystadlu yn y sioe amaethyddol leol.

Roedd Thomas Darlington, a anwyd ar 22 Chwefror

A scholar and school inspector who lived at Plas Cefn Gwyn.

In 1903 the *Welsh Gazette* announced that 'Cefngwyn, a delightful old mansion on the romantic slopes of Plynlimon, has been taken by Mr T. Darlington, School Inspector, where he and his family would spend the Spring and Summer months'. However, the family maintained its other house, Hafodunos, Victoria Avenue, Aberystwyth. Later they purchased The Larches (now renamed Garth Celyn) in Llanbadarn Road, and severed their connection with Plas Cefn Gwyn.

The Darlingtons were certainly one of the most interesting families to live in Bont-goch, and in the tradition of the Plas they would host an annual tea party for the children of the village. Thomas Darlington also took a leading rôle in the social life of the village by presiding at concerts and competing at the local agricultural show at Tal-y-bont.

1864, yn ysgolhaig ac yn arolygydd ysgolion ac yn fab i Richard Darlington, ffermwr, o Nantwich, Swydd Gaer. Graddiodd o Goleg Sant Ioan, Caer-grawnt a Phrifysgol Llundain. Yn dilyn cyfnod byr yn dysgu yn Ysgol Rugby fe'i penodwyd yn brifathro Queen's College, Taunton. Bu'n aflwyddiannus fel ymgeisydd am swydd prifathro Coleg y Brifysgol, Aberystwyth yn 1891. Symudodd i Gymru yn 1896 pan y'i penodwyd yn arolygydd ysgolion. Roedd yn ieithydd penigamp ac yn rhugl mewn nifer o ieithoedd Ewropeaidd. Roedd hefyd yn rhugl yn y Gymraeg ac iaith y Romani. Byddai'n cyfrannu'n gyson i gylchgronau Cymreig ar faterion llenyddol a gwleidyddol, a chyhoeddodd nifer o lyfrau a phamffledi pwysig yn cynnwys *The folk-speech of south Cheshire* (1887) a *Welsh nationality and its critics* (1895).

Yn 1888 priododd Annie Edith Bainbridge, Eshott Hall, Northumberland, a ganwyd mab a thair merch iddynt. Bu farw Thomas Darlington yn Llundain ar 4 Chwefror 1908, yn 44 oed. Fe'i claddwyd yn Weston Lullingfield, ger Ellesmere, Swydd Amwythig. Bu farw Annie Edith Darlington (1863-1944) yn ei chartref yn Wimbledon ar 25 Medi 1944.

Bu brawd iau Thomas Darlington, sef Leonard Darlington (1875-1908), gŵr graddedig o Rydychen, yn dysgu'r clasuron yn Ysgol Sir Abergele ac Ysgol Sir Llangollen. Apwyntiwyd ef yn athro yn Barbados yn Ionawr 1908, ond bu farw yno ym Mai 1908 yn fuan ar ôl iddo golli ei frawd.

Daeth mab hynaf Thomas Darlington, William

Thomas Darlington, born on 22 February 1864, was a scholar and a school inspector and the son of Richard Darlington, a farmer, from Nantwich, Cheshire. He graduated from St. John's College, Cambridge and the University of London. After a short period teaching at Rugby School he was appointed headmaster of Queen's College, Taunton. He was unsuccessful as a candidate for the post of the Principal of University College, Aberystwyth in 1891. He moved to Wales in 1896 when he was appointed a schools inspector. He was a fine linguist and fluent in a number of European languages, including Welsh and Romany, and he contributed regularly to Welsh language periodicals on literary and political issues. He also published a number of books and pamphlets including *The folk-speech of south Cheshire* (1887) and *Welsh nationality and its critics* (1895).

In 1888 he married Annie Edith Bainbridge, Eshott Hall, Northumberland, and they had a son and three daughters. Thomas Darlington died in London on 4 February 1908, at the age of 44. He was buried at Weston Lullingfield, near Ellesmere, Shropshire. Annie Edith Darlington (1863-1944) died at her home in Wimbledon on 25 September 1944.

Thomas' younger brother Leonard Darlington (1875-1908), a graduate of the University of Oxford, taught classics at Abergele County and Llangollen County School. He was appointed a teacher in Barbados in January 1908, but he died there in May 1908 shortly after his brother's death.

Aubrey Cecil Darlington, a anwyd yn Taunton yn 1890, yn awdur, newyddiadurwr a dramodydd adnabyddus gan ennill lle iddo'i hunan yn yr *Oxford Dictionary of National Biography*. Bu farw yn ei gartref ger Seaford, Dwyrain Sussex yn 1979. Cyhoeddodd hunangofiant yn 1950 yn dwyn y teitl *I do what I like, ac yno* disgrifiodd fywyd teuluol yng Nghefn Gwyn a'r Larches, a hynny mewn peth manylder:

> *Cefn Gwyn was now in our possession, and my mother was busy making it first habitable and then comfortable. How she must have enjoyed it.*
>
> *Very soon the house was in shape; and the garden, which had been neglected for many years, began to look less like a wilderness. Out of that Welsh-speaking countryside – most of the older generation of villagers in Bontgoch spoke no English at all – had emerged, surprisingly, a groom-gardener named Charles Myring, as English as his native Birmingham, who became the complete old family retainer in about a week.*
>
> *I believe that those first years at Cefn Gwyn were the happiest of my mother's long life. At Cefn Gwyn she was fortified against all those things that caused her distress.*

Disgrifiodd The Larches fel a ganlyn:

> *This house was a real find. It had been designed by a local timber merchant [John Morgan JP] for his own use, and while it was unnecessarily ornate outside, it was as compact and comfortable to live in as the barrack on the sea-front [Hafodunos] had been the reverse.*

Eglurodd y perchennog presennol Y Parchg Peter M. Thomas i'r adeiladwr John Morgan werthu coedlan lars yn Ysbyty Ystwyth i ariannu'r gwaith o adeiladau ei dŷ newydd, a dyna a fu'n gyfrifol am y dewis o enw.

Thomas Darlington's eldest son, William Aubrey Cecil Darlington, born in Taunton in 1890, became a well-known author, journalist and playwright, who merited an entry in the *Oxford Dictionary of National Biography*. He died at his home near Seaford, East Sussex in 1979. He published an autobiography in 1950 entitled *I do what I like*, where he described family life in Plas Cefn Gwyn and the Larches in some detail:

> *Cefn Gwyn was now in our possession, and my mother was busy making it first habitable and then comfortable. How she must have enjoyed it.*
>
> *Very soon the house was in shape; and the garden, which had been neglected for many years, began to look less like a wilderness. Out of that Welsh-speaking countryside – most of the older generation of villagers in Bontgoch spoke no English at all – had emerged, surprisingly, a groom-gardener named Charles Myring, as English as his native Birmingham, who became the complete old family retainer in about a week.*
>
> *I believe that those first years at Cefn Gwyn were the happiest of my mother's long life. At Cefn Gwyn she was fortified against all those things that caused her distress.*

The Larches he described as follows:

> *This house was a real find. It had been designed by a local timber merchant [John Morgan JP] for his own use, and while it was unnecessarily ornate outside, it was as compact and comfortable to live in as the barrack on the sea-front [Hafodunos] had been the reverse.*

The present owner, the Revd Peter M. Thomas, kindly informed me that the original builder John Morgan had sold a larch woodland at Ysbyty Ystwyth to fund the work of the building of his new house – hence the choice of name.

Davies, Daniel (1908-1980)

Daniel Davies a'i deulu – amaethwyr a ddatblygodd ffram fynydd Llety Ifan Hen yn llwyddiannus iawn dros gyfnod o gan mlynedd.

Daniel Davies and his family developed Llety Ifan Hen into a successful hill farm over the last one hundred years.

Gŵr o ardal Tregaron oedd Daniel Davies, a anwyd ar 14 Medi 1908. Roedd yntau'n fab i Daniel Davies (1875-1935) a'i briod Mary (1876-1954), merch o

Daniel Davies, born on 14 September 1908, was originally from the Tregaron area. He was the son of Daniel Davies (1875-1935) and his wife Mary (1876-

Teulu / Family: Llety Ifan Hen: Daniel, Mary (Cynnull Mawr), Daniel & Mary, Lizzie Jane (Bryngwyn Mawr), Annie (Dolgellau) & James (Rhiwarthen). [Nid yw Jenkin (Pantdrain) yn y llun / Jenkin (Pantdrain) is not in the photograph].

ardal y Mynydd Bach ym mhlwyf Llangwyryfon. Roeddent yn byw yn fferm Pencastell, Llwynpiod, ac roedd y teulu'n perthyn yn agos i'r llenor a'r cenedlaetholwr James 'Kitchener' Davies (1902-1952). Roedd Martha (1872-1909), mam Kitchener Davies, yn chwaer i Daniel Davies (1875-1935).

Daniel oedd y chweched o saith plentyn. Bu farw'r hynaf, sef John, yn Ysbyty'r Bwthyn, Uxbridge, Middlesex yn dilyn damwain moduro yn Llundain tra'n gwasanaethu fel Cadet yn y Llu Awyr. Mae ef wedi ei goffáu ar gofebion yn Neuadd Goffa Tregaron a Llangeitho a chafodd ei gladdu, fel ei rieni, a'i chwaer Martha, a fu farw yn faban yn 1913, yn Eglwys St. Caron, Tregaron.

Ymgartrefodd y teulu yn ardal Bont-goch yn 1919, blwyddyn ar ôl diwedd y Rhyfel Mawr, gan gymryd tenantiaeth fferm fynyddig Llety Ifan Hen oddi ar stad Gogerddan, ac yna ei phrynu ymhen amser. Mae stori'r teulu yn mudo ar droed gyda'u hanifeiliaid o Dregaron i Bont-goch yn rhan o chwedloniaeth Sir Aberteifi, ac wedi ei chroniclo gan yr hanesydd Evan Jones:

> Roedd y tywydd yr hydref hwnnw yn ogoneddus ac yn ddigon gwresog i aeddfedu ŷd yn hyfryd nes ei fod "fel yr olden" fel yr arferid dweud yn yr ardal honno. Yr oedd fy mrawd a oedd yn hŷn na mi yn un o'r llu ffermwyr a aeth i "daflu llwyth" gyda phâr o geffylau a gambo. Byddai pob un yn llwytho yn y prynhawn cyn symud – dodrefn tŷ etc. Bore trannoeth yr oedd yr helpwyr dan ofal y ffermwr o gymydog, John Evans, Cefnbanadl, yn gofalu am y gyrr o wartheg a oedd i'w symud.
>
> Cychwynnwyd am chwech o'r gloch y bore ac yr oeddynt yn mynd drwy Benparcau tua naw o'r gloch. Yn y lle hwnnw yr oed teiliwr ffraeth yn byw ar y pryd ac yr oedd ef wrth adrodd yr hanes am y fudfa fawr honno yn cymharu'r daith i'r un a gymerodd cenedl Israel o'r Aifft i wlad Canan!
>
> Cyrhaeddwyd Llety Ifan Hen erbyn te cynnar, a'r holl drefniadau a wnaed ymlaen llaw wedi troi allan yn llwyddiant mawr. Yna roedd pawb yn barod i gychwyn tua thre.

1954) who hailed from the Mynydd Bach area of Llangwyryfon parish. They lived at Pencastell, Llwynpiod, and Martha (1872-1909), Daniel Davies' (1875-1935) sister, was the mother of the acclaimed poet and nationalist James 'Kitchener' Davies (1902-1952).

Daniel was the sixth of seven children. The eldest, John, died at the Cottage Hospital, Uxbridge, Middlesex following a motoring accident in London whilst serving as a Cadet in the Royal Air Force. He is commemorated at Neuadd Goffa, Tregaron and on the war memorial at Llangeitho. He was buried, along with his parents, and his sister Martha, who died as a baby in 1913, at St. Caron's Church, Tregaron.

The family settled in the Bont-goch area in 1919, one year after the end of the Great War, initially renting Llety Ifan Hen from the Gogerddan estate, and which they purchased in due course. The story of the family's trek with their animals on foot from Tregaron to Bont-goch forms part of Ceredigion's folk lore, and has been chronicled by the historian Evan Jones.

> The weather that Autumn was excellent and warm enough to mature corn so it was "like the olden" as it was said in that area. My brother who was older than me was one of the many farmers who went to assist the family with a pair of horses and a cart. Everyone would help to load the cart during the afternoon prior to moving, which would include the household furniture. On the following morning, the herd of cattle would be moved under the supervision of a neighbouring farmer, John Evans, Cefnbanadl.
>
> The journey commenced at 6-00 am in the morning, reaching Penparcau by 9-00 am. In that place a tailor, with a sense of humour, remarked that what he had witnessed bore comparison with the Israelites fleeing from Egypt to Canaan!
>
> Llety Ifan Hen was reached in time for an early tea, and all the planned arrangements had worked out perfectly. After which, all the helpers were ready to start their homeward journey.

Priododd Daniel Davies gyda Mary Jane Owen, Ynys Capel, Tal-y-bont ar 25 Medi 1937 yn Eglwys Elerch. Bu Daniel Davies farw yn 71 oed ar 29 Gorffennaf 1980 yn lled fuan ar ôl ymddeol i Faes Afallen, Bow Street, gan enwi'r tŷ yn *Llety.* Fe'i claddwyd ar 2 Awst 1980 ym mynwent Tal-y-bont. Bu farw ei briod Mary Jane yn 92 oed yn 2000, a'i chladdu yn Nhal-y-bont ar 22 Ebrill 2000. Bu Daniel Davies hefyd yn dosbarthu llaeth i bentref Bont-goch am flynyddoedd, a bu fel ei dad yn ffermwr llwyddiannus ac yn aelod ffyddlon ac yn warden Eglwys St. Pedr, Elerch.

Magwyd tri o blant ar aelwyd Llety Ifan Hen ac mae'r mab hynaf, Emyr Wyn Davies a'r teulu yn parhau i ffermio yno. Priododd Emyr Elizabeth 'Lisa' J. Williams o ardal Bronnant yn Ionawr 1965. Mae'r ddau yn chwarae rhan bwysig yn y gymdeithas. Mae Emyr hefyd yn parhau'r traddodiad teuluol o fod yn warden yn Eglwys Elerch. Mae hefyd yn chwarae rhan flaenllaw ar bwyllgor Sioe Amaethyddol Tal-y-bont ac fel cynghorydd cymuned. Cynhelir treialon cŵn-defaid Tal-y-bont yn flynyddol ar gaeau Llety Ifan Hen. Mae gan Emyr a'i briod Lisa bedwar o blant – Huw Wyn, Nia (Williams), Alwen Haf (Owen) ac Elin Angharad (Williams) – a saith o wyrion.

Dros gyfnod o gan mlynedd, datblygodd Llety Ifan Hen i fod yn un o ffermydd mwyaf cynhyrchiol yr ardal, gan ennill nifer o wobrau ac anrhydeddau am y gwelliannau a wnaethpwyd i ansawdd y tir mynydd. Ers dros ddegawd, bu'r fferm yn un organig.

Priododd chwaer Daniel, sef Elizabeth (Lizzie) Jane (1911-1984) gyda David Richard Mason (1907-2004), Bryngwyn Mawr, Dole, ac mae Dafydd Mason, wŷr iddynt yn dal i fyw ac i ffermio yn Bont-goch.

Daniel Davies married Mary Jane Owen, daughter of Richard Owen, farmer of Ynys Capel, Tal-y-bont on 25 September 1937 at Elerch Church. Daniel died aged 71 years on 29 July 1980 shortly after retiring to Maes Afallen, Bow Street, where he named the house *Llety*. He was buried on 2 August 1980 in Tal-y-bont cemetery. His wife Mary Jane died aged 92 years in 2000, and was buried at Tal-y-bont on 22 April 2000. Daniel Davies also distributed milk in the village of Bont-goch for many years, and was like his father a successful farmer and a faithful member and warden at St. Peter's Church, Elerch.

Three children were raised at Llety Ifan Hen, and the eldest son, Emyr Wyn Davies and his family, continue to farm there. He married Elizabeth 'Lisa' J. Williams from Bronnant in January 1965. Both are active in the community. Emyr has kept up the tradition of being a churchwarden at St. Peter's Church, Elerch, and he is also a committee member of the Tal-y-bont Agricultural Show and a serving community councillor. The annual Tal-y-bont sheepdog trials are also held at Llety Ifan Hen. Emyr and his wife Lisa have four children – Huw Wyn, Nia (Williams), Alwen Haf (Owen) and Elin Angharad (Williams) – and seven grandchildren.

Over a period of a century, Llety Ifan Hen has developed into one of largest and most prosperous farms in the area, gaining recognition and many awards for the improvements made to a challenging terrain. The farm has also been organic for over a decade.

Daniel Davies' sister, Elizabeth (Lizzie) Jane (1911-1984), married David Richard Mason (1907-2004), Bryngwyn Mawr, Dole, and Dafydd Mason, their grandson, still lives and farms in Bont-goch.

Davies, Daniel (1914-1984)

Gweinidog Capel Ebenezer, Bont-goch, 1969-1980.

Roedd Capel Wesle Ebenezer Bont-goch yn rhan o Gylchdaith Gymraeg Aberystwyth ac yn cael ei wasanaethu gan y gweinidog neu weinidogion a benodwyd i'r Gylchdaith. Tra'n gwasanaethu'r Gylchdaith bu'r Parchg Daniel Davies yn byw yn Aberystwyth, ac ef oedd yn gyfrifol am gapel Bont-goch, gan gynnal oedfaon yno yn rheolaidd.

Ganwyd Daniel Davies yn fab i David Davies, saer maen, a'i briod Nel ym Mhont-y-foel, Capel Dewi, Llandysul ar 3 Tachwedd 1914. Dewisodd Daniel ddilyn crefft dilledydd cyn penderfynu dilyn ei frawd hŷn Enoch Thomas Davies (1910-1993) i'r weinidogaeth. Derbyniodd Daniel ei addysg ddiwynyddol yng Nghaerfyrddin, gan ddechrau ar ei waith fel gweinidog ordeiniedig yn 1938.

Gwasanaethodd yng nghylchdeithiau Coed-poeth, Dolgellau a Phontarddulais cyn sefydlu yn Aberystwyth yn 1969. Bu yno tan ei ymddeoliad yn 1980, pan symudodd ef a'i briod i Fryncastell, Bow Street, lle deuthum i'w hadnabod yn dda gan fy mod yn byw drws nesaf iddynt. Roedd Daniel Davies yn ŵr hynaws a charedig, ac yn ddyn ymarferol iawn â'i ddwylo, ac yn gymydog delfrydol. Roedd yn deall gwaith adeiladu ac yn fecanic ceir heb ei ail ac yn yrrwr car penigamp. Yn aml iawn fe'i gwelwyd yn datgymalu injan y car yn ei *overalls*, ond byth heb ei goler glerigol! Ond yn fwy na dim bu'n weinidog poblogaidd a gofalus a gŵr

Minister of Ebenezer Chapel, Bont-goch, 1969-1980.

Ebenezer Chapel, Bont-goch fell within the Aberystwyth Circuit of Wesleyan chapels and as such was served by a minister or ministers appointed to the Circuit. The Revd Daniel Davies served the Circuit for eleven years between 1969 and 1980 and regularly took services at Bont-goch.

Daniel Davies was born on 3 November 1914, the son of David Davies, a stonemason, and his wife Nel at Pont-y-foel, Capel Dewi, Llandysul. Daniel pursued an apprenticeship as a draper before deciding to follow his elder brother Enoch Thomas Davies (1910-1993) into the ministry. Daniel received his theological education at Carmarthen, and commenced his work as an ordained minister in 1938.

He served the Coed-poeth, Dolgellau and Pontarddulais Wesleyan circuits before being appointed to Aberystwyth in 1969. He remained at Aberystwyth until his retirement in 1980 when he and Mrs Davies moved to Bryncastell, Bow Street, where I got to know them well as my next door neighbours. Daniel Davies was a gentle and kind man, and could turn his hand to many practical tasks. He understood building work and was a first class motor mechanic and an advanced driver. I would often see him dismantling his engine on the drive, always clothed in his overalls, but never without his clerical collar! But above all he was a highly respected minister of

uchel iawn ei barch. Cofiaf un stori ddoniol amdano, pan fu'n hwyr mewn cyhoeddiad yng Nghapel y Garn, Bow Street, gan iddo anghofio troi'r cloc ymlaen – digwyddiad a fu'n destun tebyg yn un o straeon ei gyd-weinidog Joseph Jenkins, a nodir isod, yn *Robin y Pysgotwr ac ystraeon eraill.*

Bu farw'r Parchg Daniel Davies yn sydyn iawn ar 23 Gorffennaf 1984, a chynhaliwyd ei angladd yn Eglwys St. Paul's, Aberystwyth. Fe'i claddwyd ym mynwent gyhoeddus y dref ar 26 Gorffennaf. Gadawodd weddw, Anne, (1915-1991), a merch Nerys, sy'n parhau i fyw yn lleol. Ceir cwpled cwbl addas ar ei garreg fedd:

"Mewn eisiau, cymwynaswr
Hawdd ei gael, bonheddig ŵr".

religion. I remember one amusing story about him when he was an hour late for a service at Capel y Garn, Bow Street as he had forgotten to put his clock forward in the Spring – an incident similar to the one featured by his fellow minister, Joseph Jenkins, noted below, in one of his short stories in *Robin y Pysgotwr ac ystraeon eraill.*

The Revd Daniel Davies died very suddenly on 23 July 1984, and his funeral was held at St. Paul's Church, Aberystwyth on 26 July. He was interred at Aberystwyth municipal cemetery. He left a widow Anne (1915-1991) and a daughter Nerys who continues to live locally.

Davies, David John (1879-1935)

Prifathro Coleg Diwinyddol Moore, Sydney, Awstralia, a anwyd ym Mhantgwyn.

Ar 12 Tachwedd 1878 dechreuodd David Davies ar ei swydd newydd fel athro Ysgol Elerch ac yntau'n ŵr priod ifanc 22 oed. Daeth i Geredigion ar ôl dal swydd debyg yn ysgolion Maenordeifi ac Aber-cych ar ffin siroedd Caerfyrddin a Phenfro. Roedd yn fab i fferm Cwm-coch, Llanddarog, Sir Gaerfyrddin, a hanai teulu ei wraig, Sarah Pugh Rees, o blwyf Llanedi, ar gyrion Llanelli. Roedd hi hefyd yn athrawes gymwys a bu'n cynorthwyo ar adegau yn Elerch pan nad oedd modd i'w gŵr fod yn bresennol.

Ar ôl symud i Bont-goch ymgartrefodd Davies a'i wraig ym Mhantgwyn, ac yno y ganed eu plentyn cyntaf David John Davies ar 12 Chwefror 1879 ac a fedyddiwyd yn Eglwys Elerch ymhen deufis ar 20 Ebrill. Ond prin ddeunaw mis fu arhosiad y teulu ifanc yn Elerch, ac yn gynnar yn 1880 cyflwynodd yr athro newydd dri mis o rybudd ei fod am adael i dderbyn swydd a fyddai'n talu'n well yn Llanelian-yn-Rhos, Sir

Principal of Moore Theological College, Sydney, Australia, born at Pantgwyn.

On 12 November 1878 David Davies, a young married man of 22 years, began his new post as a teacher at Elerch. He came to Cardiganshire after holding similar posts at Maenordeifi and Aber-cych national schools on the Carmarthenshire and Pembrokeshire border. He was born at Cwm-coch farm, Llanddarog, Carmarthenshire, and his wife's family, Sarah Pugh Rees, hailed from the parish of Llanedi, on the outskirts of Llanelli. She was also a qualified teacher and occasionally assisted at Elerch when her husband was unable to attend.

Whilst at Bont-goch, Davies and his wife lived at Pantgwyn, where their first child, David John Davies was born on 12 February 1879 and baptized at Elerch Church on 20 April. But the family's stay in Elerch was barely eighteen months, and in early 1880 the new teacher served his three months notice as he had obtained a similar but better paid job at Llanelian-yn-

Ddinbych. Ffarweliodd y teulu â Sir Aberteifi ar ôl y Pasg, 1880.

Ond beth a ddaeth o'r crwt bach a aned ym Mhantgwyn? Dangosodd David John Davies addewid academaidd cynnar, ac ymhen amser fe'i derbyniwyd fel myfyriwr i Goleg y Drindod, Caer-grawnt lle graddiodd gyda dosbarth cyntaf mewn hanes yn 1903. Ar ôl graddio penderfynodd Davies gymhwyso'i hun i'r offeiriadaeth trwy ddilyn cwrs pellach yn Ridley Hall, Caer-grawnt.

Bu 1911 yn flwyddyn allweddol yn ei fywyd. Priododd â Grace Augusta, pedwaredd ferch y Parchg A. G. Lowe, tref Hungerford, ac yn ystod yr un flwyddyn derbyniodd wahoddiad i fynd i Awstralia fel prifathro Coleg Diwinyddol Moore, yn Sydney. Hwn oedd, ac yw, prif goleg diwinyddol y wlad ac sy'n dal i dderbyn dros 100 o fyfyrwyr newydd bob blwyddyn. Ac yno y bu drwy gydol ei yrfa yn ffigwr dylanwadol ym mywyd crefyddol y wlad ac yn uchel ei barch gan ei fyfyrwyr. Cyhoeddodd nifer o lyfrau ac erthyglau pwysig, yn eu plith *The Church and the Plain Man* (1919). Yn 1917 fe'i penodwyd yn Archddiacon Sydney, ond parhaodd yn ei swydd fel prifathro. Mae'n werth nodi i frawd fy nhad-cu, Thomas Hughes (1867-1947), dreulio nifer o flynyddoedd yn offeiriad yn ardal Sydney, ac iddo dderbyn ei addysg yng Ngholeg Moore o dan law D. J. Davies.

Bu farw'r Archddiacon D. J. Davies yn 1935 yn 56 oed. Gadawodd weddw a chwech o blant. Cynhaliwyd ei angladd yn Eglwys Gadeiriol St. Andrew's, Sydney. Fe'i claddwyd ac mae wedi ei goffáu ym mynwent South Head, Sydney.

Rhos, Denbighshire. The family bade farewell to Cardiganshire shortly after Easter, 1880.

But what became of the little boy born at Pantgwyn? David John Davies showed early academic promise, and in time was admitted as a student to Trinity College, Cambridge, where he graduated with a first class honours degree in history in 1903. After graduating, Davies decided to enrol for the priesthood and further studies at Ridley Hall, Cambridge.

1911 was a significant milestone in his life. He married Grace Augusta, the fourth daughter of Revd A. G. Lowe, of Hungerford, and during the same year he was invited to go to Australia as the principal of Moore Theological College in Sydney. This was, and remains, the country's leading theological college and is still receiving over 100 new students annually. Davies spent the rest of his career at Moore College, an influential figure in the country's religious life and respected by his students. He published a number of important books and articles, including *The Church and the Plain Man* (1919). In 1917 he was appointed archdeacon of Sydney, but he also remained in post as principal. It's probably worth noting that my grandfather's brother, Thomas Hughes (1867-1947), spent many years as a clergyman in the Sydney area and received his theological education at Moore College when D. J. Davies was Principal.

Archdeacon D. J. Davies died at the age of 56 years in 1935, leaving a widow and six children. His funeral was held at St. Andrew's Cathedral, Sydney. He was buried at South Head cemetery, Sydney where he is commemorated.

Davies, David Leslie Augustus (1925-2006)

Ficer Penrhyn-coch ac Elerch, 1971-1973.

Ganwyd David Leslie Augustus Davies ar 9 Awst 1925 yn ardal Cwmfelin-boeth ar y ffin rhwng Sir Gaerfyrddin a Sir Benfro, yn fab i John a Mary Davies. Addysgwyd yng Ngholeg Dewi Sant, Llanbedr Pont Steffan gan raddio BA yn 1950. Ordeiniwyd yn 1951. Bu'n gurad St. Mihangel, Aberystwyth, 1951-55 a St. Paul, Llanelli, 1955-56, cyn ei apwyntio yn ficer Castellmartin a Warren, 1956-61. Bu'n rheithor Eglwysilan yn esgobaeth Llandaf, 1961-65, ac yn gaplan ysbytai Croydon cyn ei benodiad fel offeiriad Penrhyn-coch ac Elerch ar 2 Rhagfyr 1971, gan fyw yn Ficerdy Penrhyn-coch. Gadawodd Geredigion yn 1973 i fod yn gaplan ar nifer o ysbytai yn ardal Reading tan ddiwedd y 1980au, a bu'n byw yn 5 Craven Road, Reading.

Tra'n gurad St. Mihangel, Aberystwyth priododd ferch leol, Mavis Edwards, nyrs ddeintyddol, a merch John Thomas Edwards, cludwr celfi, 29 Ffordd Portland, yn yr eglwys honno ar 26 Ebrill 1955, ac ymhen amser ganwyd dau o blant iddynt, sef bachgen a merch. Bu farw'r Parchg D. Leslie Augustus Davies yn ardal y New Forest, Hampshire yn Ebrill 2006.

Vicar of Penrhyn-coch *w.* Elerch, 1971-1973.

David Leslie Augustus Davies, the son of John and Mary Davies, was born on 9 August 1925 at Cwmfelin-boeth on the border of Carmarthenshire and Pembrokeshire. He was educated at St. David's College, Lampeter graduating BA in 1950, and ordained in 1951. He was curate of St. Michael's, Aberystwyth, 1951-55, St. Paul's, Llanelli, 1955-56, before being appointed vicar of Castlemartin *w.* Warren, 1956-61. He was the rector of Eglwysilan in the Diocese of Llandaff, 1961-65, and chaplain of hospitals at Croydon before being appointed as the vicar of Penrhyn-coch *w.* Elerch on 2 December 1971, which he served from Penrhyn-coch Vicarage. He left Ceredigion in 1973 and was appointed chaplain to several hospitals in the Reading area, a rôle he fulfilled until the late 1980s. He lived at 5 Craven Road, Reading.

Whilst he was curate of St. Michael's, Aberystwyth he married a local girl, Mavis Edwards, a dental nurse, and daughter of John Thomas Edwards, furniture remover, 29 Portland Road, in that church on 26 April 1955. In time they had two children, a son and a daughter. The Revd D. Leslie Augustus Davies died in the New Forest region, Hampshire in April 2006.

Davies, David Stephen (1885-1935)

Gweinidog Capel Bethesda, Tŷ-nant, 1924-1935.

Roedd David Stephen Davies yn fab i'r Parchg Stephen Davies (1833-1895), gweinidog Peniel a Bwlch-y-corn, ar gyrion tref Caerfyrddin. Yn enedigol o Brynmyrnach, Sir Benfro priododd Letitia Jones, merch Ffatri Wlân Cwmgwili, ar ôl derbyn galwad i Sir Gaerfyrddin o gapel Soar, Aber-dâr.

Minister of Bethesda Chapel, Tŷ-nant, 1924-1935.

David Stephen Davies was the son of the Revd Stephen Davies (1833-1895), the minister of Peniel and Bwlch-y-corn chapels on the outskirts of Carmarthen. Originally from Brynmyrnach, Pembrokeshire he married Letitia Jones, daughter of the woollen mill at Cwmgwili, after he came to Carmarthenshire from

Addysgwyd ef yng Nhaerfyrddin cyn treulio cyfnod yn gweinidogaethu yn America, ac fe'i sefydlwyd fel gweinidog Bethesda, Tŷ-nant, Tabor-y-mynydd a Seion, Cwm Ceulan yn 1924 i olynu'r Parchg Frederick H. Davies. Gwasanaethodd yno am 11 mlynedd.

Ar ôl bod yn anhwylus am flwyddyn bu'r Parchg D. Stephen Davies farw yn 50 oed ar 13 Ebrill 1935, ac fe'i claddwyd ar 17 Ebrill 1935 ym mynwent gyhoeddus Tal-y-bont. Roedd yn ŵr priod gyda phump o blant.

Soar, Aber-dâr to his new pastorate.

He was educated at Carmarthen before spending some time in the ministry in America. D. Stephen Davies was inducted as the minister of Bethesda, Tŷ-nant, Tabor-y-mynydd, and Seion, Cwm Ceulan in 1924 to succeed the Revd Frederick H. Davies, where he served for 11 years.

After being in poor health for a year, the Revd D. Stephen Davies died on 13 April 1935, aged 50 years, leaving a widow and five children. He was buried at Tal-y-bont cemetery on 17 April.

Davies, Frederick Hughes (1887-1968)

Gweinidog Bethesda, Tŷ-nant, 1915-1919.

Ganwyd Frederick Hughes Davies yn Ponciau, Wrecsam ar 9 Rhagfyr 1887, ac ar ôl derbyn addysg ddiwinyddol yng Ngholeg Presbyteraidd Cymru, Caerfyrddin a Choleg Owens, Manceinion fe'i hordeiniwyd yn weinidog ar Bethesda, Tŷ-nant, Tabor-y-mynydd a Seion, Cwm Ceulan yn 1915, gan olynu'r Parchg John Davies. Ar ôl pedair blynedd yn bugeilio 'eglwysi'r mynyddoedd' symudodd yn 1919 i Frynrhiwgaled, ger Ceinewydd. Oddi yno yn 1928 aeth i Gapel-y-Glyn, Glyn-nedd, cyn symud ymhen blwyddyn i Gapel Bethania, Tymbl Uchaf, Sir Gaerfyrddin, lle bu o 1929 hyd at ei ymddeoliad yn 1961. Disgrifiwyd ef mewn teyrnged gan Y Parchg Neville J. Morgan fel:

Minister of Bethesda Chapel, Tŷ-nant, 1915-1919.

Frederick Hughes Davies was born at Ponciau, Wrexham on 9 December 1887, and educated at the Presbyterian College, Carmarthen and Owens College, Manchester. He was ordained minister of Bethesda, Tŷ-nant, Tabor-y-mynydd and Seion, Cwm Ceulan in 1915, succeeding the Revd John Davies. After four years as pastor of the 'churches of the mountains' he moved in 1919 to Brynrhiwgaled, near New Quay. From there in 1928 he went to Capel-y-Glyn, Glyn-neath, before moving within a year to Bethania, Upper Tumble, Carmarthenshire, where he ministered from 1929 until his retirement in 1961. He was described in a tribute by the Revd Neville J. Morgan as:

Dyn hardd yr olwg ...Roedd yn brydlon yn dechrau pob gwasanaeth, hyd yn oed pe na bai neb arall yno! Felly

A handsome man who was always punctual and would start the service on time, even if no one else

fe'n dysgodd ni oll i fod yn brydlon. Person hyfryd hefyd oedd Mrs Davies. Yr oedd ganddynt dri o blant: Eurwen, Elfryn ac Emyr. Roedd "F. M." fel yr adnabyddid ef yn ddyn hynod o garedig ac yn gefnogol iawn. Roedd yn fugail neilltuol i'w braidd.

Yr oedd nid yn unig yn ddyn golygus, sionc, ond yn un a wisgai'n drwsiadus, fel pin mewn papur. Ei wisg oedd cot a gwasgod ddu a throwsus pinstripe *a choler* butterfly ...

Bu farw'r Parchg Frederick H. Davies ar 12 Awst 1968 yn 80 oed. Fe'i claddwyd ym mynwent Bethania, Tymbl Uchaf. Priododd Nellie, merch o Rostyllen, Wrecsam, a fu farw ychydig fisoedd yn gynharach ar 6 Ionawr 1968, yn 76 oed. Mae eu mab Emyr Wyn (1925-1938) wedi ei goffáu ar garreg fedd y teulu. Dadorchuddiwyd cofeb i'r Parchg Frederick H. Davies yng Nghapel Bethania ar 10 Mawrth 1974 gan ei fab Elfryn Evans, Casnewydd.

was there. We all learned to be punctual. Mrs Davies was also a fine person. They had three children: Eurwen, Elfryn and Emyr. "F. M. "as he was known was a very kind and very supportive minister, and a good shepherd to his flock.

He was not only handsome and vibrant, he was also well-dressed at all times. His usual attire was a a black jacket and waistcoat, pinstripe trousers, and butterfly collar on his shirt.

The Revd Frederick H. Davies died on 12 August 1968 at the age of 80 years. He was buried at Bethania cemetery, Upper Tumble. Nellie, his wife, a native of Rhostyllen, Wrexham, died a few months earlier on 6 January 1968, aged 76 years. Their son Emyr Wyn (1925-1938) is also commemorated on the family grave. A memorial plaque to Frederick H. Davies was unveiled at Bethania Chapel on 10 March 1974 by his son Elfryn Evans, of Newport, Gwent.

Davies, James Glyndwr (1873-1939)

Cenhadwr a gweinidog yn Ne Affrica, a anwyd ym Mlaencastell.

Ganwyd James Glyndwr Davies ar 19 Ebrill 1873 ym Mlaencastell, Trefeurig, yn fab i Richard Davies (1835-1910) a'i briod Mary (1837-1885). Ganwyd y tad yn Hwlfforrd, cyn symud i Ffynnongwyrfil, Llangrannog yn fachgen ifanc, ac yna i ogledd Sir Aberteifi. Roedd y rhieni yn aelodau ffyddlon o Gapel Wesleaidd Ebenezer yn Bont-goch, ac yno y'u claddwyd.

Addysgwyd James Glyndwr yn Ysgol Trefeurig a agorwyd yn 1875, ac a fyddai ychydig yn nes i'w gartref nag Ysgol Elerch, cyn mynd ymlaen i Goleg Diwinyddol Richmond. Ar ôl cyfnod byr yn nalgylch Swydd Northampton, gwnaeth gais i fynd yn genhadwr i China ond i'r Transvaal y cafodd ei anfon yn 1897, i dre fach fwynfaol o'r enw Nigel yn yr East Rand. Ni fu yno'n hir iawn gan i Ryfel De Affrica, neu

A missionary and minister in South Africa, born at Blaencastell.

James Glyndwr Davies was born on 19 April 1873 at Blaencastell, Trefeurig, the son of Richard Davies (1835-1910) and his wife Mary (1837-1885). The father was born at Haverfordwest, before moving to Ffynnongwyrfil, Llangrannog as a young boy, and then to north Cardiganshire. The parents were loyal members of Ebenezer Wesleyan Chapel in Bont-goch, where they are both buried.

He was educated at Trefeurig School, opened in 1875, which would have been a little closer than Elerch, before going on to Richmond Theological College. After a short period serving in Northamptonshire, he applied to become a missionary in China but was instead posted to a small mining town called Nigel in the East Rand of the Transvaal in

Ryfel y Boer, dorri allan ac fe'i hanfonwyd i'r Cape lle bu'n gwasanaethu yn St Andrew, mam eglwys y Presbyteriaid yn Ne Affrica. Yno cyfarfu â John Henry Wood, yn wreiddiol o Swydd Efrog, ond a oedd bellach yn faer Muizenberg a Kalk Bay yn y Cape. Yn Cape Town priododd James Glyndwr Davies ag Amy, un o bedair o ferched Wood.

Gwasanaethodd am gyfnod yn Potchefstroom cyn symud i gymryd gofal o'r Central Church yn Johannesburg, un o eglwysi mwyaf o ran cynulleidfa yn yr Affrig. Ganed eu merch Gwendolen yn Johannesburg ac Elwyn eu mab yn Klerksdorp. Yn y cyfnod yma, tua adeg y Rhyfel Byd Cyntaf, roedd Glyndwr Davies yn rhannol gyfrifol am sefydlu Eisteddfod Genedlaethol De Affrica ac Eisteddfod Rhodesia yn ystod ei dymor yn Salisbury o 1918 hyd 1921. Dyrchafwyd ef yn aelod o'r Orsedd yng Nghymru o dan y ffugenw 'Glyndŵr'.

Bu farw'r Parchg J. Glyndwr Davies mewn ysbyty yn Bethnal Green, Llundain yn 1939 a'i gladdu ym mynwent Highgate mewn darn o dir a berthynai i'r Mission House a neilltuwyd ar gyfer claddu rhai a fu'n gwasanaethu dramor.

South Africa. However, due to the outbreak of the Boer War, he was soon sent to the Cape where he served at St Andrew, the mother church of the Presbyterian denomination in South Africa. There he met John Henry Wood, originally from Yorkshire, and the Mayor of Muizenberg and Kalk Bay. He later married one of Wood's four daughters, Amy, at Cape Town.

He served briefly at Potchefstroom before moving to take charge of the Central Church in Johannesburg, which had one of the largest congregations in Africa. Their children Gwendolen and Elwyn were born at Johannesburg and Klerksdorp, respectively. During this time, around the First World War, James Glyndwr Davies was partly responsible for establishing the South African National Eisteddfod and the Rhodesian Eisteddfod during his period at Salisbury from 1918-1921. He was constantly in demand to preach and to lead eisteddfodau, and was elevated to the Gorsedd of Bards in Wales under the pseudonym 'Glyndŵr'.

The Revd J. Glyndwr Davies died in hospital at Bethnal Green, London in 1939 and was buried in Highgate cemetery in a piece of land belonging to the Mission House and designated for the burial of those who had served abroad.

Davies, John (1851-1947)

Gweinidog Capel Bethesda, Tŷ-nant, 1878-1913.

Ganwyd John Davies mewn ffermdy o'r enw Dyffryn, plwyf Llanboidy, Sir Gaerfyrddin ar 15 Ebrill 1851 a'i fagu ar aelwyd Frowen, Llanfyrnach. Mynychodd gapel Annibynwyr Llwyn-yr-hwrdd, Tegryn, Sir Benfro. Addysgwyd yng Ngholeg Presbyteraidd Caerfyrddin, ac fe'i hordeiniwyd yn 1878 i'w unig ofalaeth sef Bethesda, Tŷ-nant, Tabor-y-mynydd, Nant-y-moch a Seion, Cwm Ceulan gan olynu'r Parchg Peter Davies. Priododd Ann Mason, Bwlch-y-dderwen yn 1886, chwaer David Mason. (Nodir Peter Davies a David Mason mewn cofnodion unigol isod). Bu John Davies yn weinidog yno am 35 mlynedd, cyn ymddeol yn 1913 i Bow Street. Ef oedd cynrychiolydd cyntaf Ceulanamaesmawr ar Gyngor Sir Aberteifi a bu'n llywodraethwr Ysgol Tal-y-bont ac yn gadeirydd y Cyngor Plwyf.

Bu farw'r Parchg John Davies ar 10 Awst 1947 yn 96 oed. Fe'i claddwyd ym mynwent gyhoeddus Tal-y-bont ar 14 Awst 1947. Bu farw ei briod Anne ar 28 Gorffennaf 1949, yn 86 oed ac fe'i claddwyd yn ymyl ei gŵr ar 5 Awst 1949, yn 86 oed. Bu hithau farw yn 26 Kendor Avenue, Epsom, Surrey.

Minister of Bethesda Chapel, Tŷ-nant , 1878-1913.

John Davies was born at Dyffryn, Llanboidy, Carmarthenshire on 15 April 1851 and raised at Frowen, Llanfyrnach. He attended Llwyn-yr-hwrdd Independent chapel, Tegryn, Pembrokeshire. He was educated at the Presbyterian College, Carmarthen, and was ordained in 1878 to his only ministry, Bethesda, Tŷ-nant, Tabor-y-mynydd, Nant-y-moch and Seion, Cwm Ceulan, succeeding the Revd Peter Davies. John Davies served for 35 years, before retiring in 1913 to Bow Street. He married Ann Mason, of Bwlch-y-dderwen in 1886, the sister of David Mason. (The Revd Peter Davies and David Mason are recorded in separate entries below). Davies was Ceulanamaesmawr's first representative on Cardiganshire County Council and he was also a governor of Tal-y-bont School, and chairman of the parish council.

The Revd John Davies died on 10 August 1947 at the age of 96 years. He was buried at Tal-y-bont cemetery on August 14, 1947. His wife, Anne, died on 28 July 1949, aged 86 years, and she was also buried with her husband on 5 August 1949. She died at 26 Kendor Avenue, Epsom, Surrey.

Bethesda, Tŷ-nant

Davies, Joseph Haines (1917-2004)

Gweinidog Capel Ebenezer, Bont-goch, 1953-1965.

Fel y nodwyd uchod roedd Capel Ebenezer, Bont-goch yn rhan o Gylchdaith Gymraeg Methodistaidd Aberystwyth ac yn cael ei wasanaethu gan y gweinidog neu weinidogion a benodwyd i'r Gylchdaith. Bu'r Parchg J. Haines Davies yn gwasanaethu yn y Gylchdaith am ddeuddeg mlynedd rhwng 1953 a 1965 ac yn cymryd gwasanaethau yn Bont-goch yn rheolaidd, capel oedd, yn ôl ei deulu, yr oedd yn arbennig o hoff ohono.

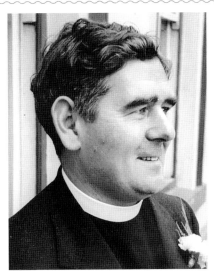

Fe'i ganwyd yng Nghaernarfon ar 15 Ionawr 1917 yn fab i Hugh Davies a'i briod Frances (née Haines). Addysgwyd yng Nghaernarfon a Choleg Handsworth, Birmingham, a'i ordeinio yn 1943. Cyn ei ordeinio bu'n gweithio am gyfnod i W. H. Smith ac i'r Comisiwn Coedwigaeth yng nghanolbarth Cymru fel gwrthwynebwr cydwybodol.

Priododd Mary Ellen (Mem) Griffiths yng nghapel Ebenezer, Caernarfon ar 2 Ebrill 1947, a ganwyd dau o blant iddynt, sef y darlledwr Arfon Haines a Catherine Frances.

Yn ogystal â Chylchdaith Aberystwyth gwasanaethodd J. Haines Davies eglwysi yn Harlech, Treharris, Llandeilo, Treffynnon a Bae Colwyn. Bu'n Llywydd ac yn ysgrifennydd Cyngor Ysgolion Sul Cymru ac fe'i hurddwyd yn aelod o'r Orsedd.

Ymddeolodd ef a'i briod i Ffordd Cadwgan, Hen Golwyn. Bu farw J. Haines Davies yn 87 oed ar 5 Mawrth 2004 a'i wraig ar 10 Mai 2011 yn 94 oed. Mae'r ddau wedi eu claddu ym mynwent Bron-y-nant, Mochdre, Sir Conwy.

Minister of Ebenezer Chapel, Bont-goch 1953-1965.

As noted above, Ebenezer Chapel, Bont-goch fell within the Aberystwyth Circuit of Wesleyan chapels and as such was served by a minister or ministers appointed to the Circuit. The Revd J. Haines Davies served the Circuit for twelve years between 1953 and 1965 taking services regularly at Bont-goch, a chapel which, according to his family, he was particularly fond of.

He was born at Caernarfon on 15 January 1917, the son of Hugh Davies and his wife Frances (née Haines). Educated at Caernarfon and at Handsworth College, Birmingham, he was ordained in 1943. Prior to his ordination he worked briefly for W. H. Smith and for the Forestry Commission in mid-Wales as a conscientious objector.

He married Mary Ellen (Mem) Griffiths at Caernarfon on 2 April 1947, and they had two children, the broadcaster Arfon Haines and Catherine Frances.

In addition to serving in the Aberystwyth Methodist Circuit J. Haines Davies also ministered at Harlech, Treharris, Llandeilo, Holywell and Colwyn Bay. He was appointed secretary of the Sunday Schools Council, and was admitted to the Gorsedd of Bards.

The Revd J. Haines Davies and his wife retired to Cadwgan Road, Old Colwyn. He died aged 87 years on 5 March 2004, and his wife on 10 May 2011, aged 94 years. Both are buried at Bron-y-nant cemetery, Mochdre, Conwy.

Davies, Peter (1843-1914)

Gweinidog Capel Bethesda, Tŷ-nant, 1872-1877.

Peter Davies oedd gweinidog cyntaf Capel Bethesda, Tŷ-nant. Derbyniodd alwad i ofalu am yr Eglwys, ynghyd â chapeli Tabor-y-mynydd a Seion, Cwm Ceulan ac fe'i sefydlwyd mewn gwasanaethau a gynhaliwyd ar 3 a 4 Rhagfyr 1872.

Ganwyd yn ardal y Wern, Coed-poeth, Wrecsam ar 3 Chwefror 1843, yn fab i Ishmael a Mary Davies, a derbyniodd ei addysg ddiwinyddol yn Athrofa'r Bala, gan gychwyn yno ym Mawrth 1867 dan brifathrawiaeth yr enwog Michael D. Jones (1822-98), sylfaenydd Y Wladfa Gymreig ym Mhatagonia. Fe'i hordeiniwyd yn 1871 a gwasanaethodd yn Arthog a Llwyngwril am flwyddyn cyn symud i Geredigion. Priododd ar 7 Tachwedd 1873. Ym mis Tachwedd 1877 symudodd i ofalu am eglwysi Clarach a'r Borth, lle bu am ddegawd. Yn 1887 cymerodd ofal o eglwysi Annibynnol Pant-teg a Libanus ar gyrion Caerfyrddin a bu yno tan ei farwolaeth ar 20 Rhagfyr 1914.

Mae'r Parchg Peter Davies a'i briod Anne (née Roberts), a'i ragflaenodd ar 31 Hydref 1909, wedi eu claddu ym mynwent Pant-teg.

Minister of Bethesda Chapel, Tŷ-nant 1872-1877.

Peter Davies was the first minister of Capel Bethesda, Tŷ-nant. He received a calling to serve Bethesda, together with Tabor-y-mynydd and Seion, Cwm Ceulan and was inducted on 3 and 4 December 1872.

Born in the Wern area of Coed-poeth, near Wrexham on 3 February 1843, he was the son of Ishmael and Mary Davies, and received his theological education at Bala commencing his studies there in March 1867 under the renowned principal Michael D. Jones (1822-98), founder of the Welsh settlement in Patagonia. Davies was ordained in 1871 and served at Arthog and Llwyngwril for a year before moving to Cardiganshire. He married on 7 November 1873. In November 1877 he moved to take charge of churches at Clarach and Borth, where he remained for a decade. In 1887 he moved to minister Pant-teg and Libanus Independent chapels on the outskirts of Carmarthen and remained there until his death on 20 December 1914.

The Revd Peter Davies and his wife Anne (née Roberts), who predeceased him on 31 October 1909, are both buried at Pant-teg cemetery.

Davies, Tudor (1923-2010)

Gweinidog Capel Ebenezer, Bont-goch, 1985-1986.

Fel y nodwyd uchod roedd Capel Ebenezer, Bont-goch yn rhan o Gylchdaith Gymraeg Methodistaidd Aberystwyth ac yn cael ei wasanaethu gan y gweinidog neu weinidogion a benodwyd i'r Gylchdaith. Tra'n gwasanaethu'r Gylchdaith rhwng 1980 a 1990 bu'r Parchg Tudor Davies yn byw yn Aberystwyth, ac ef oedd yn gyfrifol am gapel Bont-goch, gan gynnal oedfaon yno yn rheolaidd. Ef oedd gweinidog olaf y capel a gaewyd yn Hydref 1986.

Ganwyd Tudor Davies ar 2 Ebrill 1923 yn fferm Tŷ'n Llechwedd yng Ngwyddelwern, Meirionnydd, yn fab i Joseff a Margaret Davies. Addysgwyd yng Ngholeg Handsworth yn Birmingham. Gwasanaethodd mewn nifer o gylchdeithiau gwahanol yn ystod deugain mlynedd yn y weinidogaeth yn cynnwys Ystumtuen, Dolgellau, Pwllheli, Blaenau Ffestiniog, Y Felinheli a Bangor cyn dod i Geredigion i ofalu am Gylchdaith Aberystwyth ym Medi 1985, lle arhosodd tan ei ymddeoliad yn 1990. Colled fawr iddo ef a'i deulu oedd marwolaeth ei briod tra roeddent ar wyliau ar Ynys Melita [Malta] yn 1992. Hanai Morfudd, née Davies, (1921-92) o Lanbedr Pont Steffan, ac yno yn Eglwys Fethosdistaidd y dref priododd y ddau yn 1952. Ganwyd dau o blant iddynt, sef Llinos (Howells) a Gwyn Tudor.

Yn bregethwr grymus, ac yn fugail gofalus, roedd Tudor Davies hefyd yn llenor ac yn emynydd hynod fedrus. Urddwyd â'r wisg wen yng Ngorsedd y Beirdd,

Minister of Ebenezer Chapel, Bont-goch, 1985-1986.

As already noted Ebenezer Chapel, Bont-goch was part of the Aberystwyth Welsh Wesleyan Circuit and would be served by a minister or ministers appointed to that circuit. Whilst serving the Aberystwyth Circuit between 1985 and 1990 the Revd Tudor Davies lived in Aberystwyth, but he was also responsible for the chapel at Bont-goch where he would regularly take services. He was the last minister charged with Bont-goch which closed in 1986.

Tudor Davies was born on 2 April 1923 at Tŷ'n Llechwedd, Gwyddelwern, Merioneth, the son of Joseff and Margaret Davies. He was educated at Handsworth College, Birmingham. He served in a number of circuits during his forty years in the ministry including Ystumtuen, Dolgellau, Pwllheli, Blaenau Ffestiniog, Y Felinheli and Bangor before being appointed to Ceredigion to oversee the Aberystwyth Circuit in September 1985, where he remained until his retirement in 1990. The death of his wife whilst they were on holiday in Malta in 1992 was a particularly difficult time for him and his family. Morfudd, née Davies, (1921-92) was a native of Lampeter, and the couple were married at the local Wesleyan Chapel in 1952. They raised two children, Llinos (Howells) and Gwyn Tudor.

Tudor was a powerful preacher, a faithful minister to his flock, a literary man and an acknowledged hymn writer of note. He was admitted to the Gorsedd of

Eisteddfod Genedlaethol 1985 a cheir wyth o'i emynau o fewn detholiad *Caneuon Ffydd*. Cyhoeddwyd casgliad o'i emynau, cerddi ac ysgrifau yn 2013, ac roedd yn awdur cofiant swmpus ac awdurdodol i'w arwr, Y Parchg Ddr D. Tecwyn Evans (1876-1957), a gyhoeddwyd yn 2002.

Bu farw'r Parchg Tudor Davies yn Ysbyty Bronglais, Aberystwyth ar 7 Mehefin 2010. Cynhaliwyd ei wasanaeth angladdol yn Eglwys St. Paul's, Aberystwyth ac fe'i claddwyd gyda'i wraig ym mynwent gyhoeddus Aberystwyth.

Bards at the National Eisteddfod in 1985, and eight of his hymns were included in *Caneuon Ffydd*. A collection of his hymns, writings and poems was published posthumously in 2013. He also published in 2002 a major and authoritative biography of his inspirational hero, the Revd Dr D. Tecwyn Evans (1876-1957).

The Revd Tudor Davies died at Bronglais Hospital, Aberystwyth on 7 June 2010. His funeral service was held at St. Paul's Methodist Chapel, Aberystwyth and he was interred with his wife at Aberystwyth municipal cemetery.

Davies, William ('Dafis Affrica' 1784-1851)

Cenhadwr a gweinidog cynnar gyda'r Eglwys Fethodistaidd.

Ceir tystiolaeth fod Isaac Jenkins (1812-1877) wedi cynnal cyfarfod pregethu o dan nawdd y Methodistiaid yn Llannerchclwydau, ffermdy tua hanner milltir o ganol pentref Bont-goch, ac erbyn 1833 ffurfiwyd cymdeithas Wesleaidd o 10-12 o addolwyr yn yr ardal, ac arferent gwrdd yn rheolaidd yn Nhai'r Felin. Roedd hynny'n arwydd clir fod yna alw am addoldy parhaol, ac ar 25 Mawrth 1835 llwyddodd William Davies, i sicrhau les ar 20 llath sgwâr o dir stad Trawsgoed i adeiladu capel a thŷ capel ynghlwm â'r adeilad. Enwyd y capel yn Ebenezer, ac ar 28-29 Mehefin 1836, yn ôl adroddiad cyfredol yng nghylchgrawn *Yr Eurgrawn*, daeth tyrfa o tua 900 i ddathlu'r achlysur mewn cyfres o gyfarfodydd pregethu. Helaethwyd yr adeilad yn 1874, a chynhaliwyd gwasanaethau yno yn gyson hyd at yr olaf ar 12 Hydref 1986.

Bu Capel Ebenezer yn rhan o Gylchdaith Gymraeg Aberystwyth ac yn cael ei wasanaethu gan y gweinidog neu weinidogion a benodwyd i'r Gylchdaith. Ni fu'r un gweinidog yn byw yn y pentref.

Roedd y Parchg William Davies yn gymeriad hynod o

Missionary and early Wesleyan Methodist minister.

There is evidence to suggest that Isaac Jenkins (1812-1877) preached at Methodist meetings at Llanerchclwydau, a farm some half a mile from the centre of Bont-goch, and that by 1833 there was a society of some 10-12 worshippers who met regularly at Tai'r Felin. This indicated that there was a demand for a more permanent place of worship, and on 25 March 1835 William Davies succeeded in acquiring a lease from the Trawsgoed estate on 20 square yards of land on which to build a chapel and an adjoining house. The chapel was named Ebenezer and on 28-29 June 1836, according to contemporary reports in *Yr Eurgrawn* magazine, a crowd of some 900 attended a series of meetings to mark the occasion. The building was expanded in 1874, and regular services were held there until the last on 12 October 1986.

Ebenezer Chapel, Bont-goch fell within the Aberystwyth Circuit of Welsh Wesleyan chapels and as such was served by a minister or ministers appointed to the Circuit. No minister ever lived in the village.

ddiddorol. Roedd yn enedigol o Ddyffryn Clwyd, ac fe'i hordeiniwyd yn weinidog gyda'r Methodistiaid yn 1809. Priododd ei wraig Jane yn 1812, a bu'n genhadwr yn Sierra Leone o Ragfyr 1814 hyd at Mai 1818. y cenhadwr cyntaf Wesleaidd o Gymru Ond cafodd amser anodd iawn yno. Bu farw ei wraig, a fu'n athrawes yn Siera Leone, o'r salwch malaria yn Rhagfyr 1815, a bu William Davies yn dioddef o'r un salwch a effeithiodd yn ddrwg arno am weddill ei oes. Etholwyd ef yn faer Freetown ac yn ynad heddwch, ac roedd yn uchel iawn ei barch yn y wlad. Ond oherwydd ei iechyd fe'i cynghorwyd i ddychwelyd i Gymru yn Ebrill 1818, ac yn fuan wedyn fe wnaeth ailbriodi Elizabeth, merch o Ddyffryn Ardudwy. Yn 1821, ar ôl gwelliant yn ei iechyd, fe ddaeth i Aberystwyth i ofalu am y Gylchdaith Wesleaidd, ac yn ystod ei gyfnod yng Ngheredigion gwelodd yr angen i godi capel yn Bont-goch.

Bu gweddill ei yrfa yn un trist ac yn llawn problemau oherwydd effeithiau salwch ar ei ymddygiad. Cafodd ei hunan mewn helyntion parhaus gydag awdurdodau'r Eglwys. Symudodd i Gydweli yn 1840, ac yno gorffennodd ei yrfa. Dirywiodd pethau ymhellach ar ôl iddo golli ei ail wraig yn 1843. Yn 1846 daeth ei yrfa i ben pan esgymunwyd ef o'r enwad. Priododd am y trydydd gwaith yn 1846 gyda Mary Joseph, Shoe Lane Street, Cydweli, oedd yn aelod o'i eglwys.

Canfuwyd William Davies wedi ei grogi yn ei sied lo yn Castle Terrace, Cydweli ar 9 Chwefror 1851, ac fe'i claddwyd mewn bedd anghysegredig yn Eglwys y Santes Fair, yn y dref ar 11 Chwefror 1851. Er iddo gael ei ddiarddel yn 1846, penderfynwyd mewn cynhadledd

The Revd William Davies was a particularly interesting character. Originally from the Vale of Clwyd he was ordained as a minister with the Methodists in 1809. He married his wife Jane in 1812, and was a missionary in Sierra Leone from December 1814 until May 1818, the first Wesleyan Welshman to serve in Africa. He had a difficult time during this period. His wife, who worked as a teacher in Sierra Leone, died from malaria in December 1815, and William Davies also suffered from the effects of malaria for the rest of his life. He was elected mayor of Freetown and a justice of the peace, and was held in very high esteem. Due to his ill health he was advised to return home to Wales in April 1818, and shortly afterwards he remarried Elizabeth, from Dyffryn Ardudwy.

His career thereafter was troublesome due to the effects of his illness on his behaviour, and he found himself in constant conflict with his Church authorities. He moved to Kidwelly in 1840, where he ended his ministry. Matters got even worse when his wife died in 1843, and he was excommunicated by the authorities in 1846. He married for the third time in 1846 Mary Joseph, Shoe Lane Street, Kidwelly, a member of his congregation.

William Davies was found hanged in his coal shed in Castle Street, Kidwelly on 9 February 1851, and was buried in unconsecrated ground at St. Mary's Church, Kidwelly on 11 February 1851. Although he was excommunicated in 1846, the Church authorities decided at the turn of the twenty first century that he should be reinstated retrospectively

ar droad y mileniwm ei fod wedi cael cam, ac fe'i ail sefydlwyd yn ôl-syllol fel gweinidog yn yr enwad. Ar yr un pryd gosodwyd cofeb iddo mewn llechen ar fur y fynwent.

Cydnabyddir William Davies fel un o weinidogion mwyaf dylanwadol yr enwad, ond roedd effeithiau ei salwch wedi difetha ei yrfa yn llwyr.

as a minister as it was considered he had been rather harshly treated. At the same time a memorial plaque was placed on the churchyard wall to mark his contribution.

William Davies is acknowledged as one of the most influential ministers in the Welsh Wesleyan Church, but the effects of his illness sadly ruined his career.

Duguid, John Francis (1906-1961)

Arlunydd a fyddai'n rhentu Penrow.

Ganwyd John Duguid ym Mhenbedw yn 1906. Daeth yn arlunydd adnabyddus, a threuliodd dipyn o amser yn Bont-goch ar ddiwedd y 1950au ac ar ddechrau'r 1960au. Derbyniodd ei addysg yn y Bauhaus yn Yr Almaen yn 1931-32, cyn symud i fyw ac i weithio yn Chile rhwng 1934 a 1938. Daeth yn arlunydd adnabyddus, a bu'n arddangos ei waith yn y Royal Academy ac Oriel Goupil, a chafodd arddangosfeydd unigol o'i waith eu cynnal yn orielau Grabowski a Canning House yn Llundain, yn ogystal ag Abbot Hall, Kendal.

Arferai rentu 2 Penrow, Bont-goch oddi wrth James Ellis, ond tueddai i ddychwelyd i Lundain yn ystod misoedd y gaeaf. Roedd yn gyfeillgar iawn gyda thrigolion eraill Bont-goch megis yr arlunydd Jack Yates a'i wraig Hanne a hefyd gyda Ruth Evans a oedd yn byw yn y Ficerdy. Roedd Ruth hefyd yn ffrindiau gydag Adolf Prag a'i briod Frede fel y nodir isod. Roedd gan y tri theulu yma gysylltiadau Almaenig, a chredir fod rhai yn adnabod ei gilydd cyn dod i Bont-goch. Bu Ruth Evans a Frede Prag yn ffrindiau ers dyddiau ysgol. Ac roedd tad Hanne Yates yn gyfarwydd â thad Adolf Prag o ddyddiau Frankfurt. Er nad yn Almaenwr ei hun, roedd Duguid yn gyfarwydd â'r wlad, gan iddo dderbyn ei addysg yno, fel y nodwyd uchod.

An artist who rented Penrow.

John Duguid was born at Birkenhead in 1906. He was educated at the Bauhaus in Germany in 1931-32, before moving to work in Chile between 1934 and 1938. He became a renowned artist, and exhibited his works at the Royal Academy and at the Goupil Gallery, and one man exhibitions of his works were also held at the Grabowski and Canning House galleries in London, in addition to Abbot Hall, Kendal.

He spent a lot of time at Bont-goch in the late 1950s and early 1960s, renting 2 Penrow, Bont-goch from James Ellis, but would return to London during the winter months. He was friendly with other Bont-goch residents such as the artist Jack Yates and his German wife Hanne and also with Ruth Evans, who lived at the Vicarage, and these friendships are discussed below. Ruth was also friendly with Adolf Prag and his wife Frede and these three families with German connections became close friends, although it is thought that some knew each prior to coming to Cardiganshire. Ruth and Frede had actually known each other from childhood, and Hanne Yates' father was known to Adolf Prag in Frankfurt. Although not German, Duguid had, as noted, spent time there as a student, and was familiar with the country.

When Susan Iris Yates, daughter of Jack Yates and his wife Hanne was baptized on 18 May 1958

Pan fedyddiwyd Susan Iris Yates, merch Jack Yates a'i briod ar 18 Mai 1958 yn Eglwys Elerch, John Duguid a ddewiswyd fel ei thad bedydd. A phan ddychwelodd Yates i fyw yn Llundain cafodd gartref mewn tŷ yn Lindfield Gardens oedd yn eiddo i Duguid. Roedd hanes diddorol i'r tŷ hwn, a hawliwyd defnydd ohono ar gyfer milwyr o'r Unol Daleithiau yn ystod yr Ail Ryfel

Enghraifft o waith Duguid / An example of Duguid's work.

byd, ac nid oedd, oherwydd hynny, yn y cyflwr gorau. Roedd John Duguid yn ŵr lled gyfoethog ac roedd ganddo stiwdio yn ei gartref moethus yn 88 Fellows Road, Hampstead, yn ardal Swiss Cottage o'r ddinas.

Bu farw John Duguid yn ddisymwth yn Ysbyty Cyffredinol Aberystwyth ar 16 Medi 1961. Cynhaliwyd ei angladd yn Amlosgfa Golders Green ar 21 Medi 1961. Gadawodd frawd hŷn, y nofelydd Julian Thomas Duguid (1902-87), a chwaer iau, Evelyn Mary Katherine Hardcastle (1909-2002).

at Elerch Church, Duguid, was her godfather. And when Yates returned to live in London he rented a house in Lindfield Gardens owned by John Duguid. The house had an interesting history and was requisitioned for the use of American troops during the Second World War, and as such was not in too good a condition when Jack and his family moved in.

John Duguid was a comfortably rich man and had a studio at his luxury home at 88 Fellows Road, Hampstead in the Swiss Cottage area of the city. He died suddenly at Aberystwyth General Hospital on 16 September 1961. His funeral was held at Golders Green Crematorium on 21 September 1961. He was survived by an elder brother, the novelist Julian Thomas Duguid (1902-87), and a younger sister, Evelyn Mary Katherine Hardcastle (1909-2002).

Dunn, William (1861-1924)

Crwydryn mewn gwisg morwr.

Mae James Ellis (a nodir isod) yn cofio nifer o grwydriaid diddorol yn dod i weithio ar ffermydd yr ardal, gan nodi fod digon o hwyl i'w gael gan blant y pentref yn eu cwmni. Un o'r rhai amlycaf oedd William Dunn a ddeuai yn ei dro mewn gwisg morwr gan chwarae consertina gyda'r nos i ddiddanu pawb. Mae'n bosibl mai hwn oedd yr un William Dunn a fu mewn cryn drafferth gyda'r awdurdodau pan oedd yn ifancach. Yn Llys Dolgellau ar 15 Gorffennaf 1878, dyfarnwyd Dunn a chrwydryn arall o'r enw John O'Connell yn euog o gysgu, heb ganiatâd, mewn tas wair oedd yn eiddo i Mrs Davies, y Star, Dolgellau. Cawsant eu dedfrydu i bythefnos o garchar a llafur caled yng ngharchar Rhuthun. Ymhen dwy flynedd ym Mehefin 1880, dyfarnwyd Dunn yn euog eto o fod yn feddw am yr eilwaith mewn mis yn Llys Ynadon Aberystwyth. Ac yn 1902, yn Aberystwyth, rhyddhawyd Dunn yn ddieuog o gyhuddiad o fethu torri cerrig yn wyrcws Aberystwyth oherwydd diffygion ar ei olwg. Nodwyd ar y pryd ei fod yn enedigol o Swydd Athlone yn Iweddon.

Ymddengys yn bosibl mae hwn oedd yr un gŵr a setlodd ymhen amser fel gwas fferm gyda Richard a Catherine Morris, brawd a chwaer, a fu'n ffermio Tan-y-bwlch, Bont-goch. Yn ôl cyfrifiad 1911, roedd yn hanner cant oed, ond nodir ei le genedigol fel Llundain yn hytrach nag Iwerddon.

Mae'n werth nodi mai ychydig islaw'r bont sy'n croesi'r Afon Leri ar y Rhydgoch ar Leri ceir trobwll yn yr afon a elwir ar lafar yn 'Crochan Tomos', lle bu crwydryn arall foddi yn 1908. Claddwyd ei gorff fel 'unknown male aged 60' yn Eglwys Elerch ar 17 Chwefror 1908, ac argymhellodd y crwner mewn cwest i'w farwolaeth y byddai'n syniad da i godi pont ar y safle. Gŵr lleol o'r enw John Evans ddaeth o hyd i'r corff ar ôl chwilio am ŵydd oedd wedi diflannu o fferm Bwlchrosser.

Itinerant traveller who wore a naval uniform.

James Ellis (noted below) remembers several itinerant travellers working on local farms, noting that local children had a lot of fun in their company. One of the best known was William Dunn who wore a naval uniform and would entertain the locals by playing his concertina in the evenings. It is possible that this was the same William Dunn who found himself in trouble with the authorities on more than one occasion. At Dolgellau Court on 15 July 1878, Dunn and a fellow tramp named John O'Connell, were found guilty of sleeping without permission in a haystack belonging to Mrs Davies, The Star, Dolgellau. They were sentenced to a fortnight's hard labour at Ruthin gaol. Two years later in June 1880, Dunn was found guilty at a court in Aberystwyth of being drunk for the second time in a month. In 1902, Dunn was found not-guilty of a charge of failing to break stones at Aberystwyth Workhouse because of his poor eyesight. It was noted that he was a native of County Athlone in Ireland.

It is possible that he may have been the same William Dunn who is listed in the 1911 census as a farm worker living at Tan-y-bwlch, Bont-goch with Richard and Catherine Morris. However, this 50 year old is recorded as a native of London, rather than Ireland.

It is worth noting that below the footbridge crossing the River Leri at Rhydgoch there is a whirlpool known locally as 'Crochan Tomos' [Thomas' Cauldron] where another tramp drowned in 1908. His body was buried on 17 February 1908 in Elerch Church as an 'unknown male aged 60', and in the subsequent inquest the coroner recommended that a footbridge should be built at the site. A local man named John Evans found the body after looking for a missing goose which had fled from Bwlchrosser.

Edwards, John (1838-1903?)

Curad Eglwys Elerch, 1869-1871.

Ganwyd John Edwards yn fab i Thomas Edwards, ffermwr, Penderlwyn, Gwnnws, Sir Aberteifi a'i briod Elizabeth, ac fe'i bedyddiwyd yn Eglwys Gwnnws ar 15 Tachwedd 1838. Addysgwyd yng Ngholeg Diwinyddol Y Fenni, 1858-61. Ordeiniwyd yn 1862, ac ar ôl cyfnodau fel curad Dowlais ac Aberdâr, apwyntiwyd ef yn gurad Elerch yn 1869 lle gwasanaethodd hyd at 1871. Ef oedd y clerigwr cyntaf i wasanaethu'r plwyf. Bu'n gurad Weston Beggard, Swydd Henffordd, 1871-74, Laverton, Gwlad yr Haf, 1874-76, cyn ei apwyntio'n ficer Avenbury, Swydd Henffordd, 1876-77, rheithor East Thorpe, Swydd Essex, 1878-88 ac yn olaf yn rheithor Stonton Wyville, Swydd Caerlŷr, 1889-94.

Ymddeolodd Y Parchg John Edwards i Fernleigh, Elphistone Road, Hastings, Sussex, lle bu farw ar ddechrau'r ugeinfed ganrif.

Curate of Elerch parish, 1869-1871.

John Edwards was born the son of Thomas Edwards, a farmer, of Penderlwyn, Gwnnws, Cardiganshire, and his wife Elizabeth, and was baptized at Gwnnws Church on 15 November 1838. John was educated at Abergavenny Theological College, 1858-61. Ordained in 1862, he served curacies at Dowlais and Aberdare, prior to his appointment as curate of Elerch in 1869 where he served until 1871. He was the first clergyman to serve the parish. He later served as curate of Weston Beggard, Herefordshire 1871-74, Laverton, Somerset, 1874-76, before being appointed vicar of Avenbury, Herefordshire, 1876-77, rector of East Thorpe, Essex, 1878-88 and finally rector of Stonton Wyville, Leicestershire, 1889-94.

The Revd John Edwards retired to Fernleigh, Elphistone Road, Hastings, Sussex, where he died in the early twentieth century.

Edwards, John Caleb (1913-1996)

Maer Aberystwyth a dyn busnes llwyddiannus a fu'n byw ar un adeg yn Rose Cottage [Sŵn-y-ffrwd], Bont-goch.

Roedd J. Caleb Edwards yn ffigwr cyhoeddus pwysig ym mywyd Aberystwyth yn ystod ail hanner yr ugeinfed ganrif. Yn ŵr busnes llwyddiannus fel plymwr, bu hefyd yn gynghorydd sir a bwrdeistref gan wasanaethu fel maer tref Aberystwyth yn 1969. Roedd yn aelod brwd o Glwb Bowlio Aberystwyth a bu'n llywydd Cymdeithas Sirol Aberteifi ddwywaith yn 1974 a 1981. Bu hefyd yn ddewiswr dros dîm bowls cenedlaethol Cymru.

Roedd yn fab i David Edwards, plymwr, a'i briod

Mayor of Aberystwyth and prominent businessman who once lived at Rose Cottage, [Sŵn-y-ffrwd], Bont-goch.

J. Caleb Edwards was a very prominent figure in the public life of Aberystwyth in the second half of the twentieth century. A successful businessman and plumber, he was also a county and borough councillor who served as the mayor of Aberystwyth in 1969. He was an enthusiastic member of Aberystwyth Bowling Club and was twice Cardiganshire county president in 1974 and 1981. He also served as a selector for the Welsh national bowls team.

He was the son of David Edwards, a plumber, and

Anne Jane o Lys Awel, Llanfarian ac fe'i ganwyd ar 16 Tachwedd 1913 gan dderbyn ei addysg yn Ysgol Chancery. Roedd David Edwards yn hanu o deulu o fordeithwyr yn Aberystwyth, a gwasanaethodd yn y Rhyfel Mawr gyda'r South Wales Borderers. Priododd J. Caleb Edwards gyda Annie 'Nancy' Ethel Cooper (1916-1991) yn 1938, ac erbyn 1939 roedd yn gweithio fel *Filter House Attendant* yng ngwaith newydd puro dŵr Bont-goch. Ymgartrefodd yn Rose Cottage, tŷ ac ail enwyd yn ddiweddarach yn Sŵn-y-ffrwd sydd bron gyferbyn â'r gwaith dŵr gwreiddiol.

Yn ystod yr un flwyddyn, tra'n byw ac yn gweithio yn Bont-goch, cofrestrodd fan Austin 8 lliw du EJ 6435 ar 2 Hydref 1939. Erbyn 1944 roedd ef, ei briod, a'i deulu ifanc wedi symud i fyw i 6 Stryd Cae Glas, Aberystwyth. Ond parhaodd i weithio yn Bont-goch hyd nes sefydlu busnes ei hunan yn fuan ar ddiwedd y Rhyfel.

O 1949 bu J. Caleb Edwards yn rhedeg siop yn gysylltiedig â'i fusnes yn 25 Heol y Bont gan fyw gyda'i deulu uwchben y siop hyd nes y symudodd yn ddiweddarach i Westminster House, 35 Heol y Bont, Aberystwyth,

Bu farw yn 82 oed ar 5 Tachwedd 1996, a'i briod o'i flaen ar 15 Mehefin 1991. Claddwyd y ddau ym mynwent gyhoeddus Aberystwyth. Roedd ganddynt fab David Charles, a merch Kathleen (Webster) sy'n parhau i fyw yn lleol.

his wife Anne Jane who lived at Llys Awel, Llanfarian, and was born on 16 November 1913 and educated at Chancery School. David Edwards came from an Aberystwyth seafaring family, and served in the Great War with the South Wales Borderers. J. Caleb Edwards married Annie 'Nancy' Ethel Cooper (1916-1991) in 1938, and by 1939 he was working as a *Filter House Attendant* at the new water purification plant in Bont-goch. He lived at Rose Cottage, a house later renamed Sŵn-y-ffrwd, located almost opposite the original water works.

In the same year, whilst living and working in Bont-goch, he registered a black Austin 8 van, EJ 6435, on 2 October 1939. By 1944 he and his wife and young family had moved to 6 Greenfield Street, Aberystwyth, but he continued to work at Bont-goch until he established his own business shortly after the end of the Second World War.

From 1949 he ran a shop associated with his business from 25 Bridge Street, initially living with his family above the premises. He later lived at Westminster House, 35 Bridge Street, Aberystwyth.

He died aged 82 years on 5 November 1996. His wife predeceased him on 15 June 1991. Both are buried at Aberystwyth Municipal Cemetery. They had a son David Charles, and a daughter Kathleen (Webster), who continue to live locally.

Edwards, John David (1866-1937)

Glöwr, mwynwr, gweithiwr ffordd, a ffermwr Tŷ'r-banc.

Roedd John David Edwards a welir yn y llun teuluol hwn yn fab i David Edwards (1814-1882), Carregydifor, a'i briod Ann Lewis (1831-1918). Ei dad oedd y cyntaf i gael ei gladdu ym mynwent Capel Ebenezer, Bont-goch. Bu farw ei briod yn 1918 yn 86 oed, a'i chladdu hithau yno hefyd.

   Priododd John David Edwards â Hannah Evans (1868-1954), merch Thomas Evans, Cwm-glo, Bont-goch, yn Eglwys Elerch ar 7 Mawrth 1890, a gwnaethant eu cartref yn Nhŷ'r-banc, Tan-y-bwlch ac

Coal and lead miner, roadman and farmer, Tŷ'r-banc.

John David Edwards, pictured in this photograph with his family, was the son of David Edwards (1814-1892), Carregydifor, and his wife Ann Lewis (1931-1918). His father was the first person to be buried at Ebenezer Chapel, Bont-goch. His wife died in 1918, and she is also buried there. John David Edwards married Hannah Evans (1868-1954), daughter of Thomas Evans, Cwm-glo, Bont-goch, at Elerch Church on 7 March 1890, and they made their home at Tŷ'r-banc, Tan-y-bwlch and later at Llysawel, Penrhyn-coch. He was

yn Llysawel, Penrhyn-coch wedi hynny. Mae'r ddau wedi eu claddu yn Eglwys Elerch. Bu John David Edwards yn ddiacon yng nghapel Salem Coedgruffydd. Ganwyd naw o blant iddynt, ac mae cysylltiadau lluosog gan nifer ohonynt yn parhau yn yr ardal.

Roedd John David Edwards yn ewythr i William Henry Edwards (1880-1915) a William Morgan Edwards (1893-1968) a gofnodir yn unigol isod.

Ar chwith y llun gwelir Florence Edwards (1903-1987) a briododd John James Edwards (1894-1974) yn 1931. Buont yn byw yn y Corner House, Penrhyn-coch, gan fagu dau o blant: David John a Glenys (Thomas). Claddwyd Florence Edwards, ei phriod a'r plant yn Horeb, Penrhyn-coch. Mae nifer o ddisgynyddion y teulu yn parhau i fyw yn yr ardal.

Nesaf at Florence mae John Richard Edwards (1895-1965), Princess Street, Aberystwyth, a fu'n ofalwr Eglwys St. Paul's, Aberystwyth. Priododd Eunice Mary Evans (1901-1967) yn 1921, a bu hithau yn byw yn Llyn-loew, Bont-goch ar un adeg. Mae'r ddau wedi eu claddu ym mynwent gyhoeddus Aberystwyth. Eu merch oedd Tegwen Elizabeth Edwards (1925-1980) a briododd Clive Stewart Hedditch (1926-1982) yn 1954, a gwnaethpwyd eu cartref ym Maesyffynnon, Penparcau.

Y nesaf at John Richard yw Thomas 'Tom' David Edwards (g. 1893), a ymfudodd i'r Unol Daleithiau. Bedyddiwyd Tom yng nghapel Ebenezer, Bont-goch ar 6 Awst 1893, gan ymfudo i'r Unol Daleithiau tua 1910, a phriododd ei wraig Violet yn nhalaith Washington. Ganwyd mab a merch iddynt, Tom ac Evelyn, ond bu'r tad farw mewn damwain mewn pwll glo yn Maltby ar 25 Chwefror 1935 yn 42 oed. Yn dilyn hynny aeth Violet a'r plant i fyw at ei brawd yn ninas Eugene, Oregon. Yn ôl llythyr a ysgrifennwyd gan Violet i'r teulu yng Nghymru ar 7 Medi 1936, ac sy'n dal ym meddiant Mrs Elsie Morgan, ceir hanes ei gwaith ar y pryd:

I have been working in the cannery in Eugene. I can make pretty good wages. I am doing piece work and

elected a deacon at Salem Coedgruffydd Chapel. Both are buried at Elerch Church. They raised nine children, and many of their descendants continue to live locally.

John David Edwards was an uncle to William Henry Edwards (1880-1915) and William Morgan Edwards (1893-1968) who are afforded separate entries below.

On the left of the photograph is Florence Edwards (1903-1987) who married John James Edwards (1894-1974) in 1931. They lived at the Corner House, Penrhyn-coch, and raised two children: David John and Glenys (Thomas). Florence Edwards, her husband, and their children were all buried at Horeb, Penrhyn-coch. A number of their descendants continue to live locally.

Next to Florence is John Richard Edwards (1895-1965), Princess Street, Aberystwyth, who was the caretaker of St. Paul's Church, Aberystwyth. He married Eunice Mary Evans (1901-1967) in 1921, who once lived at Llyn-loew, Bont-goch. Both are buried at Aberystwyth municipal cemetery. Their daughter Tegwen Elizabeth Edwards (1925-1980) married Clive Stewart Hedditch (1926-1982) in 1954, and they made their home at Maesyffynnon, Penparcau.

Next to John Richard is Thomas 'Tom' David Edwards (*b.* 1893), who emigrated to the United States *circa* 1910. Tom was baptized at Ebenezer Chapel, Bont-goch on 6 August 1893 and met and married his wife Violet in Washington state. They had a son and daughter, Tom and Evelyn, but the father died in a coal mining accident at Maltby on 25 February 1935, aged 42 years, after which Violet and her children went to live with her brother at Eugene, a city in Oregon. A letter written by Violet to her family in Wales, and still in the possession of Mrs Elsie Morgan, provides some indication of the family's hardship at the time:

I have been working in the cannery in Eugene. I can make pretty good wages. I am doing piece work and

can make about $16.00 a week. It is hard work, lasts about 10 hours a day.

Mae disgynyddion Tom ac Evelyn yn parhau i fyw yn yr Unol Daleithiau, a bum yn ddigon ffodus i gyfarfod â'r diweddar Debbie (*m.* 2019), merch Evelyn, ar ei hymweliad â Phenrhyn-coch ym Mai 2017.

Yn sefyll o flaen Tom, ar ochr dde ei mam, mae Sophia Ceridwen Edwards (1909-2001) a briododd David Llewellyn Jones (1909-1985). Mae'r ddau wedi eu claddu yn Eglwys Elerch yn ogystal â'u mab Eifion Edwards Jones (1931-1955), Comins-coch, a fu farw yn

can make about $16.00 a week. It is hard work, lasts about 10 hours a day.

Tom and Evelyn's descendants continue to live in the United States and I was fortunate enough to meet the late Debbie (*d.* 2019), Evelyn's daughter, during her visit to Penrhyn-coch in May 2017.

Standing in front of Tom on her mother's right hand side is Sophia Ceridwen Edwards (1909-2001) who married David Llewellyn Jones (1909-1985). Both are buried at Elerch Church together with their son Eifion Edwards Jones (1931-1955), Comins-coch, who

Tŷ'r Banc yn ystod y 1930au. Yn dal y ceffyl mae Andrew Clement Lewis Edwards (1906-1966), tad-cu Ceredig Wyn Davies, Aberystwyth.

Tŷ'r Banc during the 1930s. Holding the horse is Andrew Clement Lewis Edwards (1906-1966), grandfather of Ceredig Wyn Davies, Aberystwyth.

24 mlwydd oed. Bu'r teulu yn byw yn Nhŷ'r-banc ar un adeg.

Y tu cefn i'w mam saif Annie Edwards (1898-1987), a briododd David Owen Rees (1899-1978) yn 1900. Bu David Rees yn orsaf feistr Bow Street. Roedd ganddynt chwech o blant: Vera Mary, Ceredig, Cyril, John Lewis, Beti ac Emlyn. Priododd Vera (1920-1988) gyda David Joseph Evans (1919-1998) ym Machynlleth yn 1939 ac mae eu disgynyddion, sef teulu'r Bwthyn, Penrhyn-coch, yn adnabyddus i lawer. Bu farw Ceredig Rees yn 1985, Cyril Rees yn Crewe ar 6 Rhagfyr 2012, a'i frawd Emlyn yn fuan wedyn ar 3 Ionawr 2013. Gwasanaethodd Emlyn Rees fel Llywydd Clwb Pêl-droed Bow Street am dros 30 mlynedd, ac enwyd eisteddle ar Gae Piod i'w goffáu.

Ymfudodd Trevor Emlyn Edwards (1901-1956), a welir yn ei lifrau milwrol, i British Columbia, Canada. Yn ŵr priod, nid oedd ganddo ef a'i wraig blant.

Rhwng ei mam a Trevor gwelir y plentyn ifancaf, Hannah Elizabeth 'Bessie' Edwards (1913-1984), a briododd Griffith Evans gan fyw ym Machynlleth, a magu deg o blant.

Priododd Andrew Clement Lewis Edwards (1906-1966), a welir yn y llun gyda braich ei dad o gwmpas ei ysgwydd, â Annie Charlotte Hughes (1915-1996), Blaenpennal. Ganwyd tri o blant iddynt: Trevor Hughes Edwards (1933-2005), Hannah Mary Edwards (g. 1934), a briododd John Ceredig Davies (g. 1932), rhieni Ceredig Wyn, John Aled ac Anna Eleri (Turner). Rwy'n ddyledus iawn i Ceredig am gael defnyddio llun y teulu, ac am ei gymorth caredig gyda hanes ei berthnasau. Y trydydd plentyn oedd Elizabeth Ceridwen Edwards (g. 1936) a briododd Thomas Arfor Ellis.

Olwen Edwards (g. 1891), a welir y tu ôl i'w brawd Andrew oedd yr hynaf o'r plant. Priododd â John David Lloyd (g. 1892) o Dal-y-bont, a'u plant hynaf oedd Mary Irene (1913-1998) a John (g. 1916). Ymfudodd y

died at the age of 24 years. The family once lived at Tŷ'r-banc.

Behind her mother stands Annie Edwards (1898-1987) who married David Owen Rees (1899-1978). David Rees was the station master at Bow Street. They had six children: Vera Mary, Ceredig, Cyril, John Lewis, Beti and Emlyn. Vera (1920-1988) married David Joseph Evans (1919-1998) at Machynlleth in 1939 and their descendants, the family of Y Bwthyn, Penrhyn-coch, are well-known in the locality. Ceredig Rees died in 1986, Cyril Rees at Crewe on 6 December 2012, and Emlyn Rees shortly afterwards on 3 January 2013. Emlyn Rees served as President of Bow Street FC for over 30 years, and a grandstand at Cae Piod has been named in his honour.

Trevor Emlyn Edwards (1901-1956), pictured in his military uniform, emigrated to British Columbia, Canada. He married, but he and his wife did not have any children.

Between her mother and Trevor is the youngest child, Hannah Elizabeth 'Bessie' Edwards (1913-1984), who married Griffith Evans and settled in Machynlleth raising a family of ten children.

Andrew Clement Lewis Edwards (1906-1966), seen with his father's arm around his shoulder, married Annie Charlotte Hughes (1915-1996), Blaenpennal. They had three children: Trevor Hughes Edwards (1933-2005), Hannah Mary Edwards (b. 1934), who married John Ceredig Davies (b. 1932), parents of Ceredig Wyn, John Aled and Anna Eleri (Turner). I am indebted to Ceredig for providing a copy of the family photograph, and for his kind assistance in providing details of his family. The third child was Elizabeth Ceridwen Edwards (b. 1936) who married Thomas Arfor Ellis.

Olwen Edwards (b. 1891), standing behind her brother Andrew, was the eldest of the children. She married John David Lloyd (b. 1892) from Tal-y-bont.

teulu i'r Amerig yn 1920 gan sefydlu yn nhalaith Washington erbyn Gorffennaf 1921, lle ganwyd dwy ferch arall iddynt sef Hanna a Megan. Priododd Mary gydag Everett E. Olsen (1914-2006). Bu John David yn löwr cyn gweithio ar adeiladu argae enwog y Grand Coulee sy'n cronni dŵr ar yr Afon Columbia. Cwblhawyd y gwaith yn 1941 ar ôl cyfnod adeiladu o wyth mlynedd.

Mae Elsie Morgan a'i gŵr Morris, Y Bwthyn, Penrhyn-coch, wedi ymweld â disgynyddion Tom Edwards yn Oregon a disgynyddion Olwen Lloyd yn Seattle, talaith Washington, nifer o weithiau, ac mae'r teuluoedd hynny fel y nodwyd uchod wedi dychwelyd i ymweld â'u gwreiddiau yng Ngheredigion.

Their eldest children were Mary Irene (1913-1998) and John (b. 1916). The family emigrated to the United States in 1920, and were settled in Washington state by 1921, where another two daughters, Hanna and Megan, were born. Mary married Everett E. Olsen (1914-2006). John David initially worked as a coal miner before finding employment in building the famous Grand Coulee Dam on the River Columbia. The work took eight years to complete and was finished in 1941.

Elsie Morgan and her husband Morris, Y Bwthyn, Penrhyn-coch, have visited the descendants of Tom Edwards in Oregon and Olwen Lloyd's family at Seattle, Washington, on many occasions, and as noted their American cousins have also visited Ceredigion in search of their ancestral roots.

Darlene, merch Mary a Everett Olsen gyda'i gŵr Dan Huntington, yng nghwmni Morris Morgan, yn ymyl cofeb ei rhieni yn Snohomish, Washington.

Darlene, daughter of Mary and Everett Olsen with her husband Dan Huntington, in the company of Morris Morgan at her parents' memorial in Snohomish, Washington.

Edwards, Julian Robert (1934-1986)

Darlithydd prifysgol a'i deulu, a fu'n byw yn yr Hen Ficerdy.

Daeth y teulu Edwards i fyw yn yr Hen Ficerdy, Bont-goch ar ddechrau'r 1960au. Ganwyd Julian Robert Edwards ar 30 Ebrill 1934 yn Kensington, Llundain. Roedd yn fab i Ernest Eric Edwards o Lansdowne Road, Wallasey a'i briod Eleanor Muriel (née Edwards), a fu'n glerc Llys y Goron Manceinion am nifer o flynyddoedd. Priododd Rosemary Joy Winstanley yn Eglwys St. Aiden, Billinge, Swydd Gaerhirfryn yn 1961. Roedd Joy yn ferch i Robin Winstanley a'i briod Mary Margaret (née Walton), Blackley Hurst Hall, ger Wigan ac roedd yntau yn ffermwr ac yn ffigwr dylanwadol yn Undeb Cenedlaethol y Ffermwyr. Addysgwyd Joy ym Mhrifysgol Durham gan raddio LlB yn y gyfraith yng Ngorffennaf 1960, ac yna astudio cyn priodi am gyfnod yn Gray's Inn gyda'r bwriad o gymhwyso fel bargyfreithiwr.

Penodwyd Julian Edwards, a raddiodd BA ac MA o Goleg Downing, Caer-grawnt, yn ddarlithydd mewn economeg yng Ngholeg y Brifysgol, Aberystwyth yn 1961. Cyn ei benodiad i staff Aberystwyth bu'n gweithio i gwmni rhyngwladol Procter & Gamble ar ôl cwblhau ei wasanaeth cenedlaethol gyda'r Llynges yn ardal Suez. Bu farw'n ŵr ifanc 52 oed ar 22 Awst 1986 gan adael gweddw a dwy ferch, Robin a Nicky. Roedd yn hoff iawn o'r awyr agored – yn ddringwr profiadol ac yn mwynhau hwylio ym Mae Ceredigion. Mae Colin Fletcher, un o'i gyn-fyfyrwyr, a Nick Perdikis, cydweithiwr, yn cofio hwylio gydag ef ym Mae Ceredigion, a bu Robert Evans, Bont-goch, ar sawl taith gerdded gydag ef. Cynhaliwyd gwasanaeth coffa preifat i Julian Edwards yn Amlosgfa Arberth.

Parhaodd Joy Edwards, a aned ar 20 Mai 1938, i fyw yn yr Hen Ficerdy tan ei marwolaeth ar 16 Mehefin

A university lecturer and his family, who lived at the Old Vicarage.

The Edwards family came to live at the Old Vicarage, Bont-goch in the early 1960s. Julian Robert Edwards was born on 30 April 1934 at Kensington, London, the son of Ernest Eric Edwards, a native of Landsdowne Road, Wallasey, who acted for many years as chief clerk to Manchester Crown Court and his wife Eleanor Muriel (née Edwards). Julian married Rosemary Joy Winstanley at St. Aiden's Church, Billinge, Lancashire in 1961, the youngest daughter of Robin Winstanley and his wife Mary Margaret (née Walton) of Blackley Hurst Hall, near Wigan, a successful farmer and leading figure in the National Farmers Union. Joy graduated in LlB in law from Durham University in July 1960, and prior to her marriage she studied for the bar at Gray's Inn.

Julian Edwards, who graduated BA and MA from Downing College, Cambridge, was appointed as a lecturer in economics at University College of Wales, Aberystwyth in 1961. Prior to his appointment he had worked for international company Procter & Gamble, after completing his national service with the Royal Navy in Suez. He died at the young age of 52 years on 22 August 1986 leaving a widow and two daughters, Robin and Nicky.

He loved the outdoors, and was an experienced climber and he also enjoying sailing in Cardigan Bay. Colin Fletcher, one of his former students, and Nick Perdikis, a colleague, remember sailing with him in Cardigan Bay. Robert Evans, Bont-goch, was a frequent companion on his hill walks, and a close friend. Following Julian Edwards' death, a private memorial service was held at Narberth Crematorium.

Joy Edwards, born on 20 May 1938, continued to

Priodas / Wedding of Julian Edwards & Joy Winstanley, 1961, St. Aiden's Church, Billinge. l. to r.: Ernest Eric Edwards, Eleanor Muriel Edwards, Julian Robert Edwards, Rosemary Joy Winstanley, Mary Margaret Winstanley and Robin Winstanley.

2009. Bu'n weithgar gydag elusen Achub y Plant gan wirfoddoli am nifer o flynyddoedd yn ei siop yn Aberystwyth gyda Mair Jenkins, Penrhyn-coch. Yn dilyn marwolaeth mam Mrs Edwards ym mis Tachwedd 1966 daeth Miss Louie Jackson, a fu'n cadw tŷ iddi, i fyw yn yr Hen Ficerdy.

Cynhaliwyd angladd Mrs Edwards yn Amlosgfa Aberystwyth ar 19 Mehefin 2009. Mae hi a'i gŵr wedi eu coffáu ar garreg fedd ym mynwent Eglwys Elerch lle claddwyd eu llwch. Mae Louie Jackson (1890-1977) hefyd wedi ei chladdu yn Eglwys Elerch, ac wedi ei choffáu ar garreg fedd Julian a Joy Edwards.

live in the Old Vicarage until her death on 16 June 2009. For many years she volunteered at the Save the Children charity shop at Aberystwyth with Mair Jenkins, Penrhyn-coch. Following Joy's mother's death in November 1966 her housekeeper, Miss Louie Jackson, came to live at the Old Vicarage.

Joy Edwards' funeral was held at Aberystwyth Crematorium on 19 June 2009. Both she and her husband are commemorated on a headstone in Elerch churchyard where their ashes are interred. Louie Jackson (1890-1977) is also buried at Elerch Church, and commemorated on their gravestone.

Edwards, Margaret Lilian Anne (1888-1966) & Mary Gladys Edwards (1890-1963)

Y chwiorydd Edwards, Plas Cefn Gwyn, a fu'n amaethwyr blaengar.

Ganwyd Margaret Lilian Anne Edwards ar 26 Ebrill 1888, a'i chwaer Mary Gladys ar 27 Mawrth 1890. Mewn ysgrif a gyhoeddwyd yn un o rifynnau cynnar *Papur Pawb*, mae Hilda Thomas yn talu teyrnged i'r ddwy chwaer ddawnus yma a ddaeth i fyw i Blas Cefn Gwyn yn 1919 o Ddefynnog, Sir Frycheiniog, lle'r oedd eu tad, Philip Morant Edwards (1852-1922), yn offeiriad. Roedd yntau yn gefnder i'r cerddor a'r clerigwr J. D. Edwards (1805-1885) a gyfansoddodd yr emyn dôn adnabyddus *Rhosymedre*. Etifeddodd Gladys ei ddoniau cerddorol a bu'n organydd am flynyddoedd lawer yn Eglwys Elerch. (Dewisodd y ddwy chwaer beidio ag ymuno yn streic enwog yr Eglwys ar ddechrau'r 1950au mewn protest yn erbyn uno'r plwyf gyda Phenrhyn-coch).

Cyfeiria Hilda atynt fel amaethwyr o flaen eu hamser, er eu bod yn cael eu gwawdio gan rai o ffermwyr eraill yr ardal 'gan eu bod yn gadael eu gwartheg allan drwy'r gaeaf, a phawb arall yn eu rhoi dan do ar ôl ffair Tal-y-bont'. 'Hefyd hwy', meddai Hilda, 'oedd y cyntaf i ddod â defaid Cheviot i'r ardal; heddiw maent yn gyffredin iawn, ond i goroni'r cyfan, nhw ddaeth a'r *foot-rot*. Roedd *foot-rot* yn beth go anghyffredin ar y mynyddoedd yn yr adeg hynny a phlant y pentref yn dweud: 'Mae defaid Cefn Gwyn yn gweddïo'.

Claddwyd Gladys yn Eglwys Elerch ar 24 Ebrill 1963 yn 73 oed, a'i chwaer Lilian ar 21 Ebrill 1966, yn 77 oed. Mae eu rhieni Philip Morant Edwards ac Emma Maria (1849-1921) hefyd wedi eu claddu ym mynwent Elerch.

The Edwards sisters, Plas Cefn Gwyn, agricultural pioneers.

Margaret Lilian Anne Edwards was born on 26 April 1888, and her sister Mary Gladys on 27 March 1890. In an article that was published in an early edition of *Papur Pawb*, Hilda Thomas pays tribute to these two talented sisters who settled at Plas Cefn Gwyn in 1919 from Defynnog in Breconshire where their father, Philip Morant Edwards (1852-1922), was the parish vicar. He was a cousin to the musician and cleric J. D. Edwards (1805-1885), composer of the familiar hymn tune *Rhosymedre*. Gladys inherited his musical talents and was organist for many years at Elerch Church. (Both sisters chose not to join the famous strike at the Church in the early 1950s in protest against the unification of the parish with Penrhyn-coch).

Hilda also refers to them as pioneering farmers, although they were sometimes ridiculed by some of the other farmers in the area. They left their cattle out in the winter, when everyone else would keep under cover after the Tal-y-bont fair. Hilda Thomas also notes that they were the first family to bring Cheviot sheep to the area, and to crown matters they also managed to introduce foot-rot to the parish for the first time! Foot-rot was an unusual occurrence at that time and the children of the village would amusingly refer to the Cefn Gwyn sheep as 'praying'.

Gladys was buried at Elerch Church on 24 April 1963 at age 73, and her sister Lilian on 21 April 1966 at the age of 77. Their parents Philip Morant Edwards and Emma Maria (1849-1921) were also interred at Elerch.

Edwards, William Henry (1880-1915)

Milwr o Lerry View (Penrhiw erbyn hyn), Bont-goch, a fu farw yn y Rhyfel Mawr.

Bu farw'r Private 13224 William Henry Edwards, Lerry View, Bont-goch yn y Rhyfel Mawr yn Ffrainc ar 27 Mai 1915, yn 34 mlwydd oed. Roedd yn aelod o ail fataliwn Catrawd Dyfnaint (Devonshire Regiment). Deuddydd cyn hynny gyrrodd ei lythyr olaf adre at ei fam weddw, llythyr a gyhoeddwyd yn ddiweddarach ym mhapur lleol y *Welsh Gazette*:

> *A few lines hoping that you are in the best of health. I received the letter and stationery safe. We are having very good weather here at present. Very sorry to hear about Mr D. Richards' death. I thought sure to see him once again in this world, but my ways are not your ways, saith the Lord. Dear Mother, you don't want to worry about me out here. I am quite happy; the more we charge the enemy the more the merrier; getting quite used to the work. I believe that nothing but the slaughter of the enemy will bring this war to a successful issue, and I quite trust in God to bring me back safe someday. Should I fall in battle, His will be done, I shall be alright. How is Mr J. P. Evans and the family: also Mrs Morris. Glad that Elizabeth Anne is getting on well; also so pleased that there are so many giving themselves for King and country in my remote little village.*

Ganwyd William Henry Edwards yn 1880 ym mhlwyf Elerch yn fab i Morgan Edwards, gŵr lleol, a'i briod Elizabeth a hanai o ardal Rhostie, ger Llanilar. Fel nifer eraill o drigolion yr ardal cyflogwyd Morgan yn y gweithfeydd mwyn, ond trodd ei olygon ymhen amser tua phyllau glo Morgannwg pan aeth i ardal Cilfynydd i chwilio am waith a fyddai'n talu'n well. Yng nghyfrifiad 1901 ceir Morgan Edwards yn gweithio fel *coal hewer* ac yn byw fel *boarder* yn 19 William Street, Cilfynydd, ar gyrion Pontypridd, tra parhaodd ei wraig Elizabeth i fyw yn Lerry View,

A soldier from Lerry View (now Penrhiw), Bont-goch, who died in the Great War.

Private 13224 William Henry Edwards, Lerry View, Bont-goch died in the Great War in France on 27 May 1915, aged 34. He was a member of the second battalion of the Devonshire Regiment. Two days prior to his death he sent his final letter home to his widowed mother, a letter later published in the *Welsh Gazette* newspaper:

> *A few lines hoping that you are in the best of health. I received the letter and stationery safe. We are having very good weather here at present. Very sorry to hear about Mr D. Richards' death. I thought sure to see him once again in this world, but my ways are not your ways, saith the Lord. Dear Mother, you do not want to worry about me out here. I am quite happy; the more we charge the enemy the more the merrier; getting quite used to the work. I believe that nothing but the slaughter of the enemy will bring this war to a successful issue, and I quite trust in God to bring me back safe someday. Should I fall in battle, His will be done, I shall be alright. How is Mr J. P. Evans and the family: also Mrs Morris. Glad that Elizabeth Anne is getting on well; also so pleased that there are so many giving themselves for King and country in my remote little village.*

William Henry Edwards was born in 1880 in the parish of Elerch, the son of Morgan Edwards, a local man, and his wife Elizabeth, who hailed from Rhostie, near Llanilar. Like many other residents of the area, Morgan was employed in the lead mines, but he like others set his sights on the more lucrative South Wales coalfield, settling at Cilfynydd. In the 1901 census, Morgan Edwards is listed as a *coal hewer* living as a boarder at 19 William Street, Cilfynydd, on the outskirts of Pontypridd, while his wife Elizabeth continued to live at Lerry View, Bont-goch with her

Bont-goch gyda'i dwy ferch Milcah, 8 oed, a Charlotte Mary, 4 oed.

Roedd William Henry Edwards eisoes wedi gadael y cartref yn llanc ifanc, a nodir iddo fynd i Lundain tua 1894 pan ond yn 13 oed, cyn dychwelyd i Gymru i chwilio am waith. Erbyn iddo wirfoddoli i ymuno â'r fyddin ym Medi 1914, roedd yn löwr yn y Gilfach-goch, yn agos at yr ardal lle bu ei dad yn gweithio. Ar ôl enlistio yn Nhonyrefail, treuliodd gyfnod o hyfforddiant yng Nhaer-Wysg, cyn dychwelyd adref i Bont-goch dros wyliau'r Nadolig. Fe'i gyrrwyd yn fuan i Ffrainc yn Ionawr 1915, a rhwng 10-13 Mawrth 1915 cymerodd ran ym mrwydr waedlyd Neuve Chapelle, brwydr a ystyrir yn un arwyddocaol yn hanes cynnar y Rhyfel. Yn ystod tridiau o ymladd ffyrnig, collodd cyfanswm o 25,000 o filwyr eu bywydau. Er iddo ddianc yn fyw o'r frwydr honno, bu farw'n fuan ar ôl hynny ym mrwydr Aubers Ridge ar 9 Mai 1915.

Roedd ei dad eisoes wedi marw yn 56 oed ar 9 Gorffennaf 1912, ac fe'i claddwyd ym mynwent Eglwys St. Pedr, Elerch. Parhaodd ei fam, Elizabeth, a'i chwaer Milcah i fyw yn Lerry View tan farwolaeth y fam yn 1933 yn 80 mlwydd oed. Bu Milcah hithau farw yn 52 oed, ar 2 Medi 1945. Priododd ei chwaer ieuengaf, Charlotte Mary ('Lottie'), â John Griffiths, gŵr o ardal Ystumtuen, a hynny sy'n egluro pam y galwyd eu cartref yn Glyntuen (ail-enwyd bellach yn Llawr-y-glyn).

Er i William gael ei goffáu ar garreg fedd ei rieni, mae ei gorff yn gorwedd ymhell o adre yn Sailly-sur-la-Lys Canadian cemetery yng ngogledd Ffrainc.

Yn ddiweddar, ychwanegwyd ei enw at y gofeb yn Neuadd Goffa Tal-y-bont.

two daughters Milcah, 8, and Charlotte Mary, 4 years old.

William Henry Edwards had already left home as a young man, and when only 13 he went to London around 1894 to seek work, before returning to Wales. When he volunteered to join the army in September 1914, he was a miner at the Gilfach-goch colliery in Glamorgan, in close proximity to where his father worked. After enlisting at Tonyrefail, he received training at Exeter, before returning home to Bont-goch over the Christmas holidays. He was sent to France in January 1915, and between 10-13 March 1915 he took part in the bloody battle of Neuve Chapelle, a battle that is considered significant in the early history of the War. During three days of fierce fighting, a total of 25,000 soldiers lost their lives. Although he survived that battle, he was killed at the Battle of Aubers Ridge on 9 May 1915.

His father had already died aged 56 years on 9 July 1912, and was buried at St. Peter's Church, Elerch. His mother, Elizabeth, and his sister Milcah continued to live in Lerry View until the death of the mother in 1933 at the age of 80. Milcah died at the age of 52, on 2 September 1945. His younger sister, Charlotte Mary ('Lottie'), married John Griffiths, a man from the Ystumtuen area, explaining why their home was called Glyntuen (now renamed Llawr-y-glyn).

Although William is commemorated on his parents' gravestone, his body lies far from home at the Canadian Cemetery at Sailly-sur-la-Lys in northern France.

His name has recently been added to the plaque at Tal-y-bont Memorial Hall.

Edwards, William Morgan (1893-1968)

Gweithiwr yn y Bwrdd Dŵr, clochydd ac ymgyrchydd.

Ganwyd William Morgan Edwards, cefnder i William Henry a nodir uchod, ar 6 Mehefin 1893 ym Mhenrhiw, Bont-goch, ychydig fisoedd yn unig cyn i'w dad William Edwards (1859-1893) farw o fewn diwrnod o ganlyniad i ddamwain yng ngwaith mwyn Bwlch-glas ar 29 Tachwedd 1893. Roedd y tad, a fu farw yn 44 oed, yn ŵr uchel ei barch yn y gymdeithas ac yn glochydd Eglwys Elerch. Credir mai cymdeithas gyfeillgar yr Odyddion a dalodd am gostau ei angladd. Gwasanaethodd gyda'r South Wales Borderers yn y Rhyfel Mawr.

William Morgan Edwards oedd yr ifancaf o chwech o blant. Bu ei deulu yn rhedeg y swyddfa bost yn y pentref am flynyddoedd o'i cartref yn Elerch House, ac ar ôl hynny bu William yn gweithio fel *Filter House Attendant* yng ngwaith puro dŵr Bont-goch a sefydlwyd yn 1939.

Pan benderfynodd Esgob Tyddewi uno plwyf Elerch gyda Phenrhyn-coch yn 1950, gan adael Bont-goch heb ficer, gan mai ym Mhenrhyn-coch y byddai'r ficer yn byw o hynny ymlaen, aeth mwyafrif helaeth y plwyfolion ar streic am ddwy flynedd gan gadw draw o'r holl wasanaethau, a William Morgan Edwards, clochydd yr Eglwys ers 47 mlynedd, oedd un o brif arweinwyr y brotest. Bu'r

Filter House Attendant, sexton and campaigner.

William Morgan Edwards, a cousin of William Henry, mentioned above, was born on 6 June 1893 at Penrhiw, Bont-goch, only a few months before his father William Edwards (1859-1893) was killed as a result of an accident at Bwlch-glas lead mine on 29 November 1893. The father, who succumbed to his injuries on the following day, aged 44 years, was a well-respected man in the local society and the sexton at Elerch Church. It is believed that his funeral costs were borne by the Oddfellows friendly society. He served with the South Wales Borderers in the Great War.

William Morgan Edwards was the youngest of six children. His family ran the post office in the village for many years from their home at Elerch House, and he later worked as a *Filter House Attendant* at the Bont-goch purification plant which opened in 1939.

When the Bishop of St. Davids decided to unify the parish of Elerch with Penrhyn-coch in 1950, leaving Bont-goch without a resident vicar, as he would thereafter reside at Penrhyn-coch, the majority of the parishioners went on strike for two years boycotting all services, and William Morgan Edwards, sexton of the Church for 47 years, was one of the leading

William & Susannah Edwards, Elerch House.

streic yn bwnc trafod hyd yn oed ym mhapurau newydd Llundain fel y *Daily Mail* a'r *Daily Telegraph*. Daeth y streic i ben yn 1952 gyda phenodiad Y Parchg D. Eifion Evans fel ficer. Bu farw William Morgan Edwards yn 1968, a'i wraig Susannah (*g.* 1901) yn 1991. Mae'r ddau wedi eu claddu

Teulu Elerch House: Gwyneth, Gareth, May & Valmai.

protagonists of the protest, which received coverage in the London press including the *Daily Mail* and *Daily Telegraph*. The strike eventually ended in 1952 with the appointment of the Revd D. Eifion Evans as vicar. William Morgan Edwards died in 1968, and his wife Susannah (*b.* 1901) in

yn Eglwys Elerch. Roedd ganddynt bedwar o blant: Sarah May [Pugh] (1920-1985), Gwyneth Eirys [Williams] (1922-1990), Valmai Elizabeth [Lewis] (*g.* 1924) a Gareth Wyn Edwards (1926-2005). Mae nifer o ddisgynyddion y teulu yn dal i fyw yn Aberystwyth, Bow Street a Thal-y-bont, ac rwy'n ddyledus i Kenneth W. Edwards a Susan Nia Herron am ddarparu lluniau o'r teulu.

    Brawd hŷn i William Morgan Edwards oedd John David Edwards (1879-1964), a fu'n byw yn Carregydifor, Bont-goch a Bronwydd, Penrhyn-coch. Mae ef a'i briod Elizabeth a fu farw yn 1963, wedi eu claddu ym mynwent Elerch. Cawsant bump o blant, ac mae rhai disgynyddion yn parhau i fyw yn lleol.

1991. Both are buried at Elerch Church. They had four children, Sarah May [Pugh] (1920-1985), Gwyneth Eirys [Williams] (1922-1990), Valmai Elizabeth [Lewis] (*b.* 1924) and Gareth Wyn Edwards (1926-2005). Many descendants of this family still reside in Aberystwyth, Bow Street and Tal-y-bont, and I am grateful to Kenneth W. Edwards and Susan Nia Herron for providing photographs of the family.

    William Edwards' elder brother was John David Edwards (1879-1964) who lived at Carregydifor, Bont-goch and at Bronwydd, Penrhyn-coch. He and his wife Elizabeth , who died in 1963, are both buried at Elerch churchyard. They had five children, and some descendants continue to live locally.

Ellis, James ('Jim Penro'; 1905-1986)

Teiliwr, Penrow.

Ganwyd James Ellis, neu 'Jim Penro' fel byddai pawb yn ei adnabod, ar 1 Chwefror 1905, yn fab i John James Ellis (1873-1921) a'i briod Lizzie (1872-1947). Roedd yn deiliwr wrth ei alwedigaeth, yn grefftus a

Tailor, Penrow.

James Ellis, or 'Jim Penro' as he was known to all, was born on 1 February 1905, the son of John James Ellis (1873-1921) and his wife Lizzie (1872-1947), Penrow, Bont-goch. He was a tailor by trade, producing work of

graen arbennig ar ei waith. Roedd ei dad hefyd yn grefftwr medrus â'i ddwylo, ac wedi ennill llawer o wobrau am wneud ffyn, a bu'n fuddugol am hynny yn Eisteddfod Genedlaethol Aberystwyth yn 1916. Bu James Ellis yn crwydro cryn dipyn yn ei flynyddoedd cynnar, gan weithio yng ngweithfeydd dŵr Cwm Elan, codi stablau ar stad ger yr Wyddgrug ac yn Sheffield gyda chwmni cyllyll a ffyrc, cyn dychwelyd fel saer coed i waith mwyn Bwlch-glas lle y bu hyd nes i'r gwaith gau yn 1921.

Hyfforddwyd James Ellis fel teiliwr gan E. Edwards, Llandre, a nododd Hilda Thomas iddo deithio am flynyddoedd ar ei feic o Bont-goch ymhob tywydd. Yn Penrow, Bont-goch y treuliodd rhan fwyaf ei oes ar wahân i rai blynyddoedd o wasanaeth yn y Llu Awyr yn Downham Market, Norfolk. Wedi dychwelyd o'r Llu Awyr cafodd swydd hollol wahanol i deilwra, sef gweithio fel dyn y ffordd – hynny hefyd gyda graen gan fwrw golwg fanwl dros ei *length* o Bont-goch hyd at Pencwm. Bu ef a'i briod Elizabeth Jane yn aelodau ffyddlon o Gapel y Wesleaid yn y pentref, ac yn cadw'r mis am flynyddoedd i weinidogion yr enwad.

Ymddeolodd ef a'i briod i Nantseilo, Penrhyn-coch. Claddwyd James Ellis yn Eglwys Elerch ar 2 Mehefin 1986 a'i wraig Elizabeth Jane (*g.* 1909) ar 9 Ionawr 1991.

a very high standard. His father was also a talented craftsman who won awards for making walking sticks, including a first prize at the National Eisteddfod held at Aberystwyth in 1916. James led a nomadic life during his younger years working on the dams in the Elan Valley, at stables in Mold, and with a firm making cutlery at Sheffield before returning to work as a carpenter at Bwlch-glas mine until its closure in 1921.

James Ellis learnt his trade as a tailor with E. Edwards, of Llandre, and Hilda Thomas, in a tribute, noted that he travelled many miles on his bike in all weathers. He spent most of his life at Penrow, Bont-goch, apart from a period of military service with the RAF at Downham Market in Norfolk. After returning from the RAF he worked as a lengthsman for the Council and took particular pride in maintaining his *length* which extended from Bont-goch to Pencwm.

James Ellis and his wife were faithful members of Ebenezer Chapel, Bont-goch and regularly provided sustenance to visiting ministers.

He and his wife retired to Nantseilo, Penrhyn-coch. Both are buried at Elerch Church – James Ellis on 2 June 1986 and Elizabeth Jane (*b.* 1909) on 9 January 1991.

Erasmus, Thomas (1833-1884)

Ysgolfeistr a fu'n byw ym Mhantgwyn, ac a newidiodd yrfa i signalwr trenau.

Pan gynhaliwyd cyfrifiad ar ddechrau mis Ebrill 1871 cofnodwyd Thomas Erasmus fel ymwelydd ym Mhlas Cefn Gwyn, cartref y Parchg John Rees, ficer Elerch a'i deulu ifanc. Dyma gyfnod cyn codi Ficerdy i'r plwyf, a chyn adeiladu *Elerch House* fel tŷ i'r ysgolfeistr, ac roedd hi'n gyffredin i weld yr ysgolfeistr lleol yn byw gyda theuluoedd yn y pentref. Bachgen o bentref Llandre oedd Thomas Erasmus, yn ail blentyn i'r crydd John Erasmus a'i briod Mary, Ysgubor Wen. Fe'i bedyddiwyd yn Eglwys Llanfihangel Genau'r-glyn ar 17 Mai 1835, ond mae'n bur debyg fod gwreiddiau'r teulu yn ardal Ffwrnais gan i Mary Erasmus, 86 oed, gael ei chladdu yn Eglwys-fach yn 1843. Mae'n ddiddorol nodi fod brawd hŷn Thomas Erasmus, sef Edward Erasmus (1823-91), wedi gweithio fel *coachman* ar stad Lodge Park, Tre Taliesin, cyn iddo dderbyn swydd fel bwtler ym Mhlas Llanina, ger Llannarth. Mae Edward Erasmus (1823-91), ei wraig Catherine (1824-1906), a'i hunig blentyn Jemuel (1862-1907) wedi eu claddu yn Eglwys Llanina.

Ar 7 Awst 1871, yn Eglwys Sant Pedr, Elerch, priododd Thomas Erasmus ag Emma, un o forwynion Plas Cefn Gwyn, a merch i Richard Morgan, mwynwr, o ddyddyn Rhydyronnen, ger Moelgolomen. Erbyn mis Medi 1872, roedd y pâr ifanc yn byw ym Mhantgwyn, Bont-goch ac yno y ganed eu plentyn cyntaf, John Jenkin Erasmus, ym Medi 1871. Ganed ail blentyn iddynt, Edward Edwin Erasmus, yn Hydref 1872 a bedyddiwyd y ddau blentyn yn Eglwys Elerch.

Yn anffodus ceir bwlch yn llyfrau log Ysgol Elerch ac nid oes manylion ar gael am gyfnod Thomas Erasmus fel ysgolfeistr. Fodd bynnag, ni fu yno am amser hir iawn gan fod y teulu wedi dewis symud erbyn

A schoolmaster who lived at Pantgwyn, and who became a railway signalman.

The census taken in April 1871 records Thomas Erasmus as a visitor to Plas Cefn Gwyn, the home of the Revd John Rees, vicar of Elerch and his young family. This was a period before the parish had its vicarage and Elerch House was built as a house for the schoolmaster, and it was common to see the local teacher lodging with a family in the village. Thomas Erasmus was born at Llandre, the second child of John Erasmus and his wife Mary, Ysgubor Wen. He was baptized at Llanfihangel Genau'r-glyn Church on 17 May 1835, but the family's roots were further north in the Furnace area. A Mary Erasmus, 86, was buried at Eglwys-fach in 1843. Interestingly, Thomas Erasmus' elder brother, Edward Erasmus (1823-91), had worked as a coachman on the Lodge Park estate, Tre Taliesin, before obtaining employment as a butler at Plas Llanina, near Llannarth. Edward Erasmus (1823-91), his wife Catherine (1824-1906), and his only child Jemuel (1862-1907) were all buried at Llanina Church.

On 7 August 1871, at St. Peter's Church, Elerch, Thomas Erasmus married Emma, one of the servants at Plas Cefn Gwyn, and the daughter of Richard Morgan, a lead miner, of Rhydyronnen, near Moelgolomen. By September 1872, the young couple were living at Pantgwyn, Bont-goch where their first child, John Jenkin Erasmus, was born in September 1871. Their second child, Edward Edwin Erasmus, was born in October 1872 and the two children were baptized at Elerch Church.

Unfortunately the Elerch School log books are incomplete, and there is no record available for Thomas Erasmus's period as the schoolmaster. However, he did not stay long in Bont-goch, and by

Gwanwyn 1877 i fyw i 44 Charles Street, Tredegar. Ac yno, ar ddechrau'r flwyddyn honno, cafodd y teulu ergyd greulon pan gollwyd eu plentyn ieuengaf, Edward Edwin Erasmus, ag yntau ond yn 3 oed.

Mae'n ansicr pryd a phaham y gadawodd Thomas Erasmus ei swydd yn Ysgol Elerch am Sir Fynwy, ac nid oes sicrwydd mai i swydd well yr aeth gan ei fod yn ôl cyfrifiad 1881 yn gweithio fel *railway signalman*, yn hytrach nag fel athro. Ni fyddai'r swydd honno, yn ôl yr arbenigwr rheilffyrdd Rob Phillips, wedi talu cystal â bod yn athro.

Bu farw Thomas Erasmus yn ŵr ifanc 50 oed ym Mawrth 1884.

Spring 1877 the family had moved to live at 44 Charles Street, Tredegar. Sadly, at the beginning of that year, the family was dealt a cruel blow when their youngest child, Edward Edwin Erasmus, died aged only 3 years.

It is unclear when and why Thomas Erasmus left his post at Elerch School for Monmouthshire. In the 1881 census he is recorded as a *railway signalman*, which, according to railway enthusiast Rob Phillips, would probably not have offered him a better remuneration than being a teacher.

Thomas Erasmus died at the age of 50 years in March 1884.

Evans, Alfred Leslie (1909-1985)

Ficer Elerch, 1949-1950 – yr offeiriad olaf i fyw yn Ficerdy Elerch.

Ganwyd Alfred Leslie Evans ar 23 Mawrth 1909 yn fab i David Evans, glöwr (*coal hewer*) a'i briod Jennette (née Morris), Wern Olau, Blaenau Road, Llandybïe. Fe'i haddysgwyd ym Mhrifysgol Cymru gan raddio BA yn 1937, cyn mynychu Coleg St. Mihangel, Llandaf. Ordeiniwyd ef yn 1937, ac fe'i hapwyntiwyd yn gurad Llandeilo Fawr 1938-41 a churad Pen-bre, 1941-49. Apwyntiwyd Leslie Evans yn ficer Elerch yn 1949, ond byr iawn oedd ei arhosiad gan iddo gael ei benodi yn ficer plwyf Llandygái, yn esgobaeth Bangor, yn 1950.

Yn dilyn ei ymadawiad penderfynwyd uno plwyf Elerch gyda Phenrhyn-coch, gan ddisgwyl i'r ficer newydd fyw yn y Penrhyn. Esgorodd hyn ar gryn anfodlonrwydd yn Elerch, a chynhaliwyd protest gan nifer o'r plwyfolion a benderfynodd gadw draw o'r gwasanaethau am ddwy flynedd. Daeth yr anghydfod i ben gydag apwyntiwyd Y Parchg D. Eifion Evans yn 1952, ficer Penrhyn-coch ers 1948, gydag addewid y byddai Elerch yn cadw elfen o annibyniaeth gyda'i

Vicar of Elerch, 1949-1950 – the last vicar to reside at Elerch Vicarage.

Alfred Leslie Evans was born on 23 March 1909 the son of David Evans, coal hewer, and his wife Jennette (née Morris), Wern Olau, Blaenau Road, Llandybïe. He was educated at the University of Wales graduating BA in 1937, before attending St. Michael's College, Llandaff. Ordained in 1937, he was appointed curate of Llandeilo Fawr, 1938-41 and curate of Pembrey 1941-49. Leslie Evans was promoted to vicar of Elerch in 1949, but his stay was brief with his transfer in 1950 to the parish of Llandygái in the Diocese of Bangor.

Following his departure, the parish of Elerch was amalgamated with Penrhyn-coch, and the new vicar was expected to reside at the Vicarage in Penrhyn. This caused a great deal of consternation in Elerch, and a number of the parishioners protested, and boycotted the services for two years, until the Revd D. Eifion Evans was appointed in 1952, who had served as vicar of Penrhyn-coch since 1948. A compromise was eventually reached with a promise that Elerch would

Chyngor Plwyfol a'i swyddogion ei hunan.

Yn dilyn cyfnod fel ficer Llandygái rhwng 1950-55, apwyntiwyd Leslie Evans yn rheithor Llanwrin a Machynlleth, 1955-74. Bu'n ddeon gwlad Cyfeiliog a Mawddwy 1962-67. Bu'n ganon anrhydeddus yn Eglwys Gadeiriol Bangor 1970-74.

Ymddeolodd ef a'i briod i Glyn Glas, Felindre, Pennal, ger Machynlleth, a bu farw ar ddechrau 1985. Mae ef a'i weddw Elizabeth Ann Evans (1908-2000) wedi eu claddu ym mynwent newydd Pennal. Roedd ganddynt un mab, sef y diweddar Aled Evans.

retain an element of independence and keep its own parochial church council and officials.

Leslie Evans then served a period as the vicar of Llandygái between 1950-55, before being appointed rector of Llanwrin and Machynlleth, 1955-74. He was also the Rural Dean of Cyfeiliog and Mawddwy from 1962-67. From 1970-74 he was an honorary canon at Bangor Cathedral, 1970-74.

He retired with his wife to Glyn Glas, Felindre, Pennal, near Machynlleth, and died in early 1985. He and his widow Elizabeth Ann Evans (1908-2000) are both buried in the new cemetery at Pennal. They had one son, the late Aled Evans.

Evans, David (1865-1891) & William Evans (1869-1891)

Dau frawd a laddwyd wrth i fellten daro fferm Pantyffynnon.

Ar 17 Mehefin 1891 bu digwyddiad trist iawn yn fferm Pantyffynnon pan drawyd y tŷ gan fellten. Roedd Pantyffynnon yn gartref i Margaret Evans, 67 oed, gwraig weddw John Evans (*m.* 1878), a'i thri mab ac un ferch – teulu'n wreiddiol o ardal Ponterwyd, er i John gael ei eni yn Llanrhystud. Newydd ddychwelyd i Bont-goch oedd John y mab hynaf ar ôl treulio bron i bedair blynedd yn gweithio yn yr Unol Daleithiau lle cafodd ddamwain a cholli ei olwg mewn un llygad, a niweidio'r llall. Mae'n bur debyg mai yn ardal Fair

Two brothers tragically killed as lightning struck Pantyffynnon.

On 17 June 1891 a very tragic event took place at Pantyffynnon when the house was struck by lightning. The farm was the home of Margaret Evans, aged 67, widow of John Evans (*d.* 1878), and her three sons and a daughter. The couple married at Llanrhystud in 1856, but settled initially in the Ponterwyd area. Her eldest son John had only just returned to Bont-goch from the United States where he had worked for almost four years, but had been forced to come home after losing the sight of one eye, and damaging the

Haven, Vermont y bu'n byw – ardal sy'n enwog am ei chwareli llechi, a lle aeth ei fodryb ac ewythr a'u plant i fyw yn 1888.

Ymddengys i'r fellten daro to'r tŷ, gan dreiddio i'r ystafell wely lle'r oedd Mrs Evans yn sâl yn ei gwely. Roedd ei merch wedi mynd a phaned o de iddi, ac roedd William ei brawd yn sefyll yn ei hymyl. Lladdwyd William yn syth yn y fan a'r lle, a theithiodd y fellten i ystafell gyfagos gan ladd ei frawd arall, David. Roedd John, a oedd yn ddall, yn eistedd wrth y tân, ac er iddo gael ei daro ar ei droed, ni chafodd niwed difrifol. Ceisiodd ei orau i achub ei frodyr, ond yn ofer. Gyrrwyd ei chwaer i geisio cymorth gan gymdogion ar ôl iddi lwyddo i ddianc drwy un o'r ffenestri.

Claddwyd David a William Evans yn Eglwys Elerch ar 26 Mehefin 1891, a nodir eu beddau gan garreg urddasol mewn marmor. Ymhen amser symudodd John o Bantyffynnon i Brynarth Bach (sydd bellach yn adfail) yn ardal Lledrod. Bu hefyd yn ffermio Waunbant yn yr un ardal cyn ymddeol i fwthyn Spite ar gyrion y pentref. Bu farw'r fam, Margaret Evans, yn Brynarth Bach ar 3 Ionawr 1912, ac mae hithau hefyd wedi ei chladdu gyda'u meibion yn Eglwys Elerch a'i choffáu ar y garreg fedd. Bu farw John Evans, a ddisgrifiwyd yn y gofrestr claddedigaethau fel 'a poor blind man' ar 1 Tachwedd 1935, ac fe'i claddwyd gyda'i wraig Catherine (*m.* 1931) ym mynwent Eglwys Lledrod ar 7 Tachwedd. Cofnodir eu bedd gyda charreg. Disgrifiwyd

other, in an accident. He may well have joined other family members in Fair Haven, Vermont, an area noted for its slate quarries where his aunt and uncle and children had settled in 1888.

It appears that lightning struck the roof of the house and travelled to the bedroom where Mrs Evans was lying unwell in bed. Her daughter had taken her a cup of tea, and her brother William, standing close to the bed, was killed instantly. The thunderbolt then struck an adjoining room killing his brother, David. John, who was partially blind, was seated near the fire, and was also struck on his foot, but survived and was not seriously injured. He did his utmost to rescue his two brothers, but his efforts were all in vain. His sister also sought assistance from neighbours after managing to escape through one of the windows.

David and William were buried at Elerch Church on 26 June 1891, and are commemorated by an impressive marble tombstone. John later moved to Brynarth Bach, Lledrod. He also farmed Waunbant in the same area before retiring to Spite, a cottage on the outskirts of Lledrod village. The mother, Margaret Evans, died at Brynarth Bach on 3 January 1912, and she is also buried at Elerch Church with her two sons and commemorated on the tombstone. John Evans, described in the burial register as 'a poor blind man' died on 1 November 1935, and was buried with his wife Catherine (*d.* 1931) at Lledrod Church on 7

John Evans fel eglwyswr selog mewn adroddiad yn y *Welsh Gazette*.

Rwy'n ddiolchgar iawn i Neville Richards, Swydd Hampshire, gorwyr i Elizabeth Owen, a chwaer Margaret, mam David a William Evans, am ei gymorth caredig gyda'r nodyn hwn. Mae Neville yn gefnder i'r darlledwr Wyndham Richards a fu'n llais darlledu cyfarwydd ar Radio Cymru am nifer o flynyddoedd.

November. Their grave is marked with a commemorative stone. John Evans was described in the *Welsh Gazette* as a staunch churchman.

I am grateful to Neville Richards, of Hampshire, great grandson of Elizabeth Owen, the sister of Margaret, mother of David and William Evans, for his kind assistance with this note. Neville is a cousin to Wyndham Richards, who was a familiar voice as a newscaster on Radio Cymru for many years.

Evans, David Eifion (1911-1997)

Ficer Penrhyn-coch ac Elerch, 1952-1957.

Ganwyd David Eifion Evans yn Y Borth, Sir Aberteifi, ar 22 Ionawr 1911 yn fab i John Morris Evans, pobydd a phregethwr lleyg, a'i briod Sarah Pryce Ellis. Roedd teulu'r tad yn wreiddiol o Borthmadog, ond perthynai'r fam i deulu nodedig o forwyr lleol gydag un o'i chwiorydd yn briod â W. C. Humphreys, a fu'n flaenllaw gyda'r Wesleaid yn y pentref. Arferai John Morris Evans, yntau hefyd yn Wesle, bregethu yn aml yn Bont-goch. Roedd y teulu'n byw mewn tŷ o'r enw Beatrice yn y Stryd Fawr.

Magwyd Eifion fel Wesle a chafodd ei addysg yn Ysgol Sir Ardwyn, Aberystwyth, a Choleg y Brifysgol, Aberystwyth gan raddio BA yn 1932 ac MA yn 1951. Derbyniodd ei addysg ddiwinyddol yng Ngholeg St. Mihangel, Llandaf ac fe'i hordeiniwyd yn 1934. Gweithredodd fel curad Llanfihangel-ar-arth, ac yna yn Llanbadarn Fawr, ac yn ystod y Rhyfel, ymunodd fel

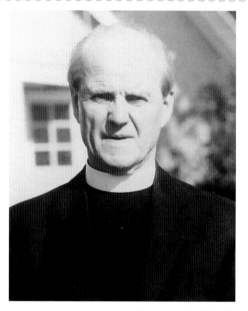

Vicar of Penrhyn-coch *w.* Elerch, 1952-57.

David Eifion Evans was born in Borth, Cardiganshire on 22 January 1911, the son of John Morris Evans, a baker and lay preacher, and his wife Sarah Pryce Ellis. The father was originally from Porthmadog, but the mother, one of six children, hailed from Borth and three of her brothers were seafarers. One of her sisters married W. C. Humphreys, a prominent Wesleyan in the village. John Morris Evans was also a Wesleyan and he preached regularly at Ebenezer Chapel, Bont-goch. The family lived at a house called Beatrice in the High Street.

Eifon was raised in the Wesleyan tradition and was educated at Ardwyn County School, Aberystwyth, and University College, Aberystwyth graduating BA in 1932 and MA in 1951. He received his theological training at St. Michael's College. Llandaff and was ordained in 1934. He first served as a curate of Llanfihangel-ar-

caplan â chatrawd y Royal Suffolk gan brofi gwasanaeth yng ngogledd yr Affrig a'r Eidal. Bu'n ficer Llan-lwy (Llandeloy) a Llanrheithan yn Sir Benfro rhwng 1945 a 1948. Fe'i hapwyntiwyd yn ficer Penrhyn-coch yn 1948, gan gymryd gofal dros blwyf Elerch yn ogystal yn 1952 yn dilyn yr helynt a nodwyd uchod o dan gofnod William Morgan Edwards. Bu'n gyfrifol am y ddau blwyf hyd at 1957, gan fyw yn y Ficerdy ym Mhenrhyn-coch. Bu'n ddeon gwlad Llanbadarn Fawr 1957-67, canon yn Eglwys Gadeiriol Tyddewi, 1963-67, ac yn archddiacon Ceredigion 1967-79 tra'n gwasanaethu mewn sawl plwyf yn y Sir yn cynnwys St. Mihangel, Aberystwyth, 1957-67, Llanafan-y-Trawsgoed, 1967-69 a Chastellnewydd Emlyn o 1969 hyd at ei ymddeoliad yn 1979.

Roedd yn ysgolhaig ac yn awdurdod ar Fudiad Rhydychen ac yn awdur nifer o erthyglau pwysig mewn cylchgronau academaidd. Priododd Iris Elizabeth Gravelle a fu farw o ganlyniad i ddamwain modur yn 1973. Ailbriododd gyda Madeleine Kirby yn 1979, gan ymddeol i Fryncastell, Bow Street.

Bu farw D. Eifion Evans ar 23 Mai 1997 a chynhaliwyd ei wasanaeth coffa cyhoeddus yn Eglwys Llanbadarn ar 29 Mai, a'i ddilyn yn breifat yn Amlosgfa Aberystwyth.

Bu unig blentyn D. Eifion Evans, John Wyn, yn Esgob Tyddewi rhwng 2008 a 2016.

arth, and then at Llanbadarn Fawr, and during the War, he joined the Royal Suffolk regiment as chaplain serving in North Africa and Italy. He was vicar of Llandeloy and Llanrheithan in Pembrokeshire between 1945 and 1948. He was appointed vicar of Penrhyn-coch in 1948, taking care of Elerch in 1952, after the controversy noted above in the entry on William Morgan Edwards. He was responsible for both parishes until 1957, and lived at the Vicarage at Penrhyn-coch. He was the rural dean of Llanbadarn Fawr, 1957-67, canon at St. David's Cathedral, 1963-67, and the archdeacon of Ceredigion 1967-79 whilst serving in several parts of the county including St. Mihangel, Aberystwyth, 1957-67, Llanafan-y-Trawsgoed, 1967-69 and Newcastle Emlyn from 1969 until his retirement in 1979.

He was a scholar and an authority on the Oxford Movement and the author of several important articles in academic journals. His wife, Iris Elizabeth Gravelle, died as a result of a motor car accident in 1973. He remarried Madeleine Kirby in 1979, retiring to Bryncastell, Bow Street.

Eifion Evans died on 23 May 1997 and a public memorial service was held at Llanbadarn Church on 29 May, followed privately at Aberystwyth Crematorium.

D. Eifion Evans's only child, John Wyn, was Bishop of St. Davids between 2008 and 2016.

Evans, Dorothy Ann (1918-1944)

Merch fferm Cwmere a fu farw mewn damwain adeg yr Ail Ryfel Byd.

Mae Leading Aircraftswoman Dorothy Ann Evans (2078021), Women's Auxiliary Air Force, yn un o ddau berson lleol, gyda Sydney Jenkins, sydd wedi eu coffáu gyda charreg Comisiwn Beddau Rhyfel y Gymanwlad ym mynwent

The daughter of Cwmere who was an accidental casualty during World War II.

Leading Aircraftswoman Dorothy Ann Evans (2078021), of the Women's Auxiliary Air Force, is one of two local people, with Sydney Jenkins, who are commemorated by a Commonwealth War Graves Commission headstone in St. Peter's Church, Elerch

Eglwys St. Pedr, Elerch. Roedd Dorothy yn ferch i David Evans (1877-1955) a'i briod Mary Ann Peate (1889-1923), Cwmere, Bont-goch, ac yn chwaer fach i Hilda Thomas, a nodir isod. Ganwyd Dorothy ar 4 Gorffennaf 1918, a chafodd ei bedyddio yn Eglwys Elerch ar 4 Awst 1918. Bu farw yn 25 oed ar 10 Ebrill 1944, fel canlyniad i ddamwain ym maes awyr Fairwood, Abertawe, pan darodd awyren Brydeinig un o adeiladau'r gwersyll. Adroddir yr hanes gan y diweddar Mrs Eirlys Myfanwy Owen (1921-2017), a fu'n dyst i'r digwyddiad, yn ei hatgofion a gyhoeddwyd mewn llyfryn gan Gymdeithas Lenyddol Capel y Garn, Bow Street, yn 2007:

> … ar nos Wener y Groglith, noson olau leuad hyfryd, rown ni'n eistedd ar fy ngwely'n darllen a dim ond dwy ferch arall yn yr hut, pan glywson ni sŵn rhyfeddol yn dod yn fwy agos. Y funed nesaf roedd y to'n cwympo a phlastr ymhob man. Ar ôl mynd allan i weld beth oedd yn digwydd, gwelson ni fod tri hut wedi eu difetha i'r llawr a merched yn gaeth oddi tanyn nhw. Doedd dim bom y tro hwn; Halifax bomber [Prydeinig] a oedd mewn trwbl oedd wedi disgyn. Cerddodd y criw allan o'r awyren yn ddianaf, ond cafodd naw WAAF niwed difrifol a bu un ferch farw, a Dorothy, chwaer Hilda Thomas, Cwmere, oedd honno.

cemetery. Dorothy was the daughter of David Evans (1877-1955) and his wife Mary Ann Peate (1889-1923), Cwmere, Bont-goch, and a younger sister to Hilda Thomas, noted below. She was born on 4 July 1918, and baptized at Elerch Church on August 4, 1918. She died at the age of 25 on 10 April 1944, as a result of an accident at the Fairwood Common Aerodrome, Swansea, when a British aircraft crashed into one of the camp dormitories. This tragic tale is recalled by the late Mrs Eirlys Myfanwy Owen (1921-2017), who witnessed the incident, in a booklet of reminiscences published by Capel y Garn, Bow Street, Literary Society in 2007:

> ... on Good Friday night, and a wonderful evening, I was sat on my bed reading and there were only two other girls in the hut, when we heard an incredible noise, which appeared to be coming closer. The next minute the roof was falling upon us and there was plaster everywhere. After going out to see what had happened, we saw that three huts were razed to the ground, with girls trapped underneath the rubble. It was not a bomb, but a [British] Halifax bomber which had got into difficulties. The crew managed to survive, but nine WAAF girls suffered serious injuries and one later died – Dorothy, sister of Hilda Thomas, Cwmere.

Ceir manylion pellach am natur y ddamwain yn llyfr diweddar Steven H. Jones, *Fallen flyers*:

> *On 9 April 1944 a Halifax W9727… based at RAF Riccall [North Yorkshire], was making a precautionary landing at Fairwood after its two outer engines had failed. The aircraft was too low on approach to the airfield and crashed onto the WAAF billets at Upper Killay, near the present day rugby pitch.*
>
> *Casualties were high – 16 in total being injured. LACW Dorothy Evans died the following day as a result of her injuries. The eight man crew of the Halifax escaped unhurt, but W7927 was completely wrecked.*

Mae Dorothy hefyd yn cael ei choffáu ar gofeb yn Neuadd Goffa Tal-y-bont. Mae nifer o lythyrau Dorothy a anfonwyd adref at ei rhieni o'r gwersyll yn dal ym meddiant y teulu.

Further details are provided by Steven H. Jones in his recent study *Fallen flyers*:

> *On 9 April 1944 a Halifax W9727… based at RAF Riccall [North Yorkshire], was making a precautionary landing at Fairwood after its two outer engines had failed. The aircraft was too low on approach to the airfield and crashed onto the WAAF billets at Upper Killay, near the present day rugby pitch.*
>
> *Casualties were high – 16 in total being injured. LACW Dorothy Evans died the following day as a result of her injuries. The eight man crew of the Halifax escaped unhurt, but W7927 was completely wrecked.*

Dorothy is also commemorated at Tal-y-bont Memorial Hall. Many of her letters written to her parents from the camp at Fairwood survive in the family archives.

Evans, Gareth Teifi (1927-2015)

Darlithydd mewn amaethyddiaeth, a anwyd yn Llawrcwmbach, ac a wnaeth gyfraniad pwysig i fywyd gwledig.

Ganwyd Gareth Teifi Evans yr hynaf un o bedwar o blant Richard Jenkin Evans (1883-1955), Llawrcwmbach, a'i briod Margaretta Elizabeth Ann (1905-1996). Roedd Margaretta yn ferch i William Williams, Tŷ'n-y-berth, Corris a symudodd i fyw pan yn 11 oed gyda'u rhieni i Dyfngwm, Dylife. Roedd gan Gareth ddau frawd, Geraint a Kenneth ac un chwaer, Ceinwen (Page).

Mewn teyrnged iddo ym *Mhapur Pawb*, nododd Gwilym Jenkins ei fod yn cerdded dwy filltir bob bore i gael ei addysg yn Ysgol Elerch, Bont-goch, ac yna bu am dair blynedd yn Ysgol Sir Ardwyn yn Aberystwyth gan adael yn 14 oed. Treuliodd yr wyth mlynedd nesaf yn gweithio ar fferm ei ewythr yn ardal Llanidloes, cyn dychwelyd i weithio ar fferm yn ardal Llanfarian am

A lecturer in agriculture, born at Llawrcwmbach, who made a significant contribution to country life.

Gareth Teifi Evans was the eldest of four children born to Richard Jenkin Evans (1883-1955), Llawrcwmbach, and his wife Margaretta Elizabeth Ann (1905-1996). She was the daughter of William Williams of Tŷ'n-y-berth, Corris. At the age of 11 years Margaretta and her family moved to Dyfngwm, Dylife. Gareth had two brothers, Geraint and Kenneth and a sister, Ceinwen (Page).

In a tribute published in *Papur Pawb*, Gwilym Jenkins noted that Gareth walked two miles every morning to Elerch School, Bont-goch, and then spent three years at Ardwyn County School, Aberystwyth, leaving at the age of 14. He spent the next eight years working on his uncle's farm in the Llanidloes area, before returning to work on another farm in the Llanfarian area for a further three years. During this

dair blynedd. Yn ystod y cyfnod hwn safodd arholiad yn yr Amwythig gan ennill ysgoloriaeth y Weinyddiaeth Amaeth, a lle yng Ngholeg Amaethyddol Gelli Aur, yn Nyffryn Tywi. Ymhen blwyddyn llwyddodd drwy gyfweliad i gael mynediad i goleg yn Seale-Hayne, ger Newton Abbot, yn Nyfnaint. Ar derfyn y cwrs enillodd Gareth ddiploma mewn amaethyddiaeth, ac arweiniodd hynny i'w benodiad fel darlithydd mewn amaethyddiaeth yng ngholeg amaethyddol Winchester. Bu yno am 15 mlynedd. Dychwelodd i Gymru yn 1970, a threulio gweddill ei yrfa gwaith gyda'r Weinyddiaeth Amaeth ym Meirionnydd a Sir Gaernarfon, gan fyw yn Swn-y-ffrwd, Bont-goch. Pan ymddeolodd ar ddiwedd y 1980au, roedd wedi cyrraedd i fod yn brif swyddog da byw y Weinyddiaeth Amaeth dros ogledd Cymru.

Ar ôl ei ymddeoliad, roedd Gareth yn barod i gynorthwyo'r gymdeithas leol, a chydio'n y pen trymaf pob tro, trwy ymgymryd ag ysgrifenyddiaeth Cymdeithas Defaid Mynydd Ceredigion am bum mlynedd ar hugain hyd at 2012, Sioe Tal-y-bont a Gogledd Ceredigion am naw mlynedd a Chymdeithas y Mart, Tal-y-bont am gyfnod ar y diwedd cyn ei chau. Noda Gwilym Jenkins fod ein dyled i gyd yn fawr iddo am ei arweiniad cadarn a thrwyadl bob amser, mewn adeg pan oedd hi'n anodd cael neb i lenwi'r swyddi yma. Mab y wlad oedd Gareth a'i ddiddordebau i gyd yng ngweithredoedd cefn gwlad. Hoffai'n fawr i wneud ei ran pan fyddai'r cŵn hela yn yr ardal, cyn i'r gwaharddiad ddod. Roedd hefyd yn gneifiwr da yn yr hen ddull, 'run fath a'i dad a'i frodyr. Yn grefftwr

period, he sat an examination at Shrewsbury which won him a Ministry of Agriculture scholarship, and a place at Golden Grove Agricultural College, near Carmarthen. Within a year he successfully negotiated an interview to gain a place at Seale-Hayne Agricultural College, near Newton Abbot, in Devon. At the end of the course, Gareth was awarded a diploma in agriculture, which led to his appointment as a lecturer in agriculture at the Winchester agricultural college. He remained there for 15 years. He returned to Wales in 1970, and spent the rest of his working career with the Ministry of Agriculture in Merioneth and Caernarfonshire, and living at Swn-y-ffrwd, Bont-goch. When he retired at the end of the 1980s, he was the Ministry's Chief Livestock Officer for North Wales.

After his retirement, he remained very active in local matters, and was always willing to take on the most onerous tasks. He was appointed secretary of the Ceredigion Welsh Mountain Sheep Society, a post he filled with distinction for 25 years until 2012. He was also secretary of the Tal-y-bont Agricultural Show for nine years, and also offered Tal-y-bont Mart his secretarial support. He enjoyed all country pursuits, including hunting with dogs. He was also a good shepherd and excelled at shearing in the traditional style in which his father and his brothers were also well versed. A craftsman, he also derived a lot of pleasure from making walking sticks.

Gareth was an expert gardener, and always generous when distributing his produce to the

medrus, roedd ganddo hefyd ddiddordeb mawr mewn gwneud ffyn.

Yn ogystal roedd Gareth yn arddwr o fri, a byddai'n hael wrth ddosbarthu ei gynnyrch i drigolion y pentref. Yn achlysurol, galwai heibio Pantgwyn ar ei *quad* am sgwrs, a chynnig llysiau hyfryd o'r ardd ar yr un pryd yn rhodd. Yn annisgwyl, efallai, roedd Gareth hefyd yn hoff o drafod pêl-droed. Southampton oedd ei dîm gan y bu'n gweithio yn yr ardal, ac yn ymwelydd cyson â'r *Dell,* maes chwarae'r 'Seintiau', ar yr adeg hynny. Bu hefyd yn ddyfarnwr pêl-droed a rygbi.

Treuliodd gyfnod ar ddiwedd ei oes yng Nghartref Tregerddan, Bow Street, lle bu yn hapus ac yn ddiolchgar iawn am eu gofal amdano.

Bu farw ar 29 Rhagfyr 2015, yn 88 mlwydd oed. Cynhaliwyd ei angladd ar 15 Ionawr 2016 yng Nghapel Rehoboth, Tre Taliesin ac Amlosgfa Aberystwyth. Gwasgarwyd ei lwch ar dir Llawrcwmbach.

inhabitants of the village. He would often pass on his quad bicycle and stop at Pantgwyn for a chat, and offer his surplus garden vegetables as a gift. Unexpectedly, perhaps, Gareth also liked to talk about football. His favourite team was Southampton, and when he worked in Hampshire, he was a regular visitor to the Dell, where the *Saints* played at that time. He had also been a football and rugby referee.

He spent a period at the end of his life at Cartref Tregerddan, Bow Street, where he was very happy and thankful for the good care he received.

He died on 29 December 2015, at the age of 88. His funeral was held on 15 January 2016 at Rehoboth Chapel, Tre Taliesin and at Aberystwyth Crematorium. His ashes were later scattered at Llawrcwmbach.

Evans, Geraint James (1930-2011)

Ffermwr mynydd Llawrcwmbach a chymeriad adnabyddus yn yr ardal.

Ganwyd Geraint James Evans ar 16 Rhagfyr 1930, yn ail fab i Richard Jenkin a Margaretta Evans, Llawrcwmbach, Bont-goch. Yn ôl ei frawd Gareth, roedd gan y plant le ardderchog i chwarae ar ddarn o dir glas rhwng y tŷ a'r tai allan. Aeth Geraint i Ysgol Elerch gan adael yn 14 oed i gynorthwyo'i dad adref ar y fferm. Roedd y gwaith yn cynnwys cneifio defaid, ac fe ddaeth Geraint yn grefftwr o uchel radd ac ennill amryw o wobrau wrth gystadlu mewn sioeau. Roedd ganddo ddiddordeb mawr ym mart Tal-y-bont, a byddai'n helpu ei dad i fynd â defaid a gwartheg yno i'w gwerthu rhwng mis Awst a'r Nadolig – taith o chwe milltir.

Dyn tawel oedd Geraint, yn mwynhau gêm o

A hill farmer at Llawrcwmbach, and a well respected local character.

Geraint James Evans was born on 16 December 1930, the second son of Richard Jenkin and Margaretta Evans, Llawrcwmbach, Bont-goch. According to his brother Gareth, the children had an excellent place to play on a piece of green field between the house and outbuildings. Geraint attended Elerch School, leaving at the age of 14 to assist his father on the farm. The work included sheep shearing, and Geraint became an accomplished practitioner in this art and won many prizes competing in agricultural shows. He was very supportive of the Tal-y-bont mart, and would help his father take sheep and cattle there for sale between August and Christmas – a six mile walk.

Geraint was a quiet man, who enjoyed a game of

ddraffts ac yn anodd ei guro, ac yr un mor gystadleuol mewn gyrfaon chwist. Roedd yn werinwr mawr, ac arferion cefn gwlad yn golygu llawer iddo. Bu Geraint yn byw ac yn gweithio yn Llawrcwmbach tan fis Hydref 2006 ond yna bu'n rhaid iddo dreulio cyfnod yn Ysbyty Bronglais. Sylweddolai adeg hynny na fyddai modd iddo ddychwelyd i'w gartref byth eto. Am y tair blynedd nesaf cafodd gartref gyda Gareth yn Sŵn-y-ffrwd nes iddo fynd i Gartref Tregerddan, Bow Street, lle treuliodd ddwy flynedd olaf ei fywyd. Roedd yn hapus dros ben yno, yn canmol y bwyd a'r gofalwyr, ac edrychai ymlaen at y gwasanaeth crefyddol a gynhelid yn y cartref bob prynhawn Sul. Yn amlach na pheidio

draughts and was hard to beat. He was also a fierce competitor in local whist drives. He knew and understood the ways and means of country life, and its traditions meant a lot to him. Geraint lived and worked at Llawrcwmbach until October 2006 before spending a period at Bronglais Hospital. He realised at that time that he would not be able to return home again, and for the next three years he resided with Gareth at Sŵn-y-ffrwd until he went into care at Cartref Tregerddan, Bow Street, where he spent the last two years of his life. He was very happy there, praising the food and his carers, and looked forward to the religious service that was held at the home every Sunday afternoon. The task of

Geraint a fyddai'n cynnig y diolchiadau i'r gweinidog a fyddai'n cynnal yr oedfa.

Bu farw Geraint Evans ar 6 Medi 2011, a chynhaliwyd ei wasanaeth coffa yng Nghapel Rehoboth, Tre Taliesin ac Amlosgfa Aberystwyth. Gwasgarwyd ei lwch yn Llawrcwmbach. Seiliwyd y nodiadau uchod ar deyrnged ei weinidog Y Parchg Wyn R. Morris a draddodwyd yn ei angladd.

Bu Llawrcwmbach a bywyd Geraint Evans yn destun prosiect diweddar gan arwain at arddangosfa a llyfryn a luniwyd gan Banel Ieuenctid Haneswyr Cymru – ffrwyth cydweithrediad rhwng Comisiwn Brenhinol Henebion Cymru a nifer o bartneriaid lleol.

thanking the visiting clergyman for the service would inevitably fall on Geraint's shoulders.

Geraint Evans died on 6 September 2011, and his memorial service was held at Rehoboth Chapel, Tre Taliesin and Aberystwyth Crematorium. His ashes were later scattered at Llawrcwmbach. The above notes are largely based on the eulogy delivered at his funeral by his minister the Revd Wyn R. Morris.

Llawrcwmbach and the life of Geraint Evans was the subject of a recent project which led to an exhibition and booklet prepared by the Ceredigion Heritage Youth Panel – the fruit of cooperation between the Royal Commission on the Ancient and Historical Monuments of Wales and several local partners.

Evans, Gwladys (1909-1994)

Postfeistres y pentref, Gerddigleision.

Ganwyd Gwladys Evans ar 9 Mawrth 1909 yn ferch i John David Evans (1885-1939) a'i briod Alice (née Williams, 1883-1960), merch Thomas Williams, Pantycelyn. Bu'n cynothwyo ei mam i redeg Swyddfa'r Post, Bont-goch am gyfnod o 21 mlynedd tra roedd ei thad yn bostmon ac yn cadw rhai anifeiliaid ar ddyddyn y teulu yn Gerddigleision.

Gwladys oedd yr hynaf o dri phlentyn. Ganwyd ei chwaer Eithwen ar 25 Mawrth 1912, a phriododd hithau Glyn Erfyn Edwards (1910-1973), bugail o Dinas, Ponterwyd ar 23 Hydref 1934 yn Eglwys Elerch. Ganwyd merch iddynt yn 1936 – Rosalind Eleanor Evans Edwards. Yn 28 oed ar 1 Chwefror 1941 bu farw Eithwen Edwards a'i chladdu yn Eglwys Elerch. Bu farw ei brawd Thomas Edward Evans (1921-1944) yn 23 oed, ac mae yntau hefyd wedi ei gladdu yn Elerch.

O ganlyniad i golli ei mam pan oedd hi yn llai na phump oed symudodd Rosalind at ei modryb Gwladys, a chael ei magu ganddi yng Ngerddigleision, Bont-

The village postmistress, Gerddigleision.

Gwladys Evans was born on 9 March 1909 the daughter of John David Evans (1885-1939) and his wife Alice (née Williams 1883-1960), daughter of Thomas Williams, Pantycelyn. She assisted her mother in the running of the post office at Bont-goch for 21 years, whilst her father, a postman, also ran the small holding at Gerddigleision.

Gwladys was the eldest of three children. Her sister Eithwen, born on 25 March 1912, married Glyn Erfyn Edwards (1910-1973), a shepherd from Dinas, Ponterwyd on 23 October 1934 at Elerch Church. Their daughter Rosalind Eleanor Evans Edwards was born in 1936. Eithwen Edwards died at the age of 28 years on 1 February 1941, and was buried at Elerch Church. Her brother Thomas Edward Evans (1921-1944) died young at the age of 23 years and is also buried at Elerch.

Having lost her mother when less than five years old, Rosalind was raised by her aunt at Gerddigleision,

goch. Mynychodd yr ysgol leol, ac yn ddiweddarach bu'n gweithio yn siop lyfrau Galloways yn Aberystwyth am ddeng mlynedd cyn ymuno â staff Woolworths lle bu am 18 mlynedd. Yn dilyn salwch ei modryb gadawodd ei swydd yn Woolworths er mwyn cynorthwyo gyda gwaith y Swyddfa'r Post yng Ngerddigleision, a gwnaethpwyd hynny hyd at 1987 pan drosglwyddwyd cyfrifoldeb am y gwasanaeth i Drem-y-Rhos. Yn ddiweddarach symudodd Rosalind a'i modryb i fyw i 11 Clawdd Helyg, Comins-coch.

Bu farw Gwladys yn Ysbyty Ffordd y Gogledd ar 24 Awst 1994, yn 85 oed. Fe'i claddwyd yn Eglwys Elerch ar 30 Awst 1994.

Fel ei modryb roedd Rosalind yn aelod ffyddlon iawn o Eglwys Elerch, lle bu'n drysorydd am 25 mlynedd. Roedd hi'n ddarllenydd brwd a phan yn iau yn aelod selog o Glwb Ffermwyr Ifanc Tal-y-bont. Ei dymuniad mawr oedd mynd i Oregon i ymweld â bedd ei thad-cu, Richard Edwards (1868-1933), gynt o Fwlch-styllen, a mab i John a Ruth Edwards, ond ni lwyddodd i gyflawni hynny. Bu farw Richard Edwards mewn damwain car ger y Circle Bar Ranch, yn Crane Creek, Oregon, UDA yn Awst 1933.

Bu Rosalind farw yn 70 oed ar 14 Mai 2006. Yn dilyn gwasanaeth preifat yn Amlosgfa Aberystwyth claddwyd ei llwch ym medd y teulu yn Eglwys Elerch.

Claddwyd ei thad, Glyn Erfyn Edwards, Brogynin, yn Eglwys St. Ioan, Penrhyn-coch yn 1973. Priododd drachefn yn 1943 gyda Martha Morgan (1924-2017), Court Villa, Penrhyn-coch, a ganwyd dau blentyn o'r briodas – Eirian (Morgan) a Glyndwr Lloyd Edwards.

Rosalind Edwards.

Bont-goch. She attended the local school and later found work at Galloway's book shop in Aberystwyth for ten years, before joining the staff of Woolworths where she worked for 18 years. Due to her aunt's failing health she left Woolworths to assist with the running of the post office at Gerddigleision until 1987 when the service transferred to Trem-y-rhos. Rosalind and her aunt later moved to 11 Clawdd Helyg, Comins-coch.

Gwladys died at the North Road Hospital on 24 August 1994, aged 85 years. She was buried at Elerch Church.

Rosalind, like her aunt, was also a faithful member of Elerch Church serving as treasurer for 25 years. She was an avid reader and when younger an enthusiastic member of Tal-y-bont Young Farmers' Club. One of her greatest wishes was to be able to travel to Oregon to visit the grave of her grandfather Richard Edwards (1868-1933), formerly of Bwlch-styllen, and son of John and Ruth Edwards, but she never realised her dream. Richard Edwards died in a motor car accident near the Circle Bar Ranch, Crane Creek, Oregon, USA in August 1933.

Rosalind died aged 70 years on 14 May 2006. Following a private funeral at Aberystwyth Crematorium her ashes were interred in the family grave at Elerch cemetery.

Her father, who later lived at Brogynin, was buried at St. John's Church, Penrhyn-coch in 1973. He subsequently married Martha Morgan (1924-2017) in 1943 and two children were born of the marriage – Eirian (Morgan) and Glyndwr Lloyd Edwards.

Evans, James Pearce (1875-1960)

Siopwr a hanesydd lleol.

Shopkeeper and local historian.

Ganwyd James Pearce Evans ar 21 Ebrill 1875 yn New Row, Ponterwyd, yn fab i Morgan Evans, mwynwr, a'i briod Elizabeth (Lizzie) Pearce. Teulu o ardal Tavistock yn Nyfnaint oedd y Pearces, a symudodd i weithio yng ngweithfeydd mwyn Goginan, ac yno y ganed Lizzie yn 1843. Roedd tad James Pearce yn fab i Morgan ac Eleanor Evans, Rhydyrhynedd, Cwm Ceulan. Pan oedd James o gwmpas dwy oed, dychwelodd y teulu i ardal Tal-y-bont gan sefydlu ym Mhantgarw, Cwm Ceulan, ar ôl cyfnod byr yn Nôl-garnwen, Elerch. Llwyddodd Morgan i sicrhau gwaith yn Esgair Hir, Nant-y-moch, a bu James hefyd yn gweithio yno am gyfnod ac yn mynychu'r ysgol a sefydlwyd ar gyfer plant y mwynwyr. Ar ôl hynny bu'n cynorthwyo mewn nifer o ffermydd yr ardal, cyn mentro am gyfnod byr i weithio ym meysydd glo de Cymru.

James Pearce Evans was born on 21 April 1875 in New Row, Ponterwyd, the son of Morgan Evans, miner, and his wife Elizabeth (Lizzie) Pearce. The Pearce family hailed originally from Tavistock, moving from Devon to work in the Goginan lead mines and Lizzie was born in Goginan in 1843. James Pearce's father was the son of Morgan and Eleanor Evans, Rhydyrhynedd, Cwm Ceulan. When James was around two years old, the family returned to the Tal-y-bont area and settled at Pantgarw, Cwm Ceulan after a short period at Dôlgarn-wen, Elerch. Morgan succeeded in securing work at Esgair Hir, Nant-y-moch, and James also worked there briefly after attending the school that was established for the children of the miners. He later assisted on many farms in the area, before venturing for a short time to work in the South Wales coalfield.

Ar 14 Tachwedd 1905 priododd James Pearce Evans gydag Avarina Jane Morgan (1879-1970), merch John a Mary Morgan, Tŷ'n-rhyd, Cwmystwyth yn Eglwys Fethodistaidd St. Paul's, Aberystwyth. Ar y pryd roedd Avarina yn forwyn yn fferm Clawddmelyn, Penrhyn-coch.

O fewn wythnos i'w briodas ar 21 Tachwedd prynodd James Pearce siop y pentref, ac erbyn 1906 roedd wedi adeiladu siop newydd gyferbyn â'r hen un, siop a fu'n gwasanaethu'r gymdeithas hyd at fis Medi 1963. Cafodd gymorth ei gyfaill Richard Morris (1863-1955), Tan-y-bwlch, gyda'r gwaith adeiladu.

On 14 November 1905 James Pearce Evans married Avarina Jane Morgan (1879-1970), the daughter of John a Mary Morgan, Tŷ'n-rhyd, Cwmystwyth at St. Paul's, Methodist Chapel, Aberystwyth. At the time Avarina was in service at Clawddmelyn, Penrhyn-coch.

Within a week of his marriage on 21 November James Pearce had purchased the village shop, and by 1906 he had built a new shop and premises opposite the old one, a shop that served the society well until September 1963. He was assisted with the building work by his friend Richard Morris (1863-1955), of Tan-y-bwlch.

Hon, yn ôl Carys Briddon, wyres James Pearce Evans, oedd 'archfarchnad y pentre, yn gwerthu popeth oedd angen ar y gymdeithas, – nid yn unig bwyd ond hefyd glo, paraffin, bwyd ieir, meddyginiaethau, papur ysgrifennu, amlenni, biros, carai esgid, hadau blodau – mae'r rhestr yn ddiddiwedd!'. Yn wreiddiol roedd ganddo geffyl a chart, ac yn ôl y diweddar Stanley Lloyd fe fyddai James yn casglu llawer o'i nwyddau o orsaf trên Bow Street.Yn ddiweddarach bu'n rhedeg brêc i gludo trigolion y pentref i Dal-y-bont neu'r dref i gasglu nwyddau. Roedd ei siop hefyd yn ganolfan ddiwylliedig lle byddai'r trigolion yn cwrdd i drafod pob dim dan yr haul.

Roedd James Pearce Evans yn ŵr hynod ddiwylliedig, ac fe'i disgrifiwyd fel un o gymeriadau mwyaf gwreiddiol yr ardal, ac yn ŵr meddylgar a phwyllog. Cadwai ddyddiadur, a chasglodd lawer o wybodaeth am gymeriadau lleol. Roedd yn arbenigwr ar hanes y gweithfeydd mwyn lleol, ac yn gyfarwydd â byd natur ac arwyddion y tywydd. Cyhoeddodd nifer o ysgrifau ar hanes lleol yn y *Welsh Gazette*. Yn ogystal roedd yn gyfarwydd â'r defnydd o lysiau meddyginiaethol, a byddai nifer o drigolion yr ardal yn troi ato am gyngor adeg salwch. Bu'n aelod ffyddlon ac yn ysgrifennydd Capel yr Annibynwyr yn Methesda, Tŷ-nant am 30 mlynedd, a bu'n casglu trethi Elerch am gyfnod bron yn gyhyd.

Bu farw James Pearce Evans ar 1 Chwefror 1960 a'i gladdu yn Eglwys Elerch ar 4 Chwefror. Bu farw ei briod yn 90 oed yng Nghartref Bodlondeb ar 1 Ionawr 1970, a'i chladdu gyda'i gŵr ar 6 Ionawr. Roedd ganddynt dri o blant: Dilys Eurwen (Davies), Eluned Ceinwen (Jones) a Morgan John.

This, according to Carys Briddon, grand-daughter of James Pearce Evans, was the 'village supermarket, selling everything that the community needed – not only food but also coal, paraffin, chicken food, medicines, stationery, envelopes, biros, shoe laces and seeds – the list is endless.'! According to the late Stanley Lloyd most of the goods were collected from Bow Street railway station using a horse and cart. Later James Pearce acquired a motor vehicle to collect his goods and to offer a transport service to the villagers. The shop was also a cultural centre and a popular meeting place to exchange news and ideas.

James Pearce Evans himself was an extremely cultured man, and was described as one of the most original characters of the area, and a thoughtful and prudent man. He kept a diary, and gathered a lot of information on local history. He was an authority on the history of the local lead mines, and was well-versed in nature and weather lore. He published a number of articles on local history in the *Welsh Gazette*. He was also familiar with the use of medicinal herbs, and many residents of the area would seek his advice. He was a faithful member and secretary of Bethesda Independent Chapel, Tŷ-nant for a period of 30 years. He also worked as the collector of local rates.

James Pearce Evans died on 1 February 1960 and was buried at Elerch Church on 4 February. His wife died at Bodlondeb Care Home, Aberystwyth, aged 90 years on 1 January 1970, and was buried with her husband on 6 January. They had three children: Dilys Eurwen (Evans), Eluned Ceinwen (Jones) and Morgan John.

Evans, Margaret Mary (1893-1983)

Athrawes ymroddedig, a anwyd yn Llawrcwmbach, ac a fu'n byw ym Mlaencastell a Llawr-y-glyn.

Ganwyd Margaret Mary Evans yn Llawrcwmbach gan symud yn ddiweddarach i Ben-bont Rhydybeddau. Roedd hi'n ferch i John Henry Evans (*g.* 1882), mwynwr, a'i briod Lizzie (*g.* 1887). Roedd yntau yn frawd hŷn i Richard Jenkin Evans, Llawrcwmbach, a nodir uchod.

Mewn coffâd a gyhoeddwyd yn *Y Tincer*, gan Tegwyn Jones, a fu'n un o'i disgyblion, ceir darlun byw o'r athrawes arbennig hon a adnabuwyd fel "Miss Ifans" i genedlaethau o blant Bont-goch a Threfeurig.

Yr oedd yn athrawes wrth reddf ac yn deall byd plentyn bach i'r dim. Pan oedd yn athrawes yn Nhrefeurig cerddai bob dydd, ac ymhob tywydd, o'i chartref ym Mlaencastell ac o Lawr-y-glyn yn ddiweddarach, heb gyfrif hynny yn orchest na champ. Gwyddai fod dosbarth o blant yn ei disgwyl yn yr ysgol, ac nid ar chwarae bach y cedwid hi draw oherwydd salwch neu dywydd garw. Ymhyfrydai ym myd natur, a byddai'n dod â blodau a dail i'r ysgol a gasglai ar ei thaith, a byddai ganddi hanesion amdanynt ac am y fan lle daethai o hyd iddynt. Dywedai pa adar a welodd, a phryd y clywai'r gog am y tro cyntaf bob blwyddyn. Pa le bynnag y byddai, ei phlant fyddai ym mlaen ei meddwl bob amser, a bydd llawer ohonynt yn cofio'n annwyl iawn am ei geiriau wrthynt pan ddoi'r amser i adael Ysgol Trefeurig am ysgolion y dref. "Cofiwch, pa mor dda bynnag wnewch chi, wnewch chi byth yn well nag yr ydw i'n ddymuno i chi".

A dedicated schoolteacher, born at Llawrcwmbach, who lived at Blaencastell and Llawr-y-glyn.

Margaret Mary Evans was born at Llawrcwmbach moving later to Pen-bont Rhydybeddau. She was the daughter of John Henry Evans (*b.* 1882), a lead miner, and his wife Lizzie (*b.* 1887). John Henry was the elder brother of Richard Jenkin Evans, of Llawrcwmbach, noted above.

A tribute published in *Y Tincer*, by Tegwyn Jones, one of her former pupils, paints a vivid picture of this dedicated teacher fondly remembered as "Miss Ifans" to generations of children in Bont-goch and Trefeurig.

She was a born teacher and really understood the world of every small child. When she taught at Trefeurig she would walk every day, and in all weathers, from her home at Blaencastell and later from Llawr-y-glyn, without giving it even a second thought. She knew that a class of children was waiting for her at the school, and she was rarely absent due to illness or inclement weather. She was fond of nature, and would bring flowers and leaves to school that she collected on her long journey, and she would relate stories about them and the places where she had found them. She told the children what birds she had seen, and would say when she had heard the cuckoo sing for the first time every year. She would also tell us: 'Remember, however well you do in life, you will never do better than what I would wish for you'.

She was a faithful member of Ebenezer Chapel, Bont-goch, where she was the organist and secretary

Agos iawn at ei chalon oedd Capel Ebenezer, Bont-goch, a bu'n organydd ac yn ysgrifenydd yno am flynyddoedd. Disgrifiodd Tom McDonald hi fel 'the woman who carries the chapel in her heart', mewn portread o'r pentref a gyhoeddwyd yn y *Western Mail* ar 3 Gorffennaf 1971. Sicrhaodd Miss Evans bod yno ddarlith flynyddol tra gallodd, a cherddodd filltiroedd lawer yn gwerthu tocynnau o ddrws i ddrws i sicrhau llwyddiant ariannol y digwyddiad hwn. Symudodd o Bont-goch i Westy'r Gwalia yn Aberystwyth ar ddiwedd ei hoes, lle cafodd ofal da.

Bu farw yn 89 oed ar 9 Mawrth 1983 yn Ysbyty Heol y Gogledd, Aberystwyth. Cynhaliwyd ei hangladd yng Nhapel Ebenezer, Bont-goch ar 12 Mawrth 1983, ac mae hi a'i chwaer hŷn Jane (1886-1965), a fu'n rhannu'r un cartref, wedi eu claddu ym mynwent y Capel.

for many years. Tom Macdonald described her as 'the woman who carries the chapel in her heart', in a portrait of the village published in the *Western Mail* on 3 July 1971. Miss Evans ensured that the Chapel held an annual lecture, and she walked many miles selling tickets from door to door to ensure the success of this event. She spent her last years living at the Gwalia Hotel in Aberystwyth, where she was well cared for.

Margaret Mary Evans died on 9 March 1983 at North Road Hospital, Aberystwyth, aged 89 years old, and her funeral was held at Ebenezer Chapel, on 12 March 1983. She and her elder sister Jane (1886-1965), who shared the same home, were both buried in the Chapel cemetery.

Evans, Ruth Hubertha Mathilde (1915-1997)

Awdur a gweddw prifathro Coleg y Brifysgol, Aberystwyth a fu'n byw yn Ficerdy Elerch.

Author and widow of the principal of UCW, Aberystwyth who lived at Elerch Vicarage.

Ganed Ruth Hubertha Mathilde Evans yn Hamburg, Yr Almaen ar 7 Gorffennaf 1915, yr ifancaf o chwe phlentyn a anwyd i Johannes Andreas Jolles (1874-1946), athro prifysgol, a'i wraig gyntaf Mathilde Mönckeberg (1879-1958).

Ar 11 Tachwedd 1938 priododd Ruth gydag Ifor Leslie Evans (1897-1952), prifathro Coleg y Brifysgol, Aberystwyth ers 1934. Bu farw Ifor Evans yn 55 oed ar 31 Mai 1952, gan adael gweddw a dau o blant – Rhys John (g. 1940) ac Anna Myfanwy (1942-1992) a briododd Peter John Haxworth ar 18 Gorffennaf 1964.

Yn dilyn marwolaeth ei phriod symudodd Ruth a'i

Ruth Hubertha Mathilde Evans was born in Hamburg, Germany on 7 July 1915, the youngest of six children born to Johannes Andreas Jolles (1874-1946), a university professor, and his first wife Mathilde Mönckeberg (1879-1958).

On November 11, 1938, she married Ifor Leslie Evans (1897-1952), who had been appointed principal of University College of Wales, Aberystwyth, in 1934. Ifor Evans died at the age of 55 on 31 of May 1952, leaving her a widow with two young children: Rhys John (b. 1940) and Anna Myfanwy (1942-1992) who married Peter John Haxworth on 18 July 1964.

phlant i fyw i'r Hen Ficerdy yn Elerch, gan aros yno am yn agos at ddeng mlynedd. Bedyddiwyd Rhys John, ei mab, yn Eglwys Elerch ar 7 Awst 1953. Yn ystod ei chyfnod yn Bont-goch daeth Ruth yn ffrindiau da gyda nifer o deuluoedd eraill oedd â chysylltiadau Almaenig fel John Duguid, Adolf & Frede Prag a Jack & Hanne Yates. Roedd y cyfeillgarwch rhwng teulu Ruth a theulu Frede Prag yn Hamburg yn mynd yn ôl i genhedlaeth eu cyndeidiau. Roedd Hanne Yates hefyd yn ferch un o ffrindiau Adolf Prag yn Frankfurt.

Ymwelydd cyson â'r Ficerdy ar ddechrau 1950au oedd Thomas Jones (1870-1955), Llywydd Coleg y Brifysgol, ac un o ddynion mwyaf pwerus Prydain ac is-ysgrifennydd y Cabinet i bedwar prif weinidog. Mae Ruth Evans wedi ysgrifennu am ei hatgofion am ymweliadau T. J. â Bont-goch:

> When the relatively short time of my life as Mrs Principal was over, T. J. left me in no doubt about his regard and friendship, and till the end of his days remained a faithful and caring companion. It was he, who, when the war was over, got me the first official confirmation of my family's whereabouts and well-being in occupied Germany, he who entertained my Mother and stepfather when they came to Wales in 1947. Later he often took the trouble to come out to Elerch vicarage to discuss college matters. Perhaps it was not so much my opinion he sought, but to air his views and speculations to a person of whose interest he could be absolutely certain. Maybe I was one of the first to hear the name Goronwy Rees mentioned. T.J. came out to Elerch one afternoon in June 1953, pressed a book into my hand and said, 'Read this and let me know what you think in a couple of days'. It was Goronwy Rees' novel Where no Wounds Were. Similarly he had dropped the name Enoch Powell into a conversation, talked about these two men as gifted scholars and possible successors of Ifor's. No doubt that all this had already been discussed at different levels, but I was touched and glad that he gave me at least the opportunity to think about his part in selecting a new Principal, and not to be taken by surprise.

Following her husband's death Ruth and her children moved to the Old Vicarage at Elerch, staying there for almost ten years. Her son Rhys John was baptized at Elerch Church on 7 August 1953. During her time in Bont-goch Ruth enjoyed the support of other families in the village who had German connections, notably John Duguid, Adolf & Frede Prag and Jack & Hanne Yates. However, the friendship between Ruth's family and Frede Prag's family in Hamburg went back at least to their grandparents' generation and they remained very close friends until a few years before Ruth's death. Hanne Yates was the daughter of one of Adolf's Prag's friends in Frankfurt.

A frequent visitor to the Vicarage during the early 1950s was Thomas Jones (1870-1955), President of UCW, Aberystwyth, and one of the most powerful men in Britain having served four prime ministers as assistant secretary to the cabinet. Ruth Evans has written about her memories of his visits to Bont-goch:

> When the relatively short time of my life as Mrs Principal was over, T. J. left me in no doubt about his regard and friendship, and till the end of his days remained a faithful and caring companion. It was he, who, when the war was over, got me the first official confirmation of my family's whereabouts and well-being in occupied Germany, he who entertained my Mother and stepfather when they came to Wales in 1947. Later he often took the trouble to come out to Elerch vicarage to discuss college matters. Perhaps it was not so much my opinion he sought, but to air his views and speculations to a person of whose interest he could be absolutely certain. Maybe I was one of the first to hear the name Goronwy Rees mentioned. T.J. came out to Elerch one afternoon in June 1953, pressed a book into my hand and said, 'Read this and let me know what you think in a couple of days'. It was Goronwy Rees' novel Where no Wounds Were. Similarly he had dropped the name Enoch Powell into a conversation, talked about these two men as gifted scholars and possible successors of Ifor's. No doubt that all this had already been discussed at different levels, but I was touched and

Yn ystod ei chyfnod yn Bont-goch ysgrifennodd Ruth nofel fer a gyhoeddwyd yn breifat mewn argraffiad cyfyngedig yn 2017. Mae'r rhagarweiniad yn nodi fod *Mist and Minstrels* yn adrodd diwrnod yn hanes bywyd Bont-goch, neu Moelgolomen, fel yr enwir y pentref yn y gwaith. Mae dylanwad Dylan Thomas yn drwm ar ei harddull sy'n ddarlun byw o fywyd pentrefol Cymreig yn y 1950au. Ychwanegwyd 19 o frasluniau gan Jack Yates sy'n llwyddo i bortreadu'r cymeriadau lleol yn berffaith.

Yn 1974 daeth Ruth o hyd i gyfres o lythyrau ei mam, a fu farw yn 1958, a ysgrifennwyd yn Hamburg at ei phlant adeg y Rhyfel, ond nad oedd modd ei gyrru. Cyfieithwyd a chyhoeddwyd y llythyrau mewn cyfrol yn dwyn y teitl *On the other side – letters to my children from Germany, 1940-45.* Fe'u cyhoeddwyd yn wreiddiol yn 1979, ac eto yn 2007 a 2011, ac maent yn gronicl pwysig o fywyd yn Yr Almaen yn ystod yr Ail Ryfel Byd.

Bu farw Ruth Evans yn Rhydychen ar 30 Awst 1997. Cynhaliwyd ei hangladd yn Amlosgfa Rhydychen a chladdwyd ei llwch gyda'i gŵr yn Aberdâr.

glad that he gave me at least the opportunity to think about his part in selecting a new Principal, and not to be taken by surprise.

During her time at Bont-goch Ruth wrote a brief novella which was posthumously published in a limited and private edition in 2017. The introduction notes that *Mist and Minstrels* tells of a day in the life of Bontgoch, or Moelgolomen, as Ruth names it in the story. She was unashamedly influenced by Dylan Thomas, echoing his work in her lyrical style, and evoking the pastoral Wales of the mid-1950s. The work is illustrated with 19 sketches by Jack Yates which capture perfectly the idiosyncrasies of the local characters.

In 1974, Ruth found a series of her mother's letters, who died in 1958, which had been written in Hamburg to her children at the time of the War, but could not be posted to them. The letters were subsequently translated and published in a volume entitled *On the other side – letters to my children from Germany, 1940-45.* They were originally published in 1979, and again in 2007 and 2011. They are an important record of life in Nazi Germany during the Second World War.

Ruth Evans died in Oxford on August 30, 1997. She was cremated at Oxford and her ashes were interred with her husband at Aberdare.

Evans, William James Lynn (1930-2015)

Ficer Penrhyn-coch ac Elerch, 1979-1983.

Ganwyd William James Lynn Evans yn Llandeilo Fawr ar 4 Mehefin 1930, yn fab i Willie Evans, *colliery fireman*, a'i briod Elizabeth a'i godi yn 10a Talbot Road, Rhydaman. Mynychai Eglwys Annibynnol y Gellimanwydd (Christian Temple) yn y dref. Addysgwyd yng Ngholeg Dewi Sant, Llanbedr Pont Steffan. Ordeiniwyd yn ddiacon yn 1975, ond cyn hynny bu'n gweithio ym myd bancio. Ar ôl gwasanaethu ym mhlwyfi Penbryn, Blaen-porth, Betws Ifan a Brongwyn yn ne Ceredigion, apwyntiwyd ef i ofalu am blwyfi Penrhyn-coch ac Elerch ar 3 Mehefin 1979, lle y bu tan 17 Ebrill 1983, ac yn byw yn y Ficerdy, Penrhyn-coch. Symudodd i Sir Gaerfyrddin pan apwyntiwyd ef yn ficer Cynwyl Elfed a Llannewydd yn 1983-87, ac yna i Landybïe, Llandyfân a Chwm-coch o 1987 hyd at 1995.

Bu'n olygydd *Llais Dewi*, papur newydd esgobaeth Tyddewi, a chyfrannodd golofn wythnosol ddefosiynol 'Pause for thought' i'r *South Wales Guardian* am nifer o flynyddoedd. Ymddeolodd ar ddiwedd mis Mehefin 1995, i Ddôl Tywi, Maenordeilo, Llandeilo, a chymryd gofal o Eglwys Annibynnol Hermon, Maenordeilo. Roedd yn ŵr eciwmenaidd ac efallai yn anghydffurfiwr wrth reddf.

Bu farw ar 9 Tachwedd 2015, a chynhaliwyd ei angladd yn Hermon ac Amlosga Arberth. Priododd Hazel P. Davies o Lanelli yn 1956, ac roedd ganddynt dair o ferched, Delyth, Beverley ac Andrea.

Vicar of Penrhyn-coch w. Elerch, 1979-1983.

William James Lynn Evans was born at Llandeilo on 4 June 1930 the son of Willie Evans, a colliery fireman, and his wife Elizabeth, and was raised at the family home at 10a Talbot Row, Ammanford. The family attended the Christian Temple Welsh Independent Church in the town. Educated at St. David's College, Lampeter, he was ordained deacon in 1975, after working previously in banking. He served in the south Ceredigion parishes of Penbryn, Blaen-porth, Betws Ifan and Brongwyn before being appointed to Penrhyn-coch w. Elerch on 3 June 1979 where he remained until 17 April 1983, living at the Vicarage, Penrhyn-coch. He subsequently ministered in Carmarthenshire at Cynwyl Elfed and Newchurch, 1983-87 and at Llandybïe, Llandyfân and Cwm-coch from 1987 until 1995.

He edited *Llais Dewi*, the diocesan newspaper, and contributed a weekly devotional column entitled 'Pause for thought' to the *South Wales Guardian* for many years. He retired in June 1995 to Dôl Tywi, Maenordeilo, Llandeilo, and took charge of Hermon Independent Chapel, Maenordeilo. Lynn Evans was an ecumenical figure and possibly a nonconformist at heart.

He died on 9 November 2015, and his funeral was held at Hermon and at Narberth Crematorium. He married Hazel P. (née Davies) in 1956, and they had three daughters, Delyth, Beverley and Andrea.

Evans, William Thomas ('Wil Pantgwyn'; 1909-1986)

Gweithiwr amaethyddol a chymeriad, a anwyd yn Nôl-garnwen ac a fu'n byw ym Mhantgwyn.

Roedd William Thomas Evans, neu 'Wil Pantgwyn' fel yr adnabuwyd ef gan bawb yn un o gymeriadau mwyaf yr ardal. Fe'i ganwyd ar 21 Gorffennaf 1909 yn Nôl-garnwen, Cwm Tŷ-nant, yn un o deulu mawr John Evans a'i briod Elizabeth, gan symud yn ddiweddarach i fyw yng Nglanrafon, Pontbren-geifr.

William a Margaret Evans.

Mewn teyrnged iddo a gyhoeddwyd ym *Mhapur Pawb*, mae Hilda Thomas yn nodi iddo ymaelodi yn Eglwys Elerch yn 1958 ar ôl symud i fyw i Bontbren-geifr. Bu'n gweithio am flynyddoedd gyda'i dad yn ffensio. Yn ystod yr Ail Ryfel Byd bu mewn gwasanaeth gyda Moses Griffith (1893-1973), yr arloeswr amaethyddol, ym Mhenllwyn. Treuliodd flynyddoedd wedyn yn gyrru lori i'r Comisiwn Coedwigaeth, cyn ymddeol yn gynnar a mynd yn rheolwr ar fferm Mynydd Gorddu. Roedd ganddo synnwyr digrifwch arbennig, a chof aruthrol a fedrai ddwyn yn ôl lawer o storïau am gymeriadau'r ardal.

Priododd Margaret Louisa Evans (*g.* 1911) yn 1935 a magodd bump o blant ar aelwyd Pantgwyn: Dilwyn (a fu farw yn ddwy oed yn Rhagfyr 1939), Dewi, Linda Margaret [Davies] (1945-1987), Robert a Geraint. Bu Mr a Mrs Evans yn aelodau ffyddlon ac yn ofalwyr Eglwys Elerch am gyfnod hir. Ymddangosodd William Evans fel *extra* yn narlled S4C o *Enoc Huws* a ddarlledwyd am y tro cyntaf yn 1982.

Agricultural worker and character, born at Dôlgarnwen, who lived at Pantgwyn.

William Thomas Evans, or 'Wil Pantgwyn', as everyone knew him, was as one of the best known characters in the area. He was born on 21 July 1909 at Dôlgarn-wen, Cwm Tŷ-nant, the son of John Evans and his wife Elizabeth, moving later to Glanrafon, Pontbren-geifr.

In a tribute published in *Papur Pawb*, Hilda Thomas states that he became a member of Elerch Church in 1958 after moving to live at Glanrafon. He worked for many years with his father as an agricultural fencer. During the Second World War he was employed by Moses Griffith (1893-1973), the agricultural pioneeer, at Penllwyn. He later spent many years as a lorry driver with the Forestry Commission, before taking early retirement and becoming the farm manager at Mynydd Gorddu. He had a unique sense of humour, and an excellent memory that could recall many anecdotes about the history and characters of the area.

He married Margaret Louisa Evans (*b.* 1911) in 1935 and they reared five children at Pantgwyn: Dilwyn (who died aged only 2 years in December 1939), Dewi, Linda Margaret [Davies] (1945-1987), Robert and Geraint. Mr and Mrs Evans were faithful members of Elerch Church and its caretakers for many years. William Evans featured as an *extra* in the S4C series *Enoc Huws,* first broadcast in 1982.

Bu farw William T. Evans ar 20 Tachwedd 1986 yn 77 oed a'i briod ar 13 Ebrill 2000. Mae'r ddau wedi eu claddu ym mynwent Eglwys Elerch.

Roedd William T. Evans yn frawd iau i'r cymeriad lliwgar John Richard Evans ('Jac y Mashwn'; 1899-1972), Glanrafon, a fu'n gymar am gyfnod i Mrs Margaret Angharad Elinor Briggs (1903-1970) ar ôl iddi golli ei gŵr. Roedd Mrs Briggs yn wyres i Syr Pryse Pryse, Plas Gogerddan. Claddwyd hi gyda'i gŵr Godfrey Stuart Briggs (1875-1941) yn Eglwys Penrhyn-coch, tra claddwyd John Evans ym mynwent Tal-y-bont ar 29 Ebrill 1972.

William T. Evans died on 20 November 1986 at the age of 77 and his wife Margaret on 13 April 2000. Both are buried at Elerch Church.

William was the younger brother of the colourful character John Richard Evans ('Jac y Mashwn'; 1899-1972), Glanrafon, partner to Mrs Margaret Angharad Elinor Briggs (1903-1970), after she had lost her husband. Mrs Briggs was a grand-daughter of Sir Pryse Pryse, Plas Gogerddan, and was buried with her husband Godfrey Stuart Briggs (1875-1941) at Penrhyn-coch Church. John Evans was buried at Tal-y-bont cemetery on 29 April 1972.

Francis, David Everton Baxter (1945-2020)

Ficer Penrhyn-coch ac Elerch, 1985-1993.

Ganwyd yng Nghaersallog yn 1945, a derbyniodd ei addysg yn Cliff College, Calver yn Swydd Derby a Choleg y Wesleaid, Bryste. Bu'n gweithio am gyfnod byr yn Llyfrgell St. Deiniol, Penarlâg, cyn ei ordeinio yn ddiacon yn yr Eglwys yng Nghymru yn 1977. Bu'n gurad ym mhlwyfi Llangyfelach a Llansamlet rhwng 1977 a 1980, cyn ei benodiad yn ficer Llanrhaeadr-ym-Mochnant, Llanarmon Mynydd Mawr, Pennant, Hirnant a Llangynog. Apwyntiwyd yn ficer Penrhyn-coch ac Elerch yn 1985, gan wasanaethu yno hyd 1993, pan adawodd i ofalu am blwyfi cyfagos Borth, Eglwys-fach a Llangynfelyn.

Ymddeolodd i Gegidfa, Powys gyda'i wraig Dorothy (née Brewer). Roedd ganddynt dair o ferched, Mary, Charlotte ac Elinor.

Bu farw David Francis ar 15 Chwefror 2020 yn 74 oed, a chynhaliwyd ei angladd yn Eglwys St. Oswallt, Croesoswallt ar 12 Mawrth, ac fe'i claddwyd ym mynwent Llanidloes ar 13 Mawrth.

Vicar of Penrhyn-coch w. Elerch, 1985-1993.

Born in Salisbury in 1945, and educated at Cliff College, Calver, Derbyshire and the Wesleyan College, Bristol. He worked briefly at St. Deiniol's Library, Hawarden before being ordained deacon in the Church in Wales in 1977. He served as curate of Llangyfelach and Llansamlet from 1977 until 1980, when he was appointed vicar of Llanrhaeadr-ym-Mochnant, Llanarmon Mynydd Mawr, Pennant, Hirnant and Llangynog. In 1985 he was appointed vicar of Penrhyn-coch w. Elerch where he served until 1993, leaving to take charge of the neighbouring parishes of Borth, Eglwys-fach and Llangynfelyn.

He and his wife Dorothy (née Brewer) retired to Guilsfield, Powys . They had a family of three daughters – Mary, Charlotte and Elinor.

David Francis died on 15 February 2020 aged 74 years, and his funeral was held at St. Oswald's Church, Oswestry on 12 March followed by interment at Llanidloes cemetery on 13 March.

Francis, Richard Murray (1948-2007)

Cyfrifydd siartredig a fu'n byw ym Mhlas Cefn Gwyn.

Bu farw Richard Murray Francis, Plas Cefn Gwyn, yn frawychus o sydyn ar 22 Gorffennaf 2007 yn Ysbyty Llanfair-ym-Muallt yn dilyn effeithiau pigiad gan wenynen. Yn frodor o Brentwood, Swydd Essex, ganwyd Richard ar 22 Mehefin 1948 yn drydydd plentyn Bertram Francis, cyfreithiwr uchel lys a phrif glerc bwrdeistref Chelmsford, a'i briod Mary. Addysgwyd Richard yn Ysgol Brentwood, a chymhwyso fel cyfrifydd siartredig.

Ar ôl cymhwyso, penderfynodd Richard a dau o'i ffrindiau i deithio dramor yn yr Affrig mewn Land Rover yn ystod gaeaf a gwanwyn 1972-73. Cawsant dipyn o hwyl ar eu teithiau cyn i Richard benderfynu ei bod yn amser mynd adref a threfnodd i hedfan o Weriniaeth Ganolog Affrica. O fewn 48 awr i gyrraedd adref roedd yn dioddef o'r salwch malaria, ond llwyddodd i wella'n llwyr. Aeth ati wedyn i gysylltu gyda'r asiantaeth gyflogi gyda'r bwriad o geisio am waith yn Ffrainc. Ar ôl prawf mewn Ffrangeg dywedwyd wrtho nad oedd yn ddigon rhugl yn yr iaith, a chynigiwyd gwaith iddo yn lle hynny naill ai yng Nghaerdydd neu Aberystwyth. Gan ei fod eisoes wedi treulio chwe mlynedd yn gweithio yn Llundain, roedd yn well ganddo fentro i Aberystwyth.

Gyda'i wraig, Jacqueline E. Baker, a briododd yn Bromley, Caint yng Ngorffennaf 1973, symudodd i Gymru gan sefydlu yn gyntaf yn Aberaeron am chwe mis cyn prynu Pantfallen Fach, Tregaron. Symudodd y teulu i Blas Cefn Gwyn, Bont-goch yn 1991, a daeth Richard yn bartner ym musnes cyfrifyddol Francis Gray, Aberystwyth.

A chartered accountant who lived at Plas Cefn Gwyn.

Richard Murray Francis, Plas Cefn Gwyn, died tragically on 22 July 2007 at Builth Wells Hospital from an allergic reaction to an insect bite. A native of Brentwood, Essex, Richard was born on 22 June 1948, the third child of Bertram Francis, a Supreme Court solicitor and town clerk to Chelmsford Borough Council, and his wife Mary. Educated at Brentwood School he qualified as a chartered accountant.

Having qualified, Richard decided along with two friends to travel overland in a short wheelbase Land Rover to South Africa in the winter and spring of 1972-1973. He and his friends had many adventures on their travels, but after three months Richard decided that it was time to call it a day and flew home from the Central African Republic. Within 48 hours he was suffering from malaria, but made a full recovery. He then contacted the Employment Agency in the hope of finding a job in France. After a short language test he was told that his French was not sufficiently fluent, but he was instead offered a job in Cardiff or Aberystwyth. Having already spent six years working in London he plumped for Aberystwyth.

With his new bride Jacqueline E. Baker whom he married at Bromley, Kent in July 1973 he moved to Wales settling initially at Aberaeron for six months before buying Pantfallen Fach, Tregaron. The family moved to Plas Cefn Gwyn, Bont-goch in 1991 where Richard became a partner in the accounting firm of Francis Gray, Aberystwyth.

Yn ŵr preifat, bonheddig a diymhongar, roedd ganddo ddiddordebau hamdden eang. Roedd yn hoff o ferlota a cherdded, daliai drwydded breifat i hedfan awyren, ac roedd yn wrandäwr mawr ar gerddoriaeth glasurol. Roedd yn gefnogol i waith elusennol Rotary Rhyngwladol. Gadawodd weddw a dau o blant, Dominic a Shelley (Rees).

Cynhaliwyd gwasanaeth i ddathlu ei fywyd a'i waith yn Eglwys St. Ioan, Penrhyn-coch ar 1 Awst 2007, a cheir cofeb iddo ym mynwent Eglwys Elerch lle claddwyd ei lwch.

Richard Francis was a private and modest man, and a true gentleman. He had several recreational interests. He enjoyed riding and walking and held a private pilot's licence, and was a great listener to classical music. He also supported the charitable work of Rotary International. He was survived by his widow and two children, Dominic and Shelley (Rees).

A service to celebrate his life was held at St. John's Church, Penrhyn-coch on 1 August 2007. Following cremation his ashes were interred at Elerch Church cemetery where he is commemorated.

Francis-Jones, Gwyneth (1917-1991) & Edward Francis-Jones (1920-1993)

Awdur ac ymgyrchydd a fu'n byw yng Ngharregydifor gyda'i phriod Edward Francis-Jones, pensaer.

Ganwyd Gwyneth Jones yn Llundain i deulu o Gymry ar 20 Rhagfyr 1917. Cyflwynwyd y Defence Medal iddi am ei gwasanaeth gwirfoddol yn yr Ail Ryfel Byd. Priododd yn Islington yn 1954 gydag Edward Francis-Jones, pensaer a chynllunydd tref. Ganwyd Edward yng Nghaergybi ar 1 Awst 1920, gan ennill ei radd a'i gymwysterau proffesiynol ym Mhrifysgol Lerpwl.

Bu ef a'i briod yn byw yng Ngharregydifor, Bont-goch, rhwng 1957 a 1960. Ganwyd eu hunig blentyn Huw ap Edward Francis Jones yng Ngorffennaf 1958, ond bu farw'n faban, ac fe'i claddwyd yn Eglwys Elerch ar 2 Awst 1958, lle byddai'r rhieni yn addoli yn rheolaidd. Yn ogystal, claddwyd mam Gwyneth, Jane Ann Jones (1884-1960), yn Eglwys Elerch.

Ar ôl gadael Bont-goch bu Edward a Gwyneth yn

Author and campaigner who lived at Carrregydifor with her architect husband Edward Francis-Jones.

Gwyneth Jones was born in London to a Welsh family on 20 December 1917. She was awarded the Defence Medal for her voluntary services in World War II. She married at Islington in 1954, Edward Francis-Jones, an architect and town planner. He was born at Holyhead on 1 August 1920, and gained his degree and professional qualifications at the University of Liverpool.

The couple lived at Carregydifor, Bont-goch, between 1957 and 1960. Their only child, Huw ap Edward Francis-Jones, died an infant and was buried at Elerch Church on 2 August 1958, where the parents were regular worshippers. Gwyneth's mother, Jane Ann Jones (1884-1960), is also buried at Elerch.

After leaving Bont-goch, Edward and Gwyneth lived

byw uwchben y practis pensaernïol, Francis-Jones & Prys Edwards Associates, yn 27 Rhodfa'r Gogledd, Aberystwyth cyn symud i Hafodwen, Caemelyn, Aberystwyth, tŷ a gynlluniwyd ganddo ac a godwyd ar ddechrau'r 1970au. Gwerthwyd y tŷ i berchennog newydd yng Ngorffennaf 1974 wrth iddynt ddychwelyd i Rodfa'r Gogledd cyn symud i Camelot yn Stryd Fawr Y Borth. Mae Delyth Pryce Jones o'r Borth yn eu cofio yn dda fel cymdogion caredig.

Roedd Gwyneth yn ymgyrchydd brwd dros nifer o achosion, ac ysgrifennodd gannoedd o lythyrau at y wasg ac at aelodau seneddol. Cyflwynodd femorandwm hirfaith yn llawn dychymyg ar ddyfodol y diwydiant twristiaeth i Bwyllgor Materion Cymreig Senedd San Steffan yn 1985-86.

Roedd hi'n awdur nifer o lyfrau. Cyhoeddodd *Cows, Cardis and Cockneys* yn 1984, cyfrol yn nodi hanes y Cymry a'r diwydiant llaeth yn Llundain; *To a monastery in Moscow* (1986), bywgraffiad o David Ivon Jones (1893-1924), comiwnydd ac un o sylfaenwyr yr ANC yn Ne Affrica a *Curiouser and curiouser* (1986), astudiaeth o waith yr emynydd Ann Griffiths (1776-1805). Roedd ganddi ddiddordeb arbennig ym Mudiad Rhydychen, fel y dengys llythyr a gyhoeddwyd ganddi yng nghylchgrawn *Cristion*.

Gweithredodd Gwyneth fel ysgrifennydd a phrif swyddog hynod effeithiol busnes pensaernïol ei gŵr – busnes a gyflogai dros ugain o bobl mewn swyddfeydd yn Aberystwyth, Y Drenewydd a Phorthmadog. Mae'r penseiri lleol Harry James a Gareth Lewis, sydd bellach wedi ymddeol, yn ei chofio hi a'i gŵr yn dda gan iddynt weithio i'r practis ar y pryd. Edward Francis-Jones oedd pensaer nifer o stadau newydd yn ardal Aberystwyth megis Maes Afallen a Maes Ceiro yn Bow Street a Maes Henllan yn Llandre, a adeiladwyd gan H. M. Davies a'i Fab, Bow Street. Edward Francis-Jones oedd hefyd yn gyfrifol am ddarlunio llyfrau ei briod gyda brasluniau pen ac inc, yn null pensaernïol.

above the architectural practice, Francis-Jones & Prys Edwards Associates, at 27 North Parade, Aberystwyth, before moving to a new house named Hafodwen in Caemelyn, designed by Edward and built in the early 1970s. The house was sold to new owners in July 1974, and the couple returned to North Parade before moving to Camelot in the High Street at Borth. Delyth Pryce Jones of Borth remembers them well as kind neighbours.

Gwyneth was a devout campaigner for many causes and wrote hundreds of letters to the press and to members of parliament. She submitted an imaginative and lengthy memorandum to the House of Commons Committee on Welsh Affairs on the future of the tourist industry in Wales, 1985-86.

She was also the author of several books. She published *Cows, Cardis and Cockneys* in 1984, which traced the history of the dairying industry in London; *To a monastery in Moscow* (1986), a biography of David Ivon Jones (1893-1924), a communist and one of the founders of the ANC in South Africa and *Curiouser and curiouser* (1986), a study of the work of the hymn writer Ann Griffiths (1776-1805). She also took an interest in the Oxford Movement as shown by a letter she published in the journal *Cristion*.

Gwyneth served as the very efficient secretary and manager of her husband's architectural practice which employed over twenty people in three offices at Aberystwyth, Newtown and Porthmadog. Local retired architects Harry James and Gareth Lewis remember both Gwyneth and Francis well as they worked for the practice at the time. Edward Francis-Jones was the architect of several new housing estates in the Aberystwyth area notably Maes Afallen and Maes Ceiro, Bow Street, and Maes Henllan in Llandre, all of which were built by H. M. Davies & Son of Bow Street. Edward Francis-Jones also illustrated his wife's books with architectural style drawings in pen and ink.

Bu farw Gwyneth Francis-Jones yn 73 oed ar 27 Gorffennaf 1991, ac fe'i claddwyd yn Eglwys Elerch ar 31 Gorffennaf. Bu farw ei phriod ar 2 Medi 1993, ac fe'i claddwyd yntau hefyd yn Eglwys Elerch.

Gwyneth Francis-Jones died aged 73 years on 27 July 1991, and was buried at Elerch Church on 31 July. Her husband died on 2 September 1993, and he was also buried at Elerch.

Gilbertson, Lewis (1814-1896)

Ficer Elerch, is-brifathro a noddwr a fu'n byw ym Mhlas Cefn Gwyn.

Vicar of Elerch, vice-principal and patron who lived at Plas Cefn Gwyn.

Ganwyd Lewis Gilbertson yn Nôlclettwr, Tre'r-ddôl ar 27 Tachwedd 1814, yn bedwerydd mab i William Cobb Gilbertson (1768-1864), gŵr y gyfraith yn enedigol o Middlesex, a'i drydedd wraig Elizabeth, ac fe'i bedyddiwyd yn Eglwys Llangynfelyn ar 3 Rhagfyr 1814. Treuliodd Lewis ei ieuenctid ym Mhlas Cefn Gwyn a adeiladwyd gan ei dad yn fuan ar ôl ei eni. Derbyniodd ei addysg yng Ngholeg yr Iesu, Rhydychen gan raddio BA yn 1836, MA yn 1839, a BD yn 1847. Bu'n gymrawd Coleg yr Iesu o 1840 hyd at 1872.

Fe'i hordeiniwyd yn 1837, ac fe'i hapwyntiwyd yn gurad Sheringham, ger Cheltenham. Rhwng 1841 hyd at 1852 bu'n ficer Llangorwen, eglwys newydd a sefydlwyd yn drwm o dan ddylanwad Isaac Williams (1802-65) Plas Cwmcynfelin a Mudiad uchel-eglwysig Rhydychen. Roedd ei fam Elizabeth Williams (1776-1846), gwraig William Cobb Gilbertson, yn chwaer i Isaac Williams. Daeth Lewis Gilbertson yn ffrindiau agos gyda ffigurau allweddol yn y mudiad fel John Keble (1792-1866), a bu yntau'n aros ym Mhlas Cefn Gwyn ar fwy nag un achlysur. Yn 1852 dychwelodd Gilbertson i Goleg yr Iesu, ac ar ôl gweithio fel

Lewis Gilbertson was born at Dôlclettwr, Tre'r-ddôl on 27 November 1814, the fourth son of William Cobb Gilbertson (1768-1864), attorney at law and a native of Middlesex, and his third wife, Elizabeth (née Williams). Lewis was baptized at Llangynfelyn Church on 3 December 1814. He spent his youth at Plas Cefn Gwyn, a house built by his father shortly after his birth. Lewis received his education at Jesus College, Oxford graduating BA in 1836, MA in 1839, and BD in 1847. He was a fellow of Jesus College from 1840 to 1872.

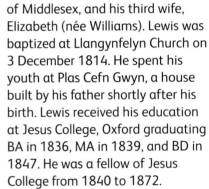

Ordained in 1837, he first served as curate at Sheringham, near Cheltenham. Between 1841 and 1852 he was appointed vicar of Llangorwen, a new church that was established under the influence of Isaac Williams, (1802-65) Plas Cwmcynfelin and the Anglo-Catholic Oxford Movement. Lewis' mother, Elizabeth Williams (1776-1846), wife of William Cobb Gilbertson, was the sister of Isaac Williams. Lewis Gilbertson became close friends with key figures in the Oxford Movement such as John Keble (1792-1866), who stayed at Plas Cefn Gwyn on more than one occasion. In 1852 Gilbertson returned to Jesus College, and after working as a

darlithydd a bwrsar, fe'i dyrchafwyd yn is-brifathro, swydd y bu'n ei dal hyd at 1872.

Apwyntiwyd ef yn ficer plwyf newydd Elerch yn Ebrill 1869, ond fel noddwr yr Eglwys medrodd apwyntio ei olynydd yn Nhachwedd 1870. Noddodd a thalodd am adeiladu ysgol i'r plwyf yn 1856, a ficerdy newydd a gwblhawyd yn 1874. Apwyntiwyd Gilbertson yn ficer Braunston, ger Rugby yn 1870, bywoliaeth a noddwyd gan Goleg yr Iesu, a bu yno hyd at ei ymddeoliad yn 1893. Awgrymwyd yn y wasg yn 1874 mai ef fyddai esgob newydd Tyddewi i ddilyn Connop Thirlwall (1797-1875), ond am ba reswm bynnag William Basil Jones (1822-1897), a ddewiswyd.

Roedd priod Lewis Gilbertson, Frances (Fanny), yn ferch o Kendal, yn swydd Westmorland, ac yn bedair blynedd ar ddeg yn iau na'i gŵr. Ganed Frances yn 1829, yn ferch i Richard Branthwaite (1782-1867), gwneuthurwr papur a llyfrwerthwr yn y dref.

Bu Frances Gilberston yn gymar ffyddlon iddo yn ystod ei gyfnod hir o dros ugain mlynedd fel offeiriad Eglwys yr Holl Seintiau, Braunston. Roedd hon yn eglwys arall a ddaeth dan ddylanwad Mudiad Rhydychen a lle gwelir heddiw nifer o enghreifftiau o ddylanwad y pensaer William Butterfield (1814-1900), a fu'n gyfrifol hefyd am gynllunio Eglwys St. Pedr, Elerch. Mae'r defnydd o deilsennau coch a'r bedyddfeini marmor hardd yn arwyddion clir o hynny yn y ddwy eglwys.

Wrth i Lewis Gilbertson fynd yn fwy bregus ei iechyd penderfynodd yn 1893, ac yntau'n 78 oed, i ymddeol i Aberystwyth. Daeth chwaer hŷn ei briod, Anne Branthwaite, i fyw gyda nhw yn eu cartref newydd yn 46 Rhodfa'r Môr, tŷ sydd bellach yn rhan o Westy'r Marine. Ymhen tair blynedd yn dilyn ei ymddeoliad bu farw Lewis Gilbertson, a'i gladdu yn Eglwys Elerch ar 7 Ebrill 1896. Cafodd Frances gwmni ei chwaer hyd farwolaeth Anne yn Rhagfyr 1902, a chludwyd ei chorff yn ôl ar y trên i Kendal i'w gladdu

lecturer and bursar, he was promoted to vice-principal, a post he held until 1872.

He was appointed vicar of the new parish of Elerch in April 1869, but as the patron of the Church, completed in 1868, he was able to appoint his successor in November 1870. He also sponsored and paid for the building of a school for the parish in 1856, and a new vicarage built in 1874. Gilbertson was appointed vicar of Braunston, near Rugby in 1870, a living endowed by Jesus College, and he remained there until his retirement in 1893. In 1874 it was speculated in the press that he might be appointed the new Bishop of St. David's to succeed Connop Thirlwall (1797-1875), but in the event William Basil Jones (1822-1897) was eventually chosen as his successor.

His wife Frances (Fanny), born in 1829, at Kendal, in Westmorland, was the daughter of Richard Branthwaite (1782-1867), paper maker and bookseller of the town and was fourteen years younger than her husband.

Frances Gilberston was a loyal companion to Lewis during his long period of over twenty years as a priest at the Church of All Saints, Braunston. This was another church associated with the Oxford Movement and where there are many examples of the influence of the architect William Butterfield (1814-1900), who was also responsible for designing St. Peter's, Elerch. The use of red floor tiles and a beautiful marble font are prominent features in both churches.

As Lewis Gilbertson's health deteriorated he decided in 1893, at the age of 78, to retire to Aberystwyth. His wife's elder sister, Anne Branthwaite, also came to live with them at their new home at 46 Marine Terrace, a house that is now part of the Marine Hotel. Three years after his retirement Lewis Gilbertson died and was buried at Elerch Church on 7 April 1896. Frances retained her sister's companionship until Anne's death in December 1902. Her body was transported by train

yn dilyn gwasanaeth byr yn Eglwys St. Mihangel, Aberystwyth.

Bu Frances fyw am flynyddoedd lawer ar ôl colli ei gŵr a'i chwaer. Bu farw ar 23 Gorffennaf 1916, ac fe'i claddwyd yn Eglwys Elerch ar 26 Gorffennaf a hithau'n 87 oed. Ni chafodd hi a'i gŵr deulu. Mae ffenestr lliw er cof am Lewis Gilbertson yng nghapel Coleg yr Iesu, Rhydychen, a chofeb iddo ef a'i chwiorydd yn nghangell Eglwys Elerch.

to Kendal for burial following a short service at St . Michael's Church, Aberystwyth.

Frances lived for many years after losing her husband and sister. She died on 23 July 1916, and was buried at Elerch Church on 26 July, aged 87 years. There were no children from the marriage. A stained glass window commemorates Lewis Gilbertson in the chapel of Jesus College, Oxford, and there is also a memorial tablet to him and his sisters in the chancel of Elerch Church.

Gilbertson, Richard (1818-1905)

Meddyg a llawfeddyg, a anwyd ym Mhlas Cefn Gwyn.

Roedd Richard Gilbertson, a anwyd ym Mhlas Cefn Gwyn yn 1818, yn frawd i Lewis Gilbertson. Cymhwysodd fel meddyg a llawfeddyg yn Ysbyty St. Bartholomew's yn Llundain, gan ymsefydlu yn 3 Maes Lowri, Aberystwyth lle bu ganddo bractis eang. Roedd yn feddyg i nifer o deuluoedd bonedd yr ardal, yn cynnwys teulu Pryse Gogerddan. Bu'n flaenllaw yn y mudiad i gael ysbyty teilwng i'r dref, a bu'n ynad heddwch.

Priododd Ellen, merch John Deane o Aberystwyth, yn Eglwys Llanbadarn ar 11 Medi 1850. Bu Ellen Gilbertson (g. 1823) farw yn 66 oed ar 21 Mehefin 1889 a'i gŵr Richard Gilbertson ar 27 Ebrill 1905, gan adael saith o blant. Claddwyd Richard ac Elizabeth Gilbertson yn Eglwys Llanbadarn Fawr. Chwaraeodd dau o'u meibion, Richard a Lewis, yn y gêm bêl-droed gyntaf i'w chwarae yng ngogledd Ceredigion yn 1873. Bu farw'r Canon Lewis Gilbertson yn Brighton ar 12 Mehefin 1928, yn 71 oed.

Surgeon and medical doctor, born at Plas Cefn Gwyn.

Richard Gilbertson, born at Plas Cefn Gwyn in 1818, was the brother of Lewis Gilbertson. He qualified as a doctor and surgeon at St. Bartholomew's Hospital, London, before settling at 3 Laura Place, Aberystwyth where he had an extensive medical practice. He was the medical practitioner to many county families, including the Pryses of Gogerddan. He was a pioneer in the campaign to provide a hospital in the town, and he also served as a justice of the peace.

He married Elizabeth, daughter of John Deane of Aberystwyth, at Llanbadarn Church on 11 September 1850. Ellen Gilbertson (b. 1823) died at the age of 66 on 21 June 1889. Richard Gilbertson died on 27 April 1905, leaving seven surviving children. Both Richard and Elizabeth Gilbertson are buried at Llanbadarn Fawr Church. Two of their sons, Richard and Lewis, played in the first football match staged in north Cardiganshire in 1873. Canon Lewis Gilbertson died at Brighton on 12 June 1928, aged 71 years.

Griffiths, Griffith (1799-1845)

Cenhadwr dan nawdd Eglwys Loegr, a anwyd yn Nhŷ-nant.

Ganwyd Griffith Griffiths yn 1799 yn fab i Griffith ac Elizabeth Griffiths, Tŷ-nant, Bont-goch, ac fe'i bedyddiwyd ar 24 Rhagfyr 1799 yn Eglwys Llanfihangel Genau'r-glyn. Derbyniodd ei addysg yn lleol ac yn Ysgol Ramadeg Llanbedr Pont Steffan. Ar ôl cael ei ordeinio yn ddiacon gan Esgob Llundain hwyliodd i Jamaica yn 1825 i fod yn genhadwr o dan nawdd y Society for the Propagation of the Gospel.

Ordeiniwyd yn offeiriad yn Jamaica gan Christopher Lipscomb (*m.* 1848), esgob Anglicanaidd cyntaf yr ynys. Dewiswyd Griffiths i weithio yn gyntaf yn rhanbarth Manchioneel yn nwyrain y wlad ac yna o 1833 ym mhlwyf Portland; yn ddiweddarach bu'n rheithor plwyf Trelawny yng ngogledd yr ynys am flwyddyn yn unig rhwng 1844 a'i farwolaeth yn 1845. Roedd yr ardal hon yn cynnwys nifer o ffermydd siwgr eang iawn.

Gweinidogaethodd gyda chryn lwyddiant ymysg y brodorion mewn cyfnod anodd adeg rhyddhau'r caethweision gan sefydlu nifer o ysgolion ac eglwysi newydd. Yn ystod ei gyfnod byr yn Nhrelawny fe'i cofir hefyd am ei benderfyniad dewr i ail-leoli'r pulpud a'r ddarllenfa i dderbyn golau naturiol gwell. Fe wnaeth hefyd drefnu i fewnforio dau fwrdd pren mawr

St. Peter's Church, Falmouth, Jamaica.

Church of England missionary, born at Tŷ-nant.

Griffith Griffiths was born in 1799, the son of Griffith and Elizabeth Griffiths, Tŷ-nant, Bont-goch, and was baptized on 24 December 1799 at Llanfihangel Genau'r-glyn Church. He received his education locally and at Lampeter Grammar School. After being deaconed by the Bishop of London he sailed for Jamaica in 1825 with a view to becoming a missionary under the auspices of the Society for the Propagation of the Gospel.

He was ordained priest in Jamaica by Bishop Christopher Lipscomb (*d.* 1848), the island's first Anglican bishop. Griffiths was sent initially to the Manchioneel region in the east of the country; later he was appointed rector of Trelawny in the north of the country, only to serve for a year from 1844 until his death the following year – an area with many large sugar plantations.

He ministered successfully amongst the native population during the turbulent period of the emancipation of the slave trade and established a number of schools and churches. During his brief tenure at St. Peter's he is also remembered for his bold decision to reposition both the pulpit and reading desk so as to take more advantage of natural lighting. He also imported two large wooden boards on which were inscribed the Credo, the Lord's

i arddangos y Credo, Gweddi'r Arglwydd a'r Deg Gorchymyn, byrddau sydd i'w gweld hyd heddiw y tu cefn i'r allor.

Bu farw ar 8 Rhagfyr 1845, ac fe'i claddwyd yn Eglwys St. Pedr, Falmouth, plwyf Trelawny. Gosodwyd cofeb iddo yn yr Eglwys gan y plwyfolion i gydnabod ei gyfraniad. Yn anffodus ni fu modd olrhain union leoliad ei fedd gan i nifer o gerrig syrthio yn y rhan honno o'r fynwent.

Mae Trelawny yn enwog heddiw fel man geni'r gwibiwr Olympaidd Usain Bolt.

Prayer and the Ten Commandments and these are still displayed behind the altar. He died on 8 December 1845, and was buried at St. Peter's Church, Falmouth, the largest settlement in the parish, where a memorial plaque was erected by parishioners inside the Church in appreciation of his work. Unfortunately, it has proved impossible to trace his place of burial, due to many gravestones having fallen into disrepair

Trelawny is now famous as the birthplace of the Olympic sprinter Usain Bollt.

Griffiths, John Henry (1915-1985)

Gweinidog Capel Ebenezer, Bont-goch, 1950-1955, 1977-1980.

Fel y nodwyd eisoes, roedd Capel Ebenezer, Bont-goch yn rhan o Gylchdaith Gymraeg Aberystwyth ac yn cael ei wasanaethu gan y gweinidog neu weinidogion a benodwyd i'r Gylchdaith. Ni fu'r un gweinidog yn byw yn y pentref. Un a fu yn gysylltiedig â'r achos am bron ddegawd, ac yn arwain gwasanaethau yn Bont-goch yn rheolaidd, oedd y Parchg J. Henry Griffiths.

Fe'i ganwyd mewn bwthyn o'r enw Cae-garw, Ystumtuen ar 25 Awst 1915, yn un o bump o blant Jesse a Margaret Griffiths, ac yr unig fachgen. Pan oedd John Henry yn blentyn ifanc symudodd y teulu i dŷ cyfagos, Bryn Llwyd, ac yno y treuliodd ei fachgendod. Cafodd ei dderbyn i'r weinidogaeth yn 1936 a'i ordeinio yn 1943. Gwasanaethodd mewn nifer o ardaloedd yng Nghymru yn cynnwys Llandysul, Bryn-mawr, Tre'r-ddôl, Caerdydd, Pontarddulais, Llandeilo a Llanidloes.

Bu'n weinidog ar Gylchdaith Aberystwyth

Minister of Ebenezer Chapel, Bont-goch, 1950-1955, 1977-1980.

As already noted Ebenezer Chapel, Bont-goch was part of the Aberystwyth Welsh Wesleyan Circuit and would be served by a minister or ministers appointed to that circuit. Whilst serving the Aberystwyth Circuit for a total of almost ten years the Revd J. Henry Griffiths would take services regularly at Bont-goch.

He was born at Cae-garw, a cottage in Ystumtuen on 25 August 1915, the only boy among five children born to Jesse and Margaret Griffiths. When he was young the family moved to nearby Bryn Llwyd. He was received into the ministry in 1936 and ordained in 1943. He served in many parts of Wales including Llandysul, Bryn-mawr, Tre'r-ddôl, Cardiff, Pontarddulais, Llandeilo and Llanidloes.

He was twice minister of the Aberystwyth Circuit (1950-55 and 1977-80), and he served as Chairman of

ddwywaith (1950-55 a 1977-80), a gwasanaethodd fel Cadeirydd Talaith y Deheudir (yn cynnwys Cylchdaith Aberystwyth) rhwng 1963-1974. Bu'n Llywydd Cyngor Eglwysi Rhyddion Cymru, ac fe'i hanrhydeddwyd gan yr Orsedd yn 1979 gan fabwysiadu'r enw barddol 'Ioan Tuen'.

Ymddeolodd i'r Gwyndy, Llangynfelyn ac yn ddiweddarach i Faes Afallen, Bow Street, gan barhau yn weithgar iawn yn y Gylchdaith. Hanai ei briod Elizabeth (g. 1909) o ardal Capel Dewi, Llandysul, ac roedd ganddynt ddau o blant, Illtyd Tuen a Dolig (Farrell). Bu Elizabeth Griffiths farw yn 1984.

Cyhoeddodd nifer o ysgrifau a chyfrolau yn cynnwys *Ar nodyn ysgafn* (Dinbych, 1981) a *Bro annwyl y bryniau: atgofion am Ystumtuen* (Aberystwyth, 1988). Ef hefyd yw awdur y cyfieithiad swyddogol Saesneg o'r emyn *Pantyfedwen (Caneuon Ffydd*, 908).

Bu J. Henry Griffiths farw ar 26 Tachwedd 1985. Cynhaliwyd ei angladd yng Nghapel Soar, Tre-ddôl ar 29 Tachwedd. Mae ef a'i briod wedi eu claddu ym mynwent newydd Llangynfelyn. Roedd ei chwaer Mary Ann (1909-1964) yn briod â John Edgar Hughes (1903-1991), Pencwm, Penrhyn-coch.

the South Wales Province (including the Aberystwyth Circuit) between 1963-1974. He was elected Chairman of the Free Church Council for Wales, and was inducted into the Gorsedd of Bards as '*Ioan Tuen*'.

He retired to Gwyndy, Llangynfelyn and later to Maes Afallen, Bow Street, whilst remaining active in the Wesleyan Circuit. His wife Elizabeth (*b*. 1909) hailed from Capel Dewi, Llandysul, and they had two children, Illtyd Tuen and Dolig (Farrell). Elizabeth Griffiths died in 1984 .

John Henry Griffiths published a number of books and articles including *Ar nodyn ysgafn* (Dinbych, 1981) and his reminiscences about Ystumtuen – *Bro annwyl y bryniau: atgofion am Ystumtuen* (Aberystwyth, 1988). He is also the author of the official English translation of the popular Welsh hymn *Pantyfedwen (Caneuon Ffydd*, 908).

J. Henry Griffiths died on 26 November 1985. His funeral service was held at Soar Chapel, Tre'r-ddôl on 29 November. He and his wife are both buried in the new cemetery at Llangynfelyn. His sister Mary Ann (1909-1964) married John Edgar Hughes (1903-1991), Pencwm, Penrhyn-coch.

Hall, Roderick Hubert (1880–1950)

Trydanwr a fu'n byw ym Mhlas Cefn Gwyn.

Bu Roderick Hubert Hall a'i wraig Rosa yn byw am gyfnod byr ym Mhlas Cefn Gwyn, yn dilyn eu priodas yn Eglwys y Drindod Sanctaidd, Aberystwyth ar 26 Hydref 1908.

Roedd Roderick yn ail fab i William Robert Hall (1849-1937), brodor o Otterhampton, Gwlad yr Haf, newyddiadurwr amlwg a golygydd cynorthwyol gyda'r *Cambrian News*, a benodwyd yn llyfrgellydd Llyfrgell Gyhoeddus Aberystwyth ym 1918. Ganwyd Roderick Hubert yn Aberystwyth ar 30 Rhagfyr 1880. Hanai ei wraig Rosa Charlotte (née Osborn) o Lundain.

Bedyddiwyd eu merch, o'r enw Alwyn Osborn Page Hall, yn Eglwys Elerch ar 8 Ionawr 1911, lle nodir galwedigaeth y tad yn y gofrestr fel 'Peiriannydd Trydanol'. Mae hefyd wedi'i nodi fel 'Trydanwr' ar gyfrifiad 1911. Ymddengys yn weddol bendant mai trydanwr yng ngwaith Bwlch-glas oedd Roderick Hall. Rwy'n ddiolchgar i'r hanesydd Ioan Rhys Lord am gadarnhau fod melin newydd gyda modur trydan wedi ei adeiadu yno ym 1909 i yrru peiriannau trydanol o dan ddaear, ac er mwyn gosod goleuadau a hwyluso'r gwaith o fwyngloddio. Mae llawer o'r hen insiwleiddion, bylbiau a gwifrau trydan wedi goroesi ac i'w gweld yno o hyd.

Bu farw Roderick Hall yn ei gartref 1 Bryn Terrace, Aberystwyth ar 14 Mai 1950. Rhagflaenodd ei wraig ef yn 1941. Bu farw eu merch yn 25 oed ym 1937.

Gwaith trydanol Hall / Hall's electrical work.

An electrical engineer who lived at Plas Cefn Gwyn.

Roderick Hubert Hall and his wife Rosa lived briefly at Plas Cefn Gwyn, following their marriage at Holy Trinity Church, Aberystwyth on 26 October 1908.

Roderick was the second son of William Robert Hall (1849-1937), a native of Otterhampton, Somerset, an eminent journalist and associate editor of the *Cambrian News*, who was appointed librarian of Aberystwyth Public Library in 1918. Roderick Hubert was born at Aberystwyth on 30 December 1880. His wife Rosa Charlotte (née Osborn) was a Londoner.

Their daughter, named Alwyn Osborn Page Hall, was baptized at Elerch Church on 8 January 1911, and the father's occupation is given in the register as 'Electrical Engineer'. He is also noted as an 'Electrician' on the 1911 census. It seems highly likely that Hall was involved with the mine at Bwlch-glas. I am very grateful to the historian Ioan Rhys Lord for confirming that a new electric motor was built at the mine in 1909 to operate underground machinery and lighting thus assisting the work of extraction. Many insulators, bulbs and electrical wiring from this period are still clearly visible underground.

Roderick Hall passed away at his home 1 Bryn Terrace, Aberystwyth on 14 May 1950. His wife predeceased him in 1941. Their daughter died aged 25 years in 1937.

Hughes, Jenkin Nuttall (1899-1985)

Y ffermwr olaf i fyw yn Llawrcwmmawr.

Jenkin Nuttall Hughes oedd y ffermwr olaf i fyw yn Llawrcwmmawr, fferm yng nghysgod Craig y Pistyll ym mhen uchaf Cwm Eleri. Ganwyd Jenkin ar 13 Gorffennaf 1899 yn fab i Edward Hughes (1858-1950) a'i briod Ann (Annie) Nuttall (1856-1928). Roedd Ann yn chwaer i'r bardd gwlad John Lloyd Nuttall ('Llwyd Fryniog'; 1859-1929). Hanai'r teulu Nuttall o Swydd Derby, cyn i nifer ohonynt symud i weithio i byllau glo Sir y Fflint. Symudodd tad Ann, Joseph Nuttall (1827-1901), o Ysgeifiog yn Sir y Fflint i weithio yng ngweithfeydd mwyn Dylife cyn symud eilwaith i Gwmsymlog. Bu ef a'i briod Eleanor (1823-1901) yn byw yn Lluest-yr-hafle, Trefeurig. Mae'r ddau wedi eu claddu ym mynwent Salem Coedgruffydd.

Roedd ganddynt ddeg o blant, ac ymfudodd pedwar ohonynt i'r Unol Daleithiau. Roedd y teulu Hughes a'r teulu Nuttall yn aelodau ffyddlon o Gapel Siloa, Cwmerfyn, ond claddwyd Edward ac Ann Hughes yn Salem Coedgruffydd gan iddynt symud yn ddiweddarach i Frogynin Fach, Penrhyn-coch.

Ar ôl gadael Ysgol Elerch, bu Jenkin yn gweithio am gyfnod yn fferm Tŷ'npynfarch, Penrhyn-coch.

Gwasanaethodd gyda 4ydd fataliwn y Gwarchodlu Cymreig tuag at ddiwedd y Rhyfel Mawr. Yn 1922 priododd Margaret Anne Davies o Langwyryfon a chymryd tenantiaeth Llawcwmmawr. Ond roedd

The last farmer to live at Llawrcwmmawr.

Jenkin Nuttall Hughes was the last farmer to live at Llawrcwmmawr, in the shadow of Craig y Pistyll in the upper reaches of Cwm Eleri. Jenkin was born on 13 July 1899, the son of Edward Hughes (1858-1950) and his wife, Ann (Annie) Nuttall (1856-1928). Ann was a sister to the folk poet John Lloyd Nuttall ('Llwyd Fryniog': 1859-1929). The Nuttall family hailed originally from Derbyshire, before some members migrated to work in the coal mines in Flintshire. Ann's father, Joseph Nuttall (1827-1901), moved from Ysgeifiog, Flintshire, to work in the lead mines at Dylife before finding work at Cwmsymlog. He and his wife Eleanor (1823-1901) lived at Lluest-yr-hafle, Trefeurig. Both are buried at Salem Coedgruffydd Independent Chapel.

They had ten children, four of whom emigrated to the United States. The Hughes and Nuttall families were faithful members of Siloa Independent Chapel, Cwmerfyn, but Edward and Ann Hughes were buried at Salem Coedgruffydd, as they had later moved to Brogynin Fach, Penrhyn-coch.

After leaving school at Elerch, Jenkin worked briefly at Tŷ'npynfarch, Penrhyn-coch.

He also served with the 4th battalion of the Welch Regiment towards the end of the Great War. He married Margaret Anne Davies of Llangwyryfon in 1922, and took on the tenancy of Llawcwmmawr. The days of Llawcwmmawr were however numbered as a

dyfodol y fferm yn ansicr wrth i'r Comisiwn Coedwigaeth fyny prynu darnau sylweddol o'r tir, a gosodwyd amodau cyfyng hefyd gan y Bwrdd Dŵr. Yn Hydref 1942 cymerodd Jenkin denantiaeth fferm 90 erw Tŷ'nrhelyg, yn Y Borth. Ac yn 1957 prynodd Jenkin Hughes fferm 40 erw Pen-y-berth, Penrhyn-coch, a'i ffermio gyda'i fab Daniel. Bu Jenkin farw ar 30 Medi 1985, ac mae ef a'i briod Margaret Anne (1897-1972) wedi eu claddu ym mynwent Eglwys St. Ioan, Penrhyn-coch. Yn dilyn marwolaeth Daniel yn 1988 gwerthwyd y fferm.

Roedd ganddynt saith o blant: Iorwerth Gwyn Hughes (1923-1997), daearegwr a raddiodd BSc yn Aberystwyth yn 1949, ac a dreuliodd dipyn o amser fel syrfëwr yn Saltpond, Gold Coast (Ghana bellach) yn yr Affrig; Richard Ronald Nuttall Hughes (1926-1985), a fu'n ffermio Trebrysg, ger Tregaron, ond a gofiaf yn dda fel cydweithiwr a gofalwr yn y Llyfrgell Genedlaethol rhwng Ebrill 1972 tan iddo farw cyn ymddeol ar 15 Mai 1985 gan adael gweddw Mary Winifred Jane (1931-2004) a phedwar o blant; Daniel Jenkin Nuttall Hughes (1924-1988), a fu, fel y nodwyd, yn ffermio Pen-y-berth gyda'i dad; Annie (1927-2008) a briododd Barrie Slawson, ac a fu'n byw yn yr Amwythig; Dilys Ifona (1929-2013) a briododd Gwilym Jenkins, mam-gu Rhian Davies, Abermagwr, a fu'n gymorth mawr i mi; Angharad (1930-2016) a briododd Walter Davies (1927-2005) gan symud i fyw yn Foxley, ger Towcester yn Swydd Northampton yn 1950. (Rwy'n ddiolchgar iawn i'w mab John, am ganiatâd i ddyfynnu o ymchwil achyddol ei dad). Bu farw'r seithfed plentyn Evan yn ifanc yn 1931, ac fe'i claddwyd gyda'i dad-cu a mam-gu.

result of compulsory purchase orders from the Forestry Commission and restrictive orders from the Water Board, and in the Autumn of 1942 Jenkin took the tenancy of the 90 acre farm of Tŷ'nrhelyg, at Borth. In 1957 Jenkin Hughes purchased the 40 acre farm at Pen-y-berth, Penrhyn-coch, which he farmed with his son Daniel. Jenkin died on 30 September 1985, and he and his wife Margaret Anne (1897-1972) are both buried at St. John's Church, Penrhyn-coch. Upon Daniel's death in 1988 the farm was sold.

Jenkin and Anne had seven children: Iorwerth Gwyn Hughes (1923-1997), a geologist who graduated BSc at Aberystwyth in 1949 and who spent much of his working life as a surveyor at Saltpond, Gold Coast (now Ghana) in Africa; Richard Ronald Nuttall Hughes (1926-1985), who farmed Trebrysg, near Tregaron, but whom I remember well as a former attendant and colleague at the National Library of Wales from April 1972 until his death prior to his retirement in May 1985 leaving a widow Mary Winifred Jane (1931-2004) and four children; Daniel Jenkin Nuttall Hughes (1924-1988), who, as noted, farmed with his father at Pen-y-berth, Penrhyn-coch; Annie (1927-2008) who married Barrie Slawson, and lived at Shrewsbury; Dilys Ifona (1929-2013) who married Gwilym Jenkins, was the grandmother of Rhian Davies, Abermagwr, who provided me with a lot of information on this notable family; Angharad (1930-2016) who married Walter Davies (1927-2005) and moved to Foxley, near Towcester in Northamptonshire in 1950. (I am very grateful to John Davies for allowing me to quote from his late father's extensive genealogical notes). A seventh sibling, Evan,

Yn ôl Erwyd Howells, roedd gan Jenkin Nuttall Hughes gyfoeth o wybodaeth am fugeiliaid Pumlumon. Yn ffodus recordiwyd ei atgofion gan Lyfrgell Dyfed yn 1977, ac mae'r recordiad bellach o dan ofal Llyfrgell Genedlaethol Cymru. Hefyd o dan ofal y Llyfrgell mae Jenkin Hughes yn ymddangos mewn ffilm o gneifio ger Craig y Pistyll, yn un o nifer sylweddol o ffilmiau gwerthfawr a saethwyd gan y diweddar Hywel Evans, Penrhyn-coch.

died in infancy in 1931, and is buried with his grandparents.

According to Erwyd Howells, Jenkin Nuttall Hughes held a rich store of information on the shepherds of Pumlumon. Fortunately, his reminiscences were recorded by Dyfed County Library in 1977, and this recording is now stored at the National Library of Wales. Also preserved at the National Library is a film of Jenkin Nuttall Hughes sheep shearing at Craig y Pistyll, in one of many valuable films shot by the late Hywel Evans of Penrhyn-coch.

Huws, Dafydd John Lewys (1935-2011)

Seiciatrydd, gwleidydd ac arloeswr ynni gwynt ar Fynydd Gorddu.

Ganwyd Dafydd John Lewys Huws ar 29 Tachwedd 1935 yn Aberystwyth yn fab i William John 'Bill' Hughes (1898-1961), yn wreiddiol o Flaenau Ffestiniog, a'i briod Ann (Annie) Myfanwy Edwards (1903-97), a anwyd yn Llundain i deulu oedd yn gysylltiedig â'r diwydiant llaeth a'u gwreiddiau yn ardal Llangeitho. Gwasanaethodd William yn y Rhyfel Mawr, a bu hynny yn hwb iddo dderbyn addysg prifysgol, a graddiodd mewn daeareg ym Mhrifysgol Manceinion yn 1922. Astudiodd hefyd yn y London School of Mines. Cyfarfu William â'i briod yng nghapel Cymraeg Falmouth Road, Llundain, pan oedd ar ei wyliau o'i waith fel peirannydd mwyngloddio yn Nyasaland (Malawi heddiw).

Yn dilyn eu priodas yn y capel hwnnw yn Haf 1928 gwnaethant eu cartref yn Nyasaland, ac yno y ganwyd eu plentyn cyntaf Gwenllian Nest [Morgan] yn 1930

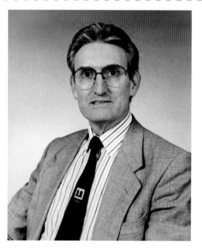

Psychiatrist, politician and wind technology pioneer on Mynydd Gorddu.

Dafydd John Lewys Huws was born on 29 November 1935 the son of William John 'Bill' Hughes (1898-1961) of Blaenau Ffestiniog and his wife Ann Myfanwy (1903-97), born in London to a dairying family, but whose roots were in the Llangeitho area. William served in the Great War, which facilitated his entry into university and he graduated BSc in geology at Manchester University in 1922. He also studied at the London School of Mines. The couple met at Falmouth Road Welsh Chapel in London when Bill Hughes was on holiday from his work in Nyasaland (Malawi today) as a mining engineer.

Following their marriage at Falmouth Road in July 1928 they made their home in Nyasaland where their eldest daughter Gwenllian Nest [Morgan] was born in 1930 (*d.* 2013), followed by Marian Eluned [Jenkins] who was born in London in 1931 (*d.* 2020) and

(*m.* 2013), a ddilynwyd gan Marian Eluned [Jenkins] a anwyd yn Llundain yn 1931 (*m.* 2020), a Dafydd, fel y nodwyd, yn Aberystwyth. Byddai Bill Hughes yn cellwair ei fod am sicrhau y byddai o leiaf un o'r plant yn gymwys i chwarae dros Gymru! Pan oedd Dafydd tua blwydd oed symudodd y teulu i Kenya gan fyw yn Kisumu hyd at 1939 ar lannau gogleddol Llyn Victoria lle bu William Hughes yn beiriannydd a rheolwr gwaith mwyngloddio aur. Gofalwyd am y plant gan athrawes gartref o'r enw Kitty Lloyd, a hanai o ardal Llandre. Ei chysylltiadau hithau â Llandre oedd yn gyfrifol am y ffaith i'r teulu brynu Glanceiro, cyn symud i Gedrwydd yn yr un pentref ar ddechrau'r 1950au. Er i'r fam, a'r plant a'u hathrawes symud i Landre ar ddechrau'r Rhyfel, bu'n ofynnol i William aros yn Kenya gan wasanaethu yn y Kenya Defence Force trwy gydol yr Ail Ryfel Byd.

Addysgwyd Dafydd yn Ysgol Rhydypennau, Bow Street, Ysgol Sir Ardwyn, Aberystwyth a chymhwysodd fel meddyg yn 1960 ar ôl cyfnod o astudiaethau yn Ysgol Feddygol Cymru, Caerdydd. Gweithiodd i'r Cyngor Ymchwil Meddygol am bum mlynedd, cyn ei apwyntiad fel Ymgynghorydd Seiciatryddol yn Ysbyty'r Eglwys Newydd, Caerdydd yn 1971. Etholwyd Dafydd yn Gymrodor Cymdeithas Frenhinol y Seicratyddion yn 1988. Roedd ei gyfrifoldebau seiciatryddol yn cynnwys gofynion Ysbyty Dyddiol Tegfan, a oedd yn rhan o wasanaethau Ysbyty'r Eglwys Newydd, yn ogystal â darparu gofal seicratyddol cyffredinol. Cyn ei ymddeoliad roedd yn gyfarwyddwr clinigol a chyfarwyddwr meddygol Ymddiriedolaeth Iechyd Cymuned Caerdydd. Roedd yn aelod gweithgar o'r Gymdeithas Feddygol Gymraeg ac yn gyfrannwr i'w cylchgrawn *Cennad*. Ymddeolodd yn 1996.

Roedd Dafydd yn Gymro balch, yn aelod brwd o Blaid Cymru, ac yn fardd medrus. Fe wnaeth ei gyfaill Wynne Melville Jones grynhoi ei dalentau amrywiol yn gryno:

Dafydd, as noted, at Aberystwyth. His father joked that he wanted to ensure that one of children would at least qualify to play sport for Wales! The family later moved to Kenya in 1936 when Dafydd was 12 months old where they lived at Kisumu on the northern shores of Lake Victoria until 1939 where the father was a mining engineer and manager of a gold mine. The children were cared for by a Welsh governess from Llandre, named Kitty Lloyd. Because of Kitty's connections with Llandre, the family later purchased Glanceiro, moving to Cedrwydd in the same village in the early 1950s. The mother, governess and children moved to Llandre at the outbreak of the War, but William Hughes remained in Kenya throughout the Second World War and served in the Kenya Defence Force.

Dafydd was educated at Ysgol Rhydypennau, Bow Street, Ardwyn County School, Aberystwyth and qualified as a doctor in 1960 following his studies at the Welsh National School of Medicine, Cardiff, where he also undertook his postgraduate training. He worked for the Medical Research Council for five years, before he was appointed Consultant Psychiatrist at Whitchurch Hospital, Cardiff in 1971. He was admitted a Fellow of the Royal Society of Psychiatrists in 1988. His consultant responsibilities included looking after the day hospital at Tegfan, as well as providing general psychiatric care to an adult population. Prior to his retirement he had been clinical director and subsequently medical director to the Cardiff Community NHS Trust. He was active in the affairs of the Cymdeithas Feddygol Gymraeg and contributed to its journal *Cennad*. He retired in 1996.

Dafydd was a passionate Welshman, a committed member of Plaid Cymru, and an accomplished poet. His friend Wynne Melville Jones, summed up his many talents rather succinctly:

Roedd yn gymeriad unigryw a chyflawn, yn ddawnus a deallus, yn Gymro o argyhoeddiad, yn wleidydd, yn Gristion, yn amaethwr, yn ddyn busnes a bardd ac roedd yn gwmnïwr difyr ac yn dynnwr coes.

He was a complete and an unique character, talented and intelligent, a committed Welshman, politician, Christian, farmer, businessman, poet and engaging companion and a leg puller.

Ym Mai 1969 etholwyd Dafydd Huws fel aelod cyntaf Plaid Cymru ar Gyngor Dinas Caerdydd i gynrychioli ward Plasmawr. Sicrhaodd 1619 o bleidleisiau a mwyafrif o 67 dros ei wrthwynebydd Ceidwadol. (Er iddo gadw 1584 o'i bleidlais collodd ei sedd i'r Blaid Lafur yn 1972 o 701 o bleidleisiau). Bu hefyd yn ymgeisydd seneddol i'r Blaid bump o weithiau: Gorllewin Caerdydd yn 1970, Chwefror 1974 a Hydref 1974, Ceredigion yn 1979 a Gogledd Caerdydd yn 1983. Bu hefyd yn ymgeisydd etholaeth De Cymru i Senedd Ewrop yn 1984. Bu'n llefarydd Plaid Cymru ar iechyd a'i chadeirydd cenedlaethol yn ystod y 1980au. Derbyniodd ei weddw Rhian gydnabyddiaeth am ei gyfraniad arbennig i wleidyddiaeth Cymru mewn seremoni yng nghynhadledd Plaid Cymru ym Medi 2011.

Priododd Rhian (née Jones), merch fferm Glan Clwyd, Rhewl, ger Rhuthin yn 1976. Gyda'i wraig sefydlodd Dafydd Ynni Amgen Cyf., cwmni a fu'n gyfrifol am adeiladu un o ffermydd gwynt cynharaf Cymru ar Fynydd Gorddu, Bont-goch, a gwblhawyd yn 1998. Ysbrydolwyd y datblygiad gan waith y Ganolfan Dechnoleg Amgen ym Machynlleth a chan ddatblygiadau mewn ynni gwynt yng ngwlad Denmarc. Roedd yn ddatblygiad amhoblogaidd gan leiafrif ar y pryd, a chafwyd cyfarfod cynllunio stormus ar y safle yn 1996 a fu'n destun rhaglen deledu *Y Byd ar Bedwar*. Ond roedd Dafydd yn benderfynol o fwrw'r maen i'r wal, a chaniatawyd y cais cynllunio. Roedd pump o ffermydd yn rhan o'r cynllun: Bryngwyn Mawr, Bwlch-y-ddwyallt, Cynnull Mawr, Ffynnonwared a Mynydd Gorddu.

Codwyd y cyntaf o 19 o dyrbinau erbyn Nadolig 1997, a chwblhawyd y cynllun erbyn Mawrth 1998, a

In May 1969 Dafydd Huws was elected as the first Plaid Cymru councillor on Cardiff City Council as a representative of the Plasmawr ward. He polled 1619 votes securing a majority of 67 votes over the Conservative candidate. (Although he retained 1584 votes he lost his seat in 1972 by 701 votes to the Labour Party). He also stood as a Westminster parliamentary candidate on no less than five occasions: Cardiff West constituency in 1970, February 1974 and October 1974, Ceredigion in 1979 and Cardiff North in 1983. He stood for the South Wales constituency in the European Parliament election of 1984. He was also the Plaid Cymru spokesman on health and the national chair of the party in the 1980s and he received a posthumous award for his contribution to Welsh politics which was presented to his widow Rhian at the annual conference of the party in September 2011.

He married Rhian (née Jones), a farmer's daughter from Glan Clwyd, Rhewl, near Ruthin in 1976. With his wife Dafydd founded Ynni Amgen Cyf., a company which was responsible for one of the first wind farms in Wales on Mynydd Gorddu, Bont-goch, completed in 1998. It was largely inspired by the work of the Centre of Alternative Technology at Machynlleth and by wind energy projects in Denmark. It aroused some controversy and opposition from a minority at the time, and a stormy planning committee site meeting in 1996 was the subject of the television documentary programme *Y Byd ar Bedwar* on S4C, but Dafydd was determined to see it through successfully. Five farms were involved: Bryngwyn Mawr, Bwlch-y-ddwyallt, Cynnull Mawr, Ffynnonwared and Mynydd Gorddu.

gwerthwyd y trydan cyntaf i'r grid cenedlaethol yn Ebrill 1998. Ers ei ddechreuad mae'r gymuned leol wedi elwa'n sylweddol yn flynyddol o *Gronfa Eleri*, cynllun a sefydlwyd er mwyn cynnig budd ariannol i gymdeithasau a sefydliadau lleol. Mae cyfanswm y cyfraniadau blynyddol bellach dros £318,000.

The first of the 19 turbines were erected by Christmas 1997, and the wind farm was completed by the end of March 1998, with the first electricity sold to the national grid in April 1998. Since its inception the community has benefited annually from the associated community fund *Cronfa Eleri*. In total these payments have now exceeded £318,000.

Bu farw Dafydd Huws yn ei gartref Ffwrnes Blwm, Caerffili, ar 3 Gorffennaf 2011, yn 75 oed yn dilyn brwydr hir gyda chancr. Cynhaliwyd ei angladd yng Nghapel y Garn, Bow Street a mynwent Pen-y-garn ar 9 Gorffennaf 2011. Gadawodd weddw Rhian a phump o blant: Gwenan, Aled, Elen, Carys a Geraint, ac mae dau ohonynt wedi dilyn eu tad i'r proffesiwn meddygol.

Mae ei ferch Elen a'i theulu yn byw ym Mynydd Gorddu.

Dafydd Huws died at his home Ffwrnes Blwm, Caerffili, on 3 July 2011, aged 75 years, after a long battle with cancer. His funeral took place on 9 July at Capel y Garn, Bow Street and Pen-y-garn cemetery. He was survived by his widow Rhian, and five children, Gwenan, Aled, Elen, Carys and Geraint, two of whom have followed him into the medical profession.

His daughter Elen and her family now reside at Mynydd Gorddu.

James, James (Spinther) (1837-1914)

Gweinidog a hanesydd y Bedyddwyr.

Roedd gan James (Spinther) James, hanesydd y Bedyddwyr, gysylltiadau agos gydag ardal Bont-goch. Fe'i ganwyd ym mis Ebrill 1837 ym Mraich-garw, Tal-y-bont, Sir Aberteifi, yn ail fab i Humphrey a Catherine James, ond symudodd y teulu i Fwlch-y-dderwen yng Nghwm Tŷ-nant pan oedd ef yn blentyn. Bu ei dad-cu yn byw ym Mwlchrosser ac mae cofnod

Baptist historian and minister.

James (Spinther) James, the Baptist historian, had strong links with the Bont-goch area. He was born in April 183 at Braich-garw, Tal-y-bont, Cardiganshire, the second son of Humphrey and Catherine James, but the family moved to Bwlch-y-dderwen, Cwm Tŷ-nant when he was a child. His grandfather had lived at Bwlchrosser and there is a record that Samuel Breeze (1772-1812),

fod Samuel Breeze (1772-1812), un o Fedyddwyr cynnar yr ardal, wedi pregethu yno. Roedd James Spinther yn fugail (a gyrrwr gwartheg) hyd at 1854, cyn mentro i Aberdâr i weithio yn y maes glo. Addysgwyd ef mewn coleg diwinyddol yn Hwlffordd, a chafodd ei ordeinio'n weinidog yn 1861. Gwasanaethodd yn America ac yng ngogledd Cymru. Cofir ef yn bennaf fel hanesydd ac am ei bedair cyfrol ar hanes y Bedyddwyr yng Nghymru a gyhoeddwyd rhwng 1892 a 1907. Bu farw ar 5 Tachwedd 1914, ac fe'i claddwyd ym mynwent Glanwydden, ger Llandudno ar 9 Tachwedd.

one of the early Baptists in the area, once preached at the farmhouse. James Spinther was a shepherd (and a cattle drover) until 1854, before venturing to Aberdare to work in the coal mines. He was educated at a theological college in Haverfordwest, and was ordained a minister in 1861. He served in the United States and north Wales. He is mainly remembered as an historian and for his four volume history of the Baptists in Wales published between 1892 and 1907. He died on 5 November 1914, and was buried at Glanwydden cemetery, near Llandudno on 9 November.

Jenkins, Edward Evan ('Hafanydd'; 1865-1928)

Ffermwr a bardd gwlad a fu'n byw yn Nhŷgwyn ac Alltgochymynydd.

Tua diwedd y bedwaredd ganrif ar bymtheg ac ar ddechrau'r ugeinfed ganrif bu Edward Evan Jenkins, ffermwr, cyn-löwr, a bardd gwlad, a ysgrifennai o dan y ffugenw Hafanydd, yn byw yn Nhŷgwyn. Cyhoeddodd gerdd ddadleuol i Gwm Tŷ-nant yn *Baner ac Amserau Cymru*, 1899, ac esgorodd hynny ar ddadleuon chwyrn am achos posibl o lên-ladrad oddi ar waith J. F. Nuttall, awdur *Telyn Trefeurig*. Priododd Jenkins Margaret Jones (*g.* 1865), merch William a Mary Jones, Tŷgwyn yn 1894. Bu Edward Evan Jenkins yn byw ac yn ffermio Alltgochymynydd yn ddiweddarach. Roedd yno adeg cyfrifiad 1911, ac roedd ei fam-yng-nghyfraith, yn byw yno hefyd. Bu 'Hafanydd' farw yn 1928, ac fe'i claddwyd ym mynwent Tal-y-bont ar 17 Mawrth. Bu

A farmer and folk poet who lived at Tŷgwyn and Alltgochymynydd.

Towards the end of the nineteenth century and at the beginning of the twentieth century, Edward Evan Jenkins, a farmer, former coal miner, and folk poet, who wrote under the pseudonym Hafanydd, lived at Tŷgwyn. He was embroiled in a bitter dispute with fellow poet J. F. Nuttall, author of *Telyn Trefeurig*, after publishing a poem on Cwm Tŷ-nant in *Baner ac Amserau Cymru* in 1889, with Nuttall accusing him of plagiarising his work. Jenkins married Margaret Jones (*b.* 1865), the daughter of William and Mary Jones, Tygwyn, and he lived there with his wife after their marriage in 1894. They later lived and farmed Alltgochymynydd. 'Hafanydd' died in 1928, and was buried at Tal-y-bont cemetery on 17 March. His wife

farw ei wraig yn 71 oed ar 21 Medi 1936, a'i chladdu ym mynwent Tal-y-bont, yn ymyl ei gŵr, ar 24 Medi. Ymddeolodd y ddau i'r Bwthyn, Tal-y-bont. Nid oedd ganddynt blant.

died aged 71 years on 21 September 1936 and was also buried at Tal-y-bont cemetery on 24 September. Both retired to Y Bwthyn, Tal-y-bont. They did not have children.

Jenkins, John Richard (1864-1945)

Ffermwr ac ymfudwr o Fwlchrosser a'i gysylltiadau gyda theulu'r Winllan, Cwm Tŷ-nant.

Farmer and emigrant, born at Bwlchrosser, and his connections with the Winllan family.

Ganwyd John Richard Jenkins ym Mwlchrosser yn 1864 a bu farw yn 1945 yn Burns, Harney County, Oregon, yn yr Unol Daleithiau. Roedd yn fab i Richard Jenkins a Margaret (née Hughes) oedd yn byw yn y Winllan, Cwm Tŷ-nant, yn 1881.

Ymfudodd John R. Jenkins i'r Unol Daleithiau tua 1883 i weithio yn y pyllau glo yn nwyrain y wlad gan symud i'r gorllewin tua 1890 a dechrau prynu tir yn Harney County, Oregon. Yn 1898, ar ôl dychwelyd i Gymru, priododd Margaret Mary Jones (1868-1948), o Gefn Mablws, Llanrhystud, a mynd â hi yn ôl i Oregon, a magu pedwar o blant. Daeth yn ffermwr defaid llwyddiannus iawn gan newid i ffermio gwartheg yn ddiweddarach, a chyflogai nifer o'i deulu a'i gydnabod o ogledd Ceredigion.

Brawd John R. Jenkins oedd Enoch Jenkins (1869-1918), fferm Y Winllan, a'i briod Elizabeth Jenkins (née Evans), a anwyd yn 1866 ac a fu farw yn 1947. Cofnodir eu priodas yng nghapel yr Annibynwyr, Stryd y Popty, Aberystwyth yn 1893. Etholwyd Enoch yn gynghorydd dosbarth dros ardal Cynnullmawr ac yn ddiacon yng Nghapel Bethesda, Tŷ-nant. Ganwyd saith o blant iddynt – un ferch a chwech o fechgyn.

Margaret Jane Jenkins oedd y plentyn hynaf, a anwyd yn 1897. Bu farw'n ifanc ac yn ddi-briod yn 21 oed yn 1918.

Y mab hynaf oedd Isaac Richard Jenkins (1898-1983), Tynygraig, Tal-y-bont a ddaeth yn ffermwr

John Richard Jenkins, born at Bwlchrosser in 1864, died in 1945 at Burns, Harney County, Oregon, in the United States. He was the son of Richard Jenkins and Margaret (née Hughes) who lived at Winllan, Cwm Tŷ-nant in 1881. John R. Jenkins emigrated to America around 1883 to work in the coal mines in the eastern states, before going west in 1890, purchasing land at Harney County. In 1898, after returning to Wales, he married Margaret Mary Jones (1868-1948) from Cefn Mablys, Llanrhystud, taking her back to Oregon where they raised a family of four children. He became a very successful sheep farmer and later bred cattle, employing many members of his family and friends from Cardiganshire.

John R. Jenkins' brother was Enoch Jenkins (1869-1918) who married Elizabeth (1866-1947; née Evans) at Baker Street Congregational Chapel, Aberystwyth, in 1893. Enoch was elected a district councillor for the Cynnullmawr ward and a deacon at Bethesda Chapel, Tŷ-nant.

Seven children were born to them – a daughter and six sons. Margaret Jane Jenkins was the eldest child, born in 1897. She died young aged 21 years in 1918 and was unmarried.

The eldest son was Isaac Richard Jenkins (1898-1983), Tynygraig, Tal-y-bont who became a well known and innovative farmer, an alderman on Cardiganshire County Council, and chairman of the authority in

arloesol ac adnabyddus, yn henadur ar Gyngor Sir Aberteifi, ac yn gadeirydd yr awdurdod yn 1970-71. Priododd Mary Elizabeth Wear, Llwynsguborwen, yn 1922. Ganwyd saith o blant iddynt yn cynnwys Gwilym Jenkins, a ddisgrifiwyd fel un o bileri'r byd amaeth yng ngogledd Ceredigion. Yn ŵr i Ann, mae'n dad i bedwar o blant Mair (Nutting), Gwen (Davies), Enoc a Dafydd.

John Edward Jenkins, a anwyd ar 22 Rhagfyr 1900, oedd yr ail fab, a bu'n ffermio Glanrafon, Tal-y-bont yn ddiweddarach. Priododd Annie Francis yn 1946. Bu John Edward Jenkins farw ar 13 Chwefror 1975. Priododd ei ferch Beryl F. Jenkins gyda Richard D. Evans o Benegoes yn 1973, gan fagu dau o blant: Rhian Haf a Dyfed Wyn. Mae'r teulu yn parhau i ffermio Glanrafon.

Ymfudodd y trydydd mab Thomas (Tom) Jenkins a anwyd yn 1905 i Oregon yn yr Unol Daleithiau i weithio gyda'i ewythr John Richard, a nodir uchod. Hwyliodd Tom o Lerpwl i Efrog Newydd yn 1927. Bu farw yn Princeton, Harney County, Oregon yn 1976 a'i gladdu ym mynwent Burns. Dychwelodd Thomas Jenkins i Gymru am y tro olaf yn 1975, blwyddyn cyn ei farw, ac roedd yn medru cofio enwau holl gaeau Penpompren Uchaf ar y pryd.

Priododd Dorothy Paul (1909-1988), merch o dras Albanaidd yn Burns County yn 1934. Bu hithau farw yn Boise, Idaho. Ganwyd pedair o ferched iddynt, ac mae eu disgynyddion niferus yn parhau i fyw yn yr Unol Daleithiau. Mae aelodau o'r teulu yn dal mewn cysylltiad ac wedi ymweld â'u perthnasau yn yr ardal hon mor ddiweddar â 2017.

Priododd y pedwerydd mab, Enoch Llewelyn Jenkins (1903-1987) ag Elizabeth (Beti) Jones (1911-2008), Rhydyronnen, Cwm Ceulan, yn 1948. Mae'r ddau wedi

Isaac R. Jenkins.

1970-71. He married Mary Elizabeth Wear, Llwynsguborwen, in 1922. They had seven children including Gwilym Jenkins, described as one of the pillars of agriculture in north Ceredigion. Married to Ann, they have four children: Mair (Nutting), Gwen (Davies), Enoc and Dafydd.

John Edward Jenkins, born on 22 December 1900, was the second son, who later farmed Glanrafon, Tal-y-bont. He married Annie Francis in 1946. John Edward died on 13 February 1975. His daughter Beryl F. Jenkins married Richard D. Evans of Penegoes in 1973, and they raised two children: Rhian Haf and Dyfed Wyn. The family continue to farm Glanrafon.

The third son Thomas (Tom) Jenkins, born in 1905, emigrated to Oregon in the United States to work with his uncle John Richard, noted above. Tom sailed from Liverpool to New York in 1927, and died at Princeton, Harney County in 1976 and was buried at the cemetery in Burns. In 1975, a year before his death, he paid his last visit to Wales, and could still remember all the field names in Penpompren Uchaf.

He married Dorothy Paul (1909-1988), a lady of of Scottish descent, in Burns County in 1934. She died at Boise, Idaho. They raised four daughters, and a large number of their descendants still reside in the United States. Many still remain in contact with the family in Wales and some visited their relatives in Ceredigion as recently as 2017.

The fourth son was Enoch Llewelyn Jenkins (1903-1987) who married Elizabeth (Bet) Jones (1911-2008), of Rhydyronnen, Cwm Ceulan, in 1948, and who are both buried at Tal-y-bont cemetery. Enoch is chiefly associated with Winllan, but he and his family also

eu claddu ym mynwent Tal-y-bont. Cysylltir Enoch yn bennaf gyda'r Winllan, ond bu ef a'r teulu hefyd yn byw ym Mhlas Cefn Gwyn, Bont-goch ac yn ddiweddarach yng Nghwmudw, Tal-y-bont.

Mewn teyrnged iddo, a gyhoeddwyd ym *Mhapur Pawb*, fe'i disgrifiwyd gan J. R. Jones fel 'gŵr eang ei ddiddordebau, parod ei gymwynas, ac un a safai'n gadarn dros ei egwyddorion; meddai ar atgofion di-rif am fywyd y cwm a'i gymeriadau lliwgar, a byddai'i gwmni bob

Enoch a Bet Jenkins.

amser yn ddifyr a'i sgwrs yn symud o fyd ffermio at ddiwylliant a chapel – yn arbennig Capel Bethesda, Tŷ-nant, lle bu'n aelod drwy'i oes, ac yn ddiacon ac yn ysgrifennydd dros nifer o flynyddoedd'.

Mae merch Enoch ac Elizabeth Jenkins, Elisabeth, priod Dilwyn James, yn parhau i fyw yng Nghwmudw. Mae ganddynt ddwy o ferched Eleri (Jewell) a Meleri (Watson) sy'n byw yn lleol.

Brawd arall i Enoch oedd Griffith James Jenkins (1908-1991), a symudodd i fyw i Bwllpridd, Lledrod yn 1929, ar ôl iddo briodi Mary J. Hughes (1906-1980), merch fferm Carregcadwgan. Ganwyd saith o blant iddynt, ac mae Carregcadwgan yn dal yn nwylo'r teulu ac yn cael ei ffermio gan Aled, mab Evan a Betty Jenkins sydd bellach wedi ymddeol ers 2013 i Bengwern, Tal-y-bont.

Y brawd ifancaf oedd William David Jenkins (1910-

William David a Frances Jenkins.

lived at Plas Cefn Gwyn and later at Cwmudw, Tal-y-bont.

In a tribute, published in *Papur Pawb*, he was described by his neighbour J. R. Jones as 'a man of wide interests, always ready to help, and one who stood firmly on his principles. He had a store of information on local history and its colourful characters, and he was always good company with his wide-ranging conversation which encompassed farming, cultural life and especially the chapel at Bethesda, Tŷ-nant where he was a deacon and secretary for many years.

Mrs Elisabeth James, daughter of Enoch and Elizabeth Jenkins, and wife of Dilwyn James, both reside at Cwmudw. They have two daughters Eleri (Jewell) and Mererid (Watson) who continue to live locally.

Another of Enoch's brothers was Griffith James Jenkins (1908-1991) who moved to live at Pwllpridd, Lledrod in 1929 after he married Mary J. Hughes (1906-1980), the daughter of Carregcadwgan. They had seven children and Carregcadwgan remains in the hands of the family. His son Evan Jenkins and his wife Betty retired to Pengwern, Tal-y-bont in 2013, and Carregcadwgan is now farmed by their son, Aled.

The youngest son was William David Jenkins (1910-1991) who married Frances J. Jones, the daughter of Penpompren Uchaf, Tal-y-bont in 1942. They had three

1991), a briododd Frances J. Jones merch Penpompren Uchaf, Tal-y-bont yn 1942. Roedd ganddynt dri o blant – Nia, Nest a Dafydd. Mae Dafydd a'i briod Glenys a'r mab yn parhau i ffermio Penpompren Uchaf, a Geraint yw'r nawfed genhedlaeth o'r un teulu i wneud hynny.

Yn 1910 cyflwynodd fechgyn William a Mary Jones, Penpompren Uchaf, ddarllenfa i eglwys newydd Dewi Sant, Tal-y-bont, er cof am eu mam. Mae'r ddarllenfa bellach wedi ei lleoli yn Eglwys Elerch yn dilyn cau Eglwys Tal-y-bont ar 29 Ionawr 2017.

children – Nia, Nest and Dafydd. Dafydd and his wife Glenys and their son continue to farm Penpompren Uchaf, with Geraint the ninth generation of the family to do so.

In 1910 the sons of William a Mary Jones, Penpompren Uchaf, presented a lectern to the new St. David's Church in Tal-y-bont in memory of their mother. Following the closure of St. David's on 29 January 2017, the lectern was presented by the family as a gift to to St. Peter's Church, Elerch.

Jenkins, Joseph (1886-1962)

Gweinidog Capel Ebenezer, Bont-goch, 1925-1928, ac awdur llyfrau plant.

Roedd Capel Ebenezer Bont-goch yn rhan o Gylchdaith Gymraeg Aberystwyth ac yn cael ei wasanaethu gan y gweinidog neu weinidogion a benodwyd i'r Gylchdaith. Tra'n gwasanaethu'r Gylchdaith bu'r Parchg Joseph Jenkins yn gyfrifol am gapel Bont-goch, gan gynnal oedfaon yno yn rheolaidd, er nad oedd yn byw yn y pentref.

Ganed Joseph Jenkins yn Nhŷ Newydd, Pont-rhyd-y-groes ar 4 Tachwedd 1886 yn fab i John a Mary Jenkins. Addysgwyd yn Ysgol Ysbyty Ystwyth, gan adael yn 13 oed i weithio yn y gweithfeydd mwyn lleol. Yn ddiweddarach aeth am gyfnod o addysg bellach yn Ysgol y Gwynfryn, Rhydaman, a Choleg Handsworth, Birmingham i'w baratoi at y weinidogaeth erbyn 1913.

Yn ogystal ag Aberystwyth, gwasanaethodd mewn nifer o gylchdeithiau yn cynnwys Llanbedr Pont

Minister of Ebenezer Chapel, Bont-goch, 1925-1928, and author of children's books.

As already noted Ebenezer Chapel, Bont-goch was part of the Aberystwyth Welsh Wesleyan Circuit and would be served by a minister or ministers appointed to that circuit. Whilst serving the Aberystwyth Circuit for a total of three years, the Revd Joseph Jenkins would take services regularly at Bont-goch.

Joseph Jenkins was born at Tŷ Newydd, Pont-rhyd-y-groes on 4 November 1886, the son of John and Mary Jenkins. He was educated at Ysbyty Ystwyth school, leaving at the age of 13 years to work in the local lead mines. He later attended Ysgol y Gwynfryn, Ammanford, and Handsworth College, Birmingham, in preparation for the Wesleyan ministry in 1913.

In addition to Aberystwyth, he served in a number of circuits including Lampeter, Llandeilo, Machynlleth,

Steffan, Llandeilo, Machynlleth, Tredegar, Biwmares, Caernarfon, Pwllheli a Blaenau Ffestiniog.

Roedd Joseph Jenkins yn awdur llyfrau plant nodedig, a chyhoeddodd gyfanswm o bedair ar ddeg o gyfrolau. Cyhoeddwyd ei lyfr cyntaf, ac un o'i rai mwyaf adnabyddus, *Robin y Pysgotwr ac ystraeon eraill*, tra roedd yn gweinidogaethu yng Nghylchdaith Aberystwyth.

Priododd Mary Catherine Williams, o Lanelli. Bu Joseph Jenkins farw yn Ysbyty Machynlleth ar 21 Ebrill 1962, ac fe'i claddwyd ym mynwent Denio, Pwllheli, gan adael mab a merch.

Roedd ei fab John Elfyn Pierce Jenkins (1921-1986) yn ysgolhaig, yn ddramodydd, ac yn is-olygydd *Geiriadur Prifysgol Cymru*, a chefais y fraint o gydweithio gydag ef pan oedd swyddfa'r Geiriadur yn un o ystafelloedd Llyfrgell Genedlaethol Cymru. Bu fy ngwraig Eirlys hefyd yn cydweithio gydag Elfyn ar staff y Geiriadur.

Priododd Elfyn â Buddug Evans a chawsant ddau o blant: Geraint Alwyn ac Eleri (Seawards).

Chwaer Elfyn oedd Sarah Edna Pierce Jenkins (1922-2010) a briododd yng Ngorffennaf 1952 gyda'r Parchedig Trefor Davies Jones (1917-2002) yng nghapel y Wesleaid, Blaenau Ffestiniog, gan ymddeol i Ben-y-sarn, Amlwch yn 1984. Cawsant ddau o blant: Goronwy ac Eirian Dafydd.

Tredegar, Beaumaris, Caernarfon, Pwllheli and Blaenau Ffestiniog.

Joseph Jenkins was an accomplished children's author, writing a total of fourteen titles. His first book, *Robin y Pysgotwr ac ystraeon eraill*, one of his better known titles, was published whilst he was serving in the Aberystwyth Circuit.

He married Mary Catherine Williams, from Llanelli. Joseph Jenkins died at Machynlleth Hospital on 21 April 1962, and was buried at Deinio cemetery, Pwllheli, leaving a son and daughter.

His son John Elfyn Pierce Jenkins (1921-1986) was a scholar, dramatist and sub-editor of *Geiriadur Prifysgol Cymru*, the University of Wales Dictionary of the Welsh Language, and I was privileged to know him when the Dictionary offices were located inside the National Library building where I was employed at the time. My wife Eirlys was also one of Elfyn's colleagues on the staff of the Dictionary.

Elfyn married Buddug Evans and they had two children: Geraint Alwyn and Eleri (Seawards).

Elfyn's sister, Sarah Edna Pierce Jenkins (1922-2010), married the Revd Trefor Davies Jones (1917-2002) in July 1952 at the Wesleyan Chapel, Blaenau Ffestiniog, retiring to Pen-y-sarn, Amlwch in 1984. They had two children: Goronwy and Eirian Dafydd.

Jenkins, Sydney (1908-1941)

Milwr a fu farw o ganlyniad i'r Ail Ryfel Byd, ac a anwyd ym Mwlchrosser.

Mae'r Gunner Sydney Jenkins (5189673), Maritime Regiment, Royal Artillery, yn un o ddau berson lleol, gyda Dorothy Ann Evans, sydd wedi eu coffáu gyda charreg Comisiwn Beddau Rhyfel y Gymanwlad ym mynwent Eglwys St. Pedr, Elerch. Bedyddiwyd Sydney ar 17 Ebrill 1908 yn fab i John Jenkins (1864-1934) a'i

A soldier and casualty of the Second World War, born at Bwlchrosser.

Gunner Sydney Jenkins (5189673), Maritime Regiment, Royal Artillery, formerly of Bwlchrosser, is one of two persons, with Dorothy Ann Evans, who is commemorated with a gravestone provided by the Commonwealth War Graves Commission in the cemetery at St. Peter's Church, Elerch. Sydney was

briod Anne (1869-1933), Bwlchrosser, gynt o Ceiro, Ponterwyd a Phantyffynnon. [Roedd hi'n chwaer i David a William Evans, Pantyffynnon, a nodwyd uchod, a laddwyd gan fellten]. Symudodd John ac Anne Jenkins i Lundain ar ôl y Rhyfel Mawr i fyw yn 106 Ironmonger Row, Finsbury EC1 lle roeddent yn gysylltiedig gyda'r London Wholesale Dairies Ltd. Mae John ac Anne Jenkins wedi eu claddu yn Elerch, ynghyd â nifer o aelodau eraill o'r teulu.

Daeth Sydney Jenkins adref ar wyliau am bythefnos yn Nhachwedd 1941 ac yn ystod y cyfnod hwnnw bu'n sâl oherwydd effeithiau twymyn y dwyrain (malaria) ac fe'i gyrrwyd i'r Central Middlesex County Hospital yn Twyford Lodge, Acton Lane, Llundain NW10, lle bu farw ar 2 Rhagfyr 1941 yn 32 oed. Fe'i claddwyd ar 7 Rhagfyr yn Eglwys Elerch mewn gwasanaeth milwrol cyflawn.

baptized at Elerch on 17 April 1908, the son of John Jenkins (1864-1934) and his wife Anne (1869-1933). Anne hailed originally from Ceiro, Ponterwyd and Pantyffynnon. [She was a sister to the brothers David and William Evans, of Pantyffynnon, noted above, who were killed by lightning]. John and Anne Jenkins moved from Bwlchrosser to London after the Great War settling at 106 Ironmonger Row, Finsbury EC1 and were associated with the London Wholesale Dairies Ltd. John and Anne Jenkins, together with several members of their family, are also buried at Elerch.

Sydney Jenkins came home on a fortnight's leave in November 1941 during which he was taken ill due to the effects of malaria, and was admitted to the Central Middlesex County Hospital, Twyford Lodge, Acton Lane, London NW10 where he died on 2 December 1941, aged 32 years. He was buried at Elerch Church with full military honours on 7 December.

Jeremy, William Raymond Thomas (1890-1969)

Fiolinydd enwog a fu'n byw yn Ficerdy Elerch.

Yn dilyn ei ymddeoliad swyddogol o staff Adran Gerdd Coleg y Brifysgol, Aberystwyth yn 1956 bu Raymond Jeremy yn rhentu ystafell yn Ficerdy Elerch tan 1960. Roedd yn gyfarwydd ers tro â Ruth Evans a'i phriod Ifor L. Evans. Fodd bynnag, parhaodd i weithio'n rhan-amser i'r Adran tan 1958, dan gyfarwyddyd yr Athro Ian Parrott (1916-2012).

An eminent violinist who lived at Elerch Vicarage.

After his official retirement in 1956 from the staff of the Music Department at University College of Wales, Aberystwyth, Raymond Jeremy rented a room at Elerch Vicarage until 1960. He had previously known Ruth Evans and her late husband, Ifor L. Evans, for many years. However, he continud to work part-time at the Department until 1958, under the direction of

Ganwyd William Raymond Thomas yng Nghaerfyrddin yn fab i William Jeremy, saer coed, Heol y Brenin, Talacharn a'i briod Jane (née Thomas), ac fe'i hystyriwyd yn gerddor siambr o'r radd flaenaf. Yn dod o deulu cerddorol, llwyddodd i sicrhau ysgoloriaeth am dair blynedd i astudio yn yr Academi Gerddoriaeth Frenhinol yn Llundain o dan adain Oliver D. Williams (1869-1938), a oedd hefyd yn dod o Dalacharn. Yn ddiweddarach penodwyd Jeremy yn un o ddau Athro'r Ffidl yn yr Academi, ac yn 1935 fe'i hetholwyd yn Gymrawd y Coleg. Roedd yn chwarae'r fiola, ac yn aelod o sawl pedwarawd llinynnol gan deithio dros wledydd Ewrob a chwarae mewn nifer o neuaddau cyngerdd a gwyliau cerdd ar draws holl wledydd Prydain. Bu'n aelod o bedwarawd enwog Samuel Kutcher rhwng 1929 a 1939, ac roedd yn gyfarwydd â nifer o brif gerddorion y cyfnod. Derbyniodd wahoddiad gan Syr Edward Elgar i chwarae yn angladd ei wraig yn Little Malvern yn 1920.

Roedd Raymond Jeremy hefyd yn adnabod ac yn gyfarwydd ag Ifor L. Evans a Dr David de Lloyd, prifathro ac athro cerdd Aberystwyth, a gwnaethant ei wahodd i ymuno â staff y Coleg yn dilyn gohebiaeth gydag Evans yng nghanol y 1930au. Ar y pryd roedd Jeremy yn dioddef o iselder oherwydd ei fod yn colli ei glyw ac yn poeni am ei sicrwydd ariannol ym myd cystadleuol y byd cerdd Lundeinig. Derbyniodd yn wresog y cynnig i ddychwelyd i Gymru fel tiwtor y ffidl gan gymryd cyfrifoldeb am lyfrgell gerdd y Brifysgol yn ogystal. Rwy'n ddiolchgar i Dr Rhian Davies,

Professor Ian Parrott (1916-2012).

William Raymond Thomas was born at Carmarthen, the son of William Jeremy, a carpenter of King Street, Laugharne and his wife Jane (née Thomas). Raymond was described as a first-rate chamber musician. Coming from a musical family, he won a prestigious three year scholarship at the age of 14 years to study at the Royal Academy of Music in London under the tutelage of Oliver D. Williams (1869-1938), also from Laugharne. Jeremy later became one of two Professors of the Violin at the Academy and was elected a Fellow of the College in 1935. He played the viola, and was a member of several string quartets who toured all over Europe, and played at concert halls and music festivals throughout the United Kingdom. He was a member of the celebrated Samuel Kutcher Quartet from 1929 until 1939, and he knew many of the leading composers of the day. He was invited by Sir Edward Elgar to play at the funeral of Lady Elgar at Little Malvern in 1920.

Raymond Jeremy was also known to Ifor L. Evans and Dr David de Lloyd, principal and professor of Music at Aberystwyth respectively, and they invited him to join the college staff at Aberystwyth after he corresponded with Evans in the mid 1930s. At the time he was also depressed about his loss of hearing and was concerned about his financial security in the cut-throat London music scene. He warmly accepted the invitation to return to Wales as a violin tutor and was also charged with running the music library at

Cyfarwyddwr Artistig presennol Gŵyl Gregynog, am gadarnhau fod Raymond Jeremy wedi perfformio'n unigol yng ngŵyl gerdd gyntaf Gregynog ym Mehefin 1933, a pherfformio'n rheolaidd yn yr Ŵyl hyd at y 1950au.

Erbyn ei benodiad i Aberystwyth ymddengys fod ei briodas wedi torri. Roedd wedi priodi Märta Vivika Fant (1883-1952, née Norstrom) yn Stockholm ar 17 Gorffennaf 1926, cyn-wraig Gunnar Michael Fredriksson Fant (1879-1967) a wasanaethodd fel borgmästare (maer) Stockholm o 1931-1949. Gwnaethant eu cartref yn 22 Canfield Gardens, Hampstead lle ganwyd eu merch Nancy J. V. Jeremy ar 27 Ionawr 1929. Ymhen amser fe briododd hi gyda Mr Neilsen gan fyw yn King's Langley, Swydd Hertford a magu pedwar o blant.

Bu farw Raymond Jeremy yng Nghartref Gofal y Deva, Rhodfa'r Môr, Aberystwyth ar 12 Mawrth 1969, lle bu'n byw am dros bum mlynedd. Fe'i claddwyd ym mynwent gyhoeddus Aberystwyth ar 14 Mawrth.

UCW. I am grateful to Dr Rhian Davies, the current Artistic Director of the Gregynog Festival, for confirming that Raymond Jeremy performed at the inaugural Gregynog Music and Poetry Festival in June 1933, and that he regularly performed at the Festival until the 1950s.

By the time he moved to Aberystwyth it appears that his marriage had broken down. He had married at Stockholm on 17 July 1926 Märta Vivika Fant (1883-1952, née Norstrom) the former wife of Gunnar Michael Fredriksson Fant (1879-1967) who served as borgmästare (mayor) of Stockholm from 1931-1949. They settled at 22 Canfield Gardens, Hampstead where their daughter Nancy J. V. Jeremy was born on 27 January 1929. She later married a Mr Neilson and lived at King's Langley, Hertfordshire raising four children.

Raymond Jeremy died at the Deva Residential Home, Aberystwyth on 12 March 1969 where he had lived for over five years, and was buried at Aberystwyth municipal cemetery on 14 March 1969.

John, Meurig Hywel (1946-2019)

Ficer Penrhyn-coch ac Elerch, 1974-1979.

Ganwyd yn Llanelli yn 1946 yn fab i John a Letty John. Derbyniodd ei addysg yng Ngholeg Dewi Sant, Llanbedr Pont Steffan, gan ei ordeinio yn ddiacon yn 1971. Ar ôl gwasanaethu fel curad yn Llanelli o 1971, fe'i hapwyntiwyd yn ficer Penrhyn-coch ac Elerch ar 24 Mehefin 1974 gan wasanaethu yno hyd at 23 Ebrill 1979. Treuliodd y blynyddoedd canlynol yn gwasanaethu yn siroedd Caerfyrddin, Morgannwg a Phenfro cyn dychwelyd i Geredigion rhwng 1989 a 1995 fel ficer Llanfihangel Genau'r-glyn a Llangorwen. Yn 1995 apwyntiwyd ef yn ficer Castellnewydd Emlyn, Llandyfrïog, Troed-yr-aur a Brongwyn, lle y bu tan ei benodi'n arweinydd Grŵp

Vicar of Penrhyn-coch w. Elerch, 1974-1979.

Born at Llanelli in 1946 the son of John and Letty John, he was educated at St. David's College, Lampeter, and ordained a deacon in 1971. He served as a curate in Llanelli from 1971 before being appointed vicar of Penrhyn-coch w. Elerch on 24 June 1974 serving both parishes until 23 April 1979. He later served in Carmarthenshire, Glamorgan and Pembrokeshire before returning to Ceredigion as vicar of Llanfihangel Genau'r-glyn and Llangorwen from 1989 until 1995. In 1995 he was appointed vicar of Newcastle Emlyn, Llandyfrïog, Troed-yr-aur and Brongwyn, prior to being appointed leader of the Lampeter and Llanddewibrefi group of churches

eglwysi Llanbedr Pont Steffan a Llanddewibrefi yn 2001. Ymddeolodd i Lanybri, Sir Gaerfyrddin yn 2005.

Bu farw ar 10 Awst 2019 yn 73 mlwydd oed. Yn dilyn gwasanaeth yn Eglwys y Drindod Sanctaidd, Castellnewydd Emlyn ar 30 Awst fe'i claddwyd ym mynwent gyhoeddus Llanelli.

Llun a dynnwyd ar Ddiwrnod St. Bartholomeus, 1975 yn dilyn bedydd yn Eglwys St. Ioan, Penrhyn-coch.

in 2001 He retired to Llanybri, Carmarthenshire in 2005.

He died on 10 August 2019 aged 73 years. Following a service at Holy Trinity Church, Newcastle Emlyn on 30 August, he was interred at Llanelli cemetery.

Photograph taken on St. Bartholomew's Day, 1975 following a baptism conducted at St. John's Church, Penrhyn-coch.

Jones, Charles (Elerch) (1859-1937)

Ymfudwr, rheolwr gweithfeydd arian a bardd gwlad a anwyd yn Nhŷgwyn.

Denwyd llawer o fwynwyr gogledd Ceredigion i'r Unol Daleithiau yn ystod chwarter olaf y bedwaredd ganrif ar bymtheg. Yn eu plith roedd tri o feibion William Jones (1829-1876) a'i briod Mary Anna, Tŷgwyn, Elerch, sef William, Charles a Thomas.

Yr enwocaf oedd Charles, a anwyd ar 30 Mehefin 1859, gan ymfudo i'r Amerig pan yn 20 oed. Treuliodd beth amser yn nhalaith Pennsylvania, cyn sefydlu yn Silverton, Colorado, lle bu am 22 mlynedd gan ddringo i fod yn un o'r rheolwyr. Bu'n gohebu'n gyson i bapur newydd *Y Drych* ac yn gyrru newyddion a phenillion i'w cyhoeddi gan fabwysiadu'r enw canol Elerch. Dychwelodd am gyfnod byr i Gymru i briodi Mary Evans, merch Abraham Jones, Troedyrhenriw, Ystumtuen yn Eglwys Llanbadarn Fawr ar 25 Ionawr

Emigrant, mine manager and folk poet, born at Tŷgwyn.

Many Cardiganshire lead miners were attracted to the United States during the last quarter of the nineteenth century and the early twentieth century. Among them were the three sons of William Jones (1829-1876), and his wife Mary Anna, of Tŷgwyn, Elerch, namely William, Charles and Thomas.

The best known was Charles, born on 30 June 1859, who emigrated to America when he was 20 years of age. He spent some time in Pennsylvania before moving to Silverton, Colorado where he spent a total of 22 years, becoming a mine manager. He regularly contributed to the Welsh-American newspaper *Y Drych* adopting the middle name of Elerch in most of his contributions. He returned to Wales to marry Mary Evans, the daughter of Abraham Jones, Troedyrhenriw,

1888. Ceir enw Charles (Elerch) Jones ymhlith nifer o fwynwyr Sir Aberteifi a gyfrannodd tuag at gapeli Methodistaidd St. Paul's, Aberystwyth ac Ebenezer, Ystumtuen a hynny o Silverton, Colorado yn 1889 a 1891.

Bu farw ei frawd ifancaf, Thomas Jones, yn dilyn damwain yn Palouse, talaith Washington yn Hydref 1905 pan syrthiodd coeden arno. Fe'i claddwyd yn Palouse. Ymfudodd Thomas er mwyn ymuno â'i frodyr yng ngweithfeydd arian Silverton, ond penderfynodd adael Colorado am Washington lle bu'n gweithio am 14 mlynedd. Roedd yn 34 oed pan fu farw. Ni fu modd i'w frodyr fynychu'r angladd oherwydd y pellter o tua 1000 o filltiroedd rhwng Silverton a Palouse.

Symudodd Charles Elerch i ardal Los Angeles yn ne California yn 1906 gan fyw yn ninas Anaheim, cyn symud i ardal gyfagos Long Beach, lle y bu farw ar 14 Awst 1937 yn 78 oed. Bu'n flaenor yn yr Eglwys Bresbyteraidd, ac yn flaenllaw ei gefnogaeth i fudiadau Cymreig, ac yn gefnogol i'r seiri rhyddion. Cynhaliwyd ei angladd yng Nghapel Patterson & McQuilkin, ymgymerwyr, Long Beach.

Ystumtuen at Llanbadarn Fawr Church on 25 January 1888. The name of Charles (Elerch) Jones, Silverton, Colorado features among lists of miners who contributed to St. Paul's Methodist Chapel, Aberystwyth and to Ebenezer Chapel, Ystumtuen in 1889 and 1891.

His younger brother, Thomas Jones, died in an accident at Palouse, Washington State in October 1905 after a tree fell on him. He was buried at Palouse. Thomas emigrated in order to join his brothers at Silverton, but left Colorado for Washington where he worked for 14 years. He was 34 years old when he died. His brothers were unable to attend his funeral owing to the distance of around 1000 miles involved in travelling from Silverton to Palouse.

Charles moved to Los Angeles in southern California in 1906 and lived in the city of Anaheim, before moving to nearby Long Beach, where he died on 14 August 1937, aged 78 years. He was an elder in the First Presbyterian Church, and prominent in his support for Welsh societies and for the Freemasons. His funeral was held at the Patterson & McQuilkin funeral parlour and chapel, Long Beach.

Jones, David Rowland (1926-2009)

Gofalwr Llyfrgell a chydweithiwr, a anwyd ym Mryn-y-fedwen Fawr.

Pan oeddwn yn adnabod ac yn cyd-weithio gyda 'Dei Rolant' ar staff Llyfrgell Genedlaethol Cymru, doedd gennyf ddim cysylltiad â Bont-goch, ond byddai'n sôn wrthyf yn aml am ei fagwraeth yn yr ardal. Ar y pryd roedd yntau'n byw yn 23 Glanrafon Terrace, Aberystwyth, a chyn hynny yn Nhan-y-bryn, Maes Seilo, Penrhyn-coch.

Ganed David Rowland Jones ar 21 Awst 1926 ym Mryn-y-fedwen Fawr, Cwm Tŷ-nant yn fab i John Jones a'i briod Blodwen (née Griffiths), Llechweddmawr,

Library attendant and colleague, born at Bryn-y-fedwen Fawr.

When I worked with 'Dei Rolant' on the staff of the National Library of Wales I had no connection with Bont-goch, but he would often talk to me about his time in the village. At that time he lived at 23 Glanrafon Terrace, Aberystwyth, and prior to that at Tan-y-bryn, Maes Seilo, Penrhyn-coch.

David Rowland Jones was born on 21 August 1926 at Bryn-y-fedwen Fawr, Cwm Tŷ-nant, the son of John Jones and his wife Blodwen (née Griffiths), Llechweddmawr, Tal-y-bont. The family later moved to

Tal-y-bont. Symudodd y teulu yn ddiweddarach i Lety'r Felin ac yna i Lerry Cottage, Bont-goch. Addysgwyd yn Ysgol Elerch gan gychwyn ei astudiaethau ym mis Gorffennaf 1931. Treuliodd gyfnod byr yn Ysgol Trefeurig yn 1934 gan ddychwelyd eilwaith i Ysgol Elerch, cyn ennill lle yn Ysgol Sir Ardwyn.

Bu'n dal nifer o swyddi yn cynnwys gweithio ar y tir yn Llety Ifan Hen a Chwmbwa, Penrhyn-coch, a helpu i adeiladu cronfa ddŵr Nant-y-moch, morglawdd Y Borth ag Ysbyty Cyffredinol Bronglais. Ym mis Mai 1971 fe'i penodwyd yn ofalwr yn Llyfrgell Genedlaethol Cymru, ac yno y gweithiodd am dros ugain mlynedd hyd at ei ymddeoliad ar ddiwedd Awst 1991. Bu'r rhai a gafodd y fraint o gyd-weithio gydag ef yn ei gofio fel gŵr annwyl, cydwybodol a diwylliedig. Roedd hefyd yn hoff o chwaraeon – yn gefnogwr brwd o dîm pêl-droed Aberystwyth ac yn is-lywydd y Clwb Athletau Lleol.

Priododd â Mary Josephine McKenna (1925-1995). Ganed tri o blant iddynt sef Kevin, Elizabeth (Ashton), a Lilian.

Bu farw David Rowland Jones ar 1 Rhagfyr 2009 a chynhaliwyd ei wasanaeth angladdol yn Amlosgfa Aberystwyth ar 11 Rhagfyr.

Llety'r Felin and Lerry Cottage, Bont-goch. He was educated at Elerch School where he commenced his studies in July 1931. He spent a brief period at Trefeurig School in 1934, before returning to Elerch, from where he gained entry to Ardwyn County School.

He worked at several places including being a farm labourer at Llety Ifan Hen and Cwmbwa, Penrhyn-coch and assisting with the work of building the dam at Nant-y-moch, the sea defences at Borth and Bronglais General Hospital. In May 1971 he was appointed to the staff of the National Library of Wales as an attendant where he worked for over twenty years until his retirement in 1991. I will always remember him as a conscientious colleague, a gentleman, and a cultured man. He was also fond of sport – a supporter of Aberystwyth Town FC and vice-president of Aberystwyth Athletics Club.

He married Mary Josephine McKenna (1925-1995), and they raised three children: Kevin, Elizabeth (Ashton) and Lilian.

David Rowland Jones died on 1 December 2009 and his funeral was held at Aberystwyth Crematorium on 11 December.

Jones, David Sinnett (1863-1927)

Ficer Elerch, 1911-1927.

Ganwyd David Sinnett Jones yn Llanrhystud yn fab i David Jones, ffermwr, Penlan, a'i briod Mary. Fe'i bedyddiwyd yn Eglwys Llanrhystud ar 27 Medi 1863. Yn ddiweddarach, bu ei rieni yn ffermio Tan-y-castell, Rhydyfelin, ar gyrion Aberystwyth. Addysgwyd Sinnett Jones yng Ngholeg Dewi Sant, Llanbedr Pont Steffan,

Vicar of Elerch, 1911-1927.

David Sinnett Jones was born at Llanrhystud the son of David Jones, farmer, Penlan, and his wife Mary. He was baptized at Llanrhystud Church on 27 September 1863. His parents later farmed Tan-y-castell, Rhydyfelin, on the outskirts of Aberystwyth.

Sinnett Jones was educated at St. David's College,

gan ennill ei Drwydded mewn Diwinyddiaeth yn 1891. Ordeiniwyd ef yn hwyrach y flwyddyn honno.

Bu'n gurad Llanrhian a Llanrheithan, Sir Benfro, rhwng 1891 a 1908, curad Llanfynydd, Sir Gaerfyrddin, 1908-09 a churad Eglwys y Drindod Sanctaidd, Aberystwyth 1909-11. Yn fuan ar ôl ei benodi i Aberystwyth, priododd Florence Mary Murray, merch Mr a Mrs S. Murray, Anerley, Bromley, Swydd Caint. Gweinyddwyd y briodas yn Eglwys Holy Innocents, South Norwood, Llundain, ar 3 Awst 1909. Bu Mary, a anwyd yn 1876, farw yn 47 oed yn 1924, gan adael gweddw a dwy ferch, Mary a Winifred.

Gwasanaethodd Y Parchg David Sinnett Jones fel ficer Elerch o fis Ebrill 1911 hyd at 1927 gan fyw yn y Ficerdy. Bu farw yn sydyn iawn ar 3 Ionawr 1927, ac fe'i claddwyd gyda'i wraig ym mynwent gyhoeddus Aberystwyth yn dilyn gwasanaeth yn Eglwys y Drindod Sanctaidd, Aberystwyth ar 11 Ionawr 1927.

Lampeter gaining his Licence in Divinity in 1891, and was ordained later in the same year.

He served as curate of Llanrhian and Llanrheithan, Pembrokeshire, between 1891 and 1908, curate of Llanfynydd, Carmarthenshire, 1908-09 and curate of Holy Trinity Church, Aberystwyth 1909-11. Soon after his appointment to Aberystwyth, he married Florence Mary Murray, the daughter of Mr and Mrs S. Murray, Anerley, Bromley, Kent, at Holy Innocents Church, South Norwood, London on 3 August 1909. Mary, born in 1876, died young aged 47 years in 1924, leaving a husband and two daughters, Mary and Winifred.

The Revd David Sinnett Jones served as vicar of Elerch from April 1911 until 1927 and lived at Elerch Vicarage. He died very suddenly on 3 January 1927, and following a service at Holy Trinity Church, Aberystwyth on 11 January, he was buried with his wife at Aberystwyth municipal cemetery.

Jones, Frederick Morgan (1919-2016)

Ficer Penrhyn-coch ac Elerch, 1957-1961.

Vicar of Penrhyn-coch *w.* Elerch, 1957-1961.

Ganwyd Frederick Morgan Jones ar 26 Medi 1919 ym Mrynamlwg, Blaenau Road, Llandybïe, yn fab i John a Jane Jones. Derbyniodd ei addysg gynnar yn yr ysgol gynradd leol cyn mynd ymlaen i Ysgol Ramadeg Llandeilo. Oddi yno aeth i Goleg Dewi Sant, Llanbedr Pont Steffan gan raddio BA yn 1940, a BD yn 1949. Mynychodd Goleg St. Mihangel, Llandaf ac fe'i hordeiniwyd yn 1942.

Priododd â Mona Hydrefa Owen, merch Y Parchg John Idris Owen, gweinidog gyda'r Methodistiaid Calfinaidd, a'i briod Grace. Roedd ei thad yn weinidog ar y pryd yn Aberangell, a chynhaliwyd y briodas ym Machynlleth ar 7 Chwefror 1953.

Bu'n gurad ac yn offeiriad â gofal dros nifer o blwyfi yn ardal Llanelli, cyn ei apwyntio yn ficer Penrhyn-coch

Frederick Morgan Jones was born on 26 September 1919 at Brynamlwg, Blaenau Road, Llandybïe, the son of John and Jane Jones. He attended the local primary school before progressing to Llandeilo Grammar School. He then studied at St. David's College, Lampeter graduating BA in 1940, and BD in 1949. He later attended St. Michael's College, Llandaff, and was ordained in 1942.

He married Mona Hydrefa Owen, the daughter of the Revd John Idris Owen, a Calvinistic Methodist minister, and his wife Grace. At the time her father was a minister at Aberangell, and the marriage was solemnized at Machynlleth on 7 February 1953.

He was a curate and a priest-in-charge of several parishes in the Llanelli area, before being appointed

ac Elerch ar 4 Medi 1957, gan fyw yn y Ficerdy Penrhyn-coch gyda'i wraig a'i deulu ifanc. Apwyntiwyd ef yn rheithor Llanbedrog gyda Phenrhos, 1961-74, ac yn rheithor Llanbedrog gyda thri o blwyfi eraill, 1974-84. Ymddeolodd yn 1984 gan weithredu fel curad Llangefni a Thregaean, hyd at 1985.

Ysgrifennai yn rheolaidd i bapur newydd *Y Llan*, ac i gylchgronau fel *Cristion* a'r *Haul a'r Gangell*.

Bu farw ar 2 Chwefror 2016 yn 96 mlwydd oed, a chynhaliwyd ei angladd yn breifat ar 6 Chwefror ym mynwent Llangefni. Ganwyd tri o blant iddo ef a'i briod Mona Hydrefa (1922-2019), sef Dewi Owen, Mair Eleri (Jones) a'r diweddar Sioned Ann (Jones).

vicar of Elerch and Penrhyn-coch on 4 September 1957. He lived at Penrhyn-coch Vicarage. He was appointed rector of Llanbedrog w. Penrhos, 1961-74. From 1974-84 he was rector of Llanbedrog together with three other parishes. He retired to Llangefni in 1984 and was appointed curate of Llangefni and Tregaean, a rôle he fulfilled until 1985.

Until 1984 he contributed regularly to *Y Llan*, newspaper of the Church in Wales, and to Welsh periodicals such as *Cristion* and *Yr Haul a'r Gangell*.

Frederick Morgan Jones died on 2 February 2016 at the age of 96, and his funeral was held privately on 6 February, when he was buried at Llangefni cemetery. He left a widow Mona Hydrefa (1922-2019), and three children: Dewi Owen, Mair Eleri (Jones) and the late Sioned Ann (Jones).

Jones, John David ('Jac y Sowldiwr'; 1880-1944)

Milwr a fu'n byw yng Ngharregydifor a Phen-y-graig.

A soldier who lived at Carregydifor and Pen-y-graig.

Ganwyd John David Jones ar 27 Medi 1880, yn fab i John Jones, mwynwr, a'i briod Elizabeth Davies a briododd yn Eglwys Elerch ar 25 Ionawr 1878. Lladdwyd John Jones mewn damwain yng ngwaith Mynydd Gorddu ar 1 Mawrth 1880, cyn i'w fab gyrraedd chwe mis oed, ac ailbriododd Elizabeth gyda William Edwin Morris ar 27 Gorffennaf 1888 yn Eglwys Elerch. Daeth hi'n fam i Arthur Morris a nodir isod ac a laddwyd yn y Rhyfel Mawr.

John David Jones was born on 27 September 1880 the son of John Jones, a lead miner, and his wife Elizabeth Davies whom he married at Elerch Church on 25 January 1878. John Jones was killed in an accident at Mynydd Gorddu mine on 1 March 1880 before his son was 6 months old, and Elizabeth remarried with William Edwin Morris on 27 July 1888 at Elerch Church. She was to become the mother of Arthur Morris, noted below, who died in the Great War.

Cysylltir John David Jones yn bennaf gyda Phen-y-graig, ond cyn byw yno bu'n cartrefu yng Ngharregydifor. Credir iddo ymuno â'r fyddin barhaol gan wasanaethu yn Gibraltar a Malta. Dioddefodd yn ddrwg iawn o effeithiau nwy yn y Rhyfel Mawr, ac ni fu modd iddo weithio ar ôl hynny. Ystyriwyd ef yn ŵr bonheddig ac yn ddyn galluog iawn yn ôl atgofion Stanley Lloyd.

Roedd John David Jones yn ŵr priod, a chollodd ei wraig ar 4 Rhagfyr 1939 yn 65 oed. Bu yntau farw ar 29 Hydref 1944 yn 64 oed, ac fe'i claddwyd gyda'i wraig ym mynwent Ebenezer, Bont-goch. Nid oedd ganddynt blant.

John David Jones is mainly associated with Pen-y-graig, but he once lived at Carregydifor. It is believed that he joined the regular army and served in Gibraltar and Malta. He also saw active service in the Great War and was badly affected by gassing which prevented him from working for the rest of his life. Stanley Lloyd in his reminiscences described him as an intelligent man and a real gentleman.

John David Jones was a married man, but lost his wife on 4 December 1939, aged 65 years. He died on 29 October 1944, aged 64 years, and both are buried at Ebenezer Chapel, Bont-goch. They did not have any children.

Jones, John Richard (1923-2002)

Bardd ac arweinydd eisteddfodau a fu'n byw yn Wern-deg a Phant-haul.

A poet and eisteddfod compère who lived at Wern-deg and Pant-haul.

Ganwyd J. R. Jones yn nhŷ ei nain ym Mhen-rhos, Corris ar 9 Mawrth 1923. Hanai ei dad Huw Jones (1895-1980) o Gae'r Arglwyddes, Tre Taliesin a'i fam Dinah (1897-1979) o dyddyn Lluest-y-rhos ym mhlwyf Uwchygarreg, ger Machynlleth. Ar ôl iddynt briodi gwnaethant eu cartref yn Nhre Taliesin. Symudodd y teulu ymhen amser i Wern-deg yng Nghwm Eleri, a mynychodd J. R. Ysgol Tal-y-bont gan adael yno yn 14 oed i weithio gartref ar y fferm. Yn 1967 priododd â Rosina Hughes, yn wreiddiol o ardal Conwy, a phenderfynodd gefnu ar ffermio gan dderbyn swydd gyda'r Cyngor Llyfrau Cymraeg yn eu canolfan

J. R. Jones was born at his grandmother's house Pen-rhos, Corris on 9 March 1923. His father Huw Jones (1895-1980) hailed from Cae'r Arglwyddes, Tre Taliesin and his mother Dinah (1897-1979) from Lluest-y-rhos, a cottage in Uwchygarreg, near Machynlleth. After their marriage they made their home in Tre Taliesin. The family later moved to Wern-deg in Cwm Eleri, and J. R. attended school at Tal-y-bont, leaving at the age of 14 to work at home on the farm. In 1967 he married Rosina Hughes, originally from the Conwy district, and he decided to leave farming after obtaining work at the distribution centre of the Welsh Books Council at

ddosbarthu. Ar ôl byw am gyfnod yn y dref dychwelodd ef a'i briod i fyw mewn byngalo newydd, ar dir Wern-deg, a enwyd yn Pant-haul. Wrth weld Cwm Eleri yn newid, ac yn Seisnigeiddio, symudodd yn 1989 i fyw i'r dref yn Llwyn Afallon, Aberystwyth.

Roedd J. R. yn llenor, yn fardd gwlad toreithiog ac yn gystadleuwr ac arweinydd mewn eisteddfodau. Enillodd gyfanswm o 45 cadair a thair coron mewn eisteddfodau lleol a rhanbarthol. Dysgodd ei grefft mewn dosbarthiadau nos gan Gwenallt (1899-1968) ac Euros Bowen (1904-88), gyda chymorth ei weinidog Y Parchg Fred Jones (1877-1948), a bu prifeirdd lleol fel Dewi Morgan (1877-1971) a'r Parchg W. J.

Gruffydd (1916-2011) hefyd yn ddylanwad mawr arno. Cyhoeddodd dair o gyfrolau o'i gerddi – *Rhwng cyrn yr arad'* (1962), *Cerddi J. R.* (1970) a *Cerddi Cwm Eleri* (1980). Cyhoeddwyd ei hunangofiant, *Atgof a cherdd* yn 2003.

Bu'n aelod ffyddlon yng Nghapel Bethel, Tal-y-bont lle bu'n ddiacon am 50 mlynedd ac yn ysgrifennydd am ddegawd rhwng 1957 a 1967.

Bu farw ar 9 Awst 2002 a chynhaliwyd ei angladd ar 14 Awst 2002 yng Nghapel Bethel ac Amlosgfa Aberystwyth. Gadawodd weddw sydd bellach yn byw yn Llandudno.

Aberystwyth. The couple first lived in the town but later moved to a new bungalow on Wern-deg land which they named Pant-haul. In 1989 they moved again to live at Elysian Grove in Aberystwyth.

J. R. was an accomplished folk poet in his own right, and a competitor and compère of eisteddfodau. He won a total of 45 chairs and three crowns at local and regional eisteddfodau. He mastered his poetic craft when attending evening classes run by Gwenallt (1899-1968) and Euros Bowen (1904-88), with support from his minister Revd Fred Jones (1877-1948) and national winning poets living locally such as Dewi Morgan (1877-1971) and the Revd W. J. Gruffydd (1916-2011) were also influential in his development. He published three volumes of verse: *Rhwng cyrn yr arad'* (1962), *Cerddi J. R.* (1970) and *Cerddi Cwm Eleri* (1980). His autobiography, *Atgof a cherdd*, was issued in 2003.

He was a faithful member of Bethel Welsh Independent Chapel, Tal-y-bont where he served as a deacon for 50 years and as secretary for a decade between 1957 and 1967.

He died on 9 August 2002 and his funeral was held on 14 August at Bethel Chapel and Aberystwyth Crematorium. He is survived by his widow who now lives in Llandudno.

Jones, Lewis Arthur (1890-1959)

Ffermwr, cymeriad lleol, a chystadleuydd mewn sioeau lleol.

Farmer, local character, and competitor in local shows.

Ganwyd Lewis Arthur ar 3 Gorffennaf 1890 a'i fedyddio yn Eglwys Elerch ar 24 Awst 1890, yn fab hynaf chwech o blant a anwyd i John Hugh Jones (g. 1859), ffermwr Bwlch-glas a'i wraig Margaret (née Davies). Roedd tad-cu John, sef Lewis Morris, o fferm Cwm-glo, hefyd yn daid i Richard Morris o Dan-y-bwlch, a nodir mewn cofnod ar wahân isod.

Bu John H. Jones a'i deulu yn byw am gyfnod ym Mhantyffynnon, fel a nodwyd yng nghyfrifiad 1901. Bu farw ei wraig Margaret (g. 1865) g yn 1906. Credir i John symud o Bantyffynnon ar ôl hynny, o bosibl i ailbriodi, a gadael ei gefnder Richard Morris fel y penteulu gyda chymorth pump o'i neiaint a'i nithoedd yn cynnwys Lewis Arthur Jones, yn ôl cyfrifiad 1911. Ymddengys i Lewis symud i Ffynnonwared ar ôl marwolaeth ei ewythr Richard Morris yn 1913. Mae Richard Morris wedi'i gladdu yn Eglwys Llanfihangel Genau'r-glyn.

Enwir Lewis Arthur Jones o Ffynnonwared fel un o nifer o bobl a roddodd ffrwythau a llysiau i'r gwasanaeth diolchgarwch am y cynhaeaf yn Eglwys Sant Pedr, Elerch yn 1916.

Cafodd ei eithrio yn amodol rhag gwasanaethu yn y Rhyfel Mawr ar ôl ymddangos gerbron Tribiwnlys Gwledig Aberystwyth ar 27 Ionawr 1917 ar y sail ei fod yn ffermio dros 100 o ddefaid a 14 o wartheg yn Ffynnonwared. Arhosodd ef a'i deulu ifanc yn Ffynnonwared tan 1924 a nhw oedd yr olaf i fyw yn y tŷ fferm.

Lewis Arthur was born on 3 July 1890 and baptized at Elerch Church on 24 August 1890, the eldest son of six children born to John Hugh Jones (b. 1859), a farmer at Bwlch-glas and his wife Margaret (née Davies).

John's grandfather was Lewis Morris, of Cwm-glo farm who was also the grandfather of Richard Morris of Tan-y-bwlch, who is noted in a separate entry below.

John Hugh Jones and his family later lived at Pantyffynnon, as recorded in the 1901 census. His wife Margaret (b. 1865) died in 1906, and is buried at Elerch. It is believed that John then moved from Pantyffynnon, and possibly remarried, leaving Richard Morris, his cousin, as the head of the Pantyffynnon household in the 1911 census, aided by five of his nephews and nieces including the 20 year old Lewis Arthur Jones. It appears that Lewis moved to Ffynnonwared following the death of Richard Morris in 1913 – he is buried at Llanfihangel Genau'r-glyn Church.

Lewis Arthur Jones of Ffynnonwared is named as one of a number of persons who donated fruit and vegetables to the annual harvest thanksgiving service at St. Peter's Church, Elerch in 1916.

He was granted a conditional exemption from serving in the Great War after appearing before the Aberystwyth Rural Tribunal on 27 January 1917 on the grounds that he was farming over 100 sheep and 14 cattle at Ffynnonwared. He and his young family

Treuliodd Lewis Arthur ei flynyddoedd olaf ym Mryn Dewi, Capel Dewi, a bu'n gweithio i'r Cyngor fel dyn ffordd. Cafodd y tŷ ei ddymchwel ryw 40 mlynedd yn ôl ac adeiladwyd tŷ newydd ar y safle yn dwyn yr enw Elonwy.

Fe'i cofir yn annwyl gan ei wyrion a'i wyresau sydd wedi rhannu atgofion gwerthfawr amdano gyda mi. Yr unig atgof sydd gan David Jones o'i dad-cu yw cael torri ei wallt ganddo, a ddisgrifiodd fel 'profiad poenus na chafodd ei ailadrodd byth wedyn'!

Cofia Eirwen McAnulty hefyd am sgiliau trin gwallt gan nodi ei fod yn gweithredu fel barbwr answyddogol i lawer o'r gweision fferm lleol. Fodd bynnag, ei brif ddiddordeb oedd ei ardd a'i flodau, yn enwedig dahlias, a bu'n cystadlu gyda llwyddiant mewn sioeau garddwriaethol lleol. Bu hefyd yn cynorthwyo teulu Davies o fferm gyfagos Rhydtir Isaf gyda'r gwaith o baratoi ceffylau gwedd ar gyfer sioeau amaethyddol. Nododd Eirwen: 'Dadcu oedd y person y byddent yn ei holi os am blatio ac addurno'r myng a'r cynffonnau. Byddai'n gwisgo côt wen ar gyfer gwneud y gwaith'.

Bu farw Lewis Arthur Jones yn 69 mlwydd oed ar 4 Hydref 1959, a chladdwyd ef yn Elerch ar 8 Hydref. Goroesodd ei wraig Sarah Ellen (1883-1966) a chladdwyd hithau yn Eglwys Bresbyteraidd Penllwyn, Capel Bangor. Magodd Lewis Arthur a'i wraig deulu o bump o blant: Islwyn, John Wynne, Richard Eurfryn, Arthur Irwel a Mary Iris (Blundell).

Arddangos yn Sioe Tal-y-bont.
Exhibiting at Tal-y-bont Show.

remained at Ffynnonwared until 1924 and were the last occupants of the farm.

He spent his later years at Bryn Dewi, Capel Dewi, and worked for the Council as a road-man. The house was demolished some 40 years ago and replaced with a new house, called Elonwy.

He is fondly remembered by his grandchildren who have provided me with some valuable reminiscences. David Jones' only recollection of his grandfather is of having his hair cut with a manual clippers, which he described as 'a painful experience that was never repeated!'. Eirwen McAnulty also confirmed his hairdressing exploits noting that he acted as an unofficial barber to many of the local farm hands. However, his main delight was his garden and flowers, especially dahlias, in which he took a lot of pride and competed successfully in local horticultural shows. He also assisted the Davies family of neighbouring Rhydtir Isaf with the work of preparing shire horses for agricultural shows. She noted:

'Dadcu was the person they called upon to plait and decorate the manes and tails, for which he would wear a white coat to do the job'.

Lewis Arthur Jones died aged 69 years on 4 October 1959, and was buried at Elerch on 8 October. His wife Sarah Ellen (1883-1966) survived him and is buried at Penllwyn Presbyterian Church, Capel Bangor. Lewis Arthur and his wife raised a family of five children: Islwyn, John Wynne, Richard Eurfryn, Arthur Irwel and Mary Iris (Blundell).

Jones, Morris Benjamin ('ap Einiog'; 1882-1949)

Ffermwr a bardd gwlad a fu'n byw yn fferm Cyneiniog.

Ganwyd Morris Benjamin Jones yn 1882 yn fab i Evan a Margaret Jones, Bwlch-y-ddwyallt, Tal-y-bont. Bu'n ffermio Cyneiniog yng Nghwm Tŷ-nant gyda'i briod Ellen (1875-1954), merch i William a Mary Hughes, Gwelfryn, Bow Street, ac yna'n ddiweddarach yn fferm Tŷ'r Abbi, Llangorwen. Roedd yn ffermwr llwyddiannus yn ogystal â bod yn fardd gwlad a ysgrifennai o dan y ffugenw 'Ap Einiog'. Cyhoeddwyd rhai o'i gerddi ym mhapurau newydd *Baner ac Amserau Cymru* a'r *Welsh Gazette*, yn cynnwys marwnad i'w gyfnither Mary Elizabeth Jenkins a molawd i deulu Pryse Gogerddan. Yng nghylchgrawn yr Annibynwyr, *Dysgedydd y Plant*, ceir cerdd ganddo am ddyfodiad y gwcw yn y Gwanwyn.

Bu farw Morris Benjamin Jones yn 67 oed ac fe'i claddwyd ym mynwent gyhoeddus Tal-y-bont ar 22 Gorffennaf 1949. Gadawodd weddw Ellen (née Hughes; 1875-1954). Roedd eu mab Evan Jones a'i briod Mary (née Williams), merch Berthlwyd, Llanilar, yn rhieni i Mrs Mair Evans, Dole, Bow Street, a fu'n gymorth mawr i mi gyda'r nodiadau hyn.

A farmer and folk poet who lived at Cyneiniog.

Morris Benjamin Jones was born in 1882, the son of Evan and Margaret Jones, Bwlch-y-ddwyallt, Tal-y-bont. He lived at Cyneiniog with his wife Ellen (1875-1954), the daughter of William and Mary Hughes, Gwelfryn, Bow Street, before moving later to Tŷ'r Abbi, Llangorwen. In addition to being a successful farmer, he also wrote poetry under the pseudonym 'Ap Einiog'. He published some of his work in *Baner ac Amserau Cymru* and the *Welsh Gazette* including an elegy to his cousin Mary Elizabeth Jenkins and a poem praising the Pryse family of Gogerddan. In *Dysgedydd y Plant*, a nonconformist periodical, he published a poem on the arrival of the cuckoo in Spring.

Morris Benjamin Jones died aged 67 years, and was buried at Tal-y-bont cemetery on 22 July 1949. He left a widow Ellen (née Hughes; 1875-1954). Their son Evan Jones and his wife Mary (née Williams), Berthlwyd, Llanilar were the parents of Mrs Mair Evans, Dole, Bow Street, who kindly assisted me with these notes.

Jones, Valma (1919-2020)

Prifathrawes Ysgol Elerch.

Bu Mrs Valma Jones yn brifathrawes ar Ysgol Elerch o 1 Hydref 1948 hyd nes i'r ysgol gau ar 19 Rhagfyr 1958. Treuliodd y 1960au yn athrawes yn Ysgol Gynradd Penrhyn-coch, cyn ei phenodi yn brifathrawes Ysgol Trefeurig ar 1 Medi 1970. Bu'n arwain dathliadau canmlwyddiant yr Ysgol yn 1975, a threuliodd ddegawd fel prifathrawes yno cyn ymddeol yn 1980. Yn ystod y cyfnod hwn bu dyfodol yr ysgol fach wledig hon dan fygythiad parhaol, a chwaraeodd Valma ran allweddol yn yr ymgyrch hir i achub yr Ysgol. (Collwyd y frwydr honno ar 21 Gorffennaf 2006, pan gaewyd yr ysgol am y tro olaf wrth i nifer y disgyblion syrthio i 12 yn unig).

Ganwyd Valma Morris ar 13 Rhagfyr 1919, yn un o blant Lewis a Gwladys Morris, Y Glennydd, Tal-y-bont – un o deuluoedd hynotaf a hynaf y pentref. Addysgwyd hi yn yr ysgol gynradd leol, Ysgol Sir Ardwyn a Choleg Hyfforddi Abertawe. Yn 1944 priododd gydag Ithel Wyn Jones (1916-2006), brodor o Fethesda, a fu'n brifathro ar Ysgol Gynradd Tal-y-bont o 1948 hyd at ei ymddeoliad yn 1977. Cyfrannodd y ddau nifer o benodau i gyfrol *Ein Canrif* a gyhoeddwyd adeg y milflwydd gan Gymdeithas Henoed Ceulanamaesmawr, a chwarae rhan flaenllaw ym mywyd y gymuned leol. Roeddynt hefyd yn aelodau brwd o Glwb Carafanwyr Cymru ac yn mwynhau teithiau tramor. Y Wern, Tal-y-bont oedd eu cartref.

Headteacher of Elerch School.

Mrs Valma Jones was headmistress of Ysgol Elerch from 1 October 1948 until the closure of the school on 19 December 1958. She spent the 1960s as a teacher at Penrhyn-coch Primary School, before being appointed head teacher of Ysgol Trefeurig on 1 September 1970, and led the School's centenary celebrations in 1975, spending a decade as head mistress before retiring in 1980. During this time the future of this small rural school was under constant threat of closure, but Valma played a key rôle in the long campaign to save the school. (The battle was eventually lost on 21 July 2006, when the school finally closed as the number of pupils fell to only 12).

Valma Morris was born on 13 December 1919, one of the five children of Lewis and Gwladys Morris, Y Glennydd, Tal-y-bont – one of the oldest amd most notable families in Tal-y-bont. She was educated at the local primary school, Ardwyn County School, Aberystwyth and Swansea Training College. In 1944 she married Ithel Wyn Jones (1916-2006), a native of Bethesda, who was the headmaster of Tal-y-bont Primary School from 1948 until his retirement in 1977. Both contributed a number of chapters to *Ein Canrif / Our Century*, the volume published to mark the millennium by Ceulanamaesmawr Elderly Society, and they also played an active part in the community, and were enthusatic members of the Welsh Caravanning Club and both enjoyed travelling. Their home was Y Wern, Tal-y-bont.

Bu Valma farw ar 12 Mai 2020 yng Nghartref Gofal Aber-mad ychydig fisoedd ar ôl dathlu ei phen-blwydd yn 100 oed. Cynhaliwyd angladd preifat yn Amlosgfa Aberystwyth ar 28 Mai 2020.

Valma Jones yn rhoi gwers canu yn Ysgol Elerch.

Valma died on 12 May 2020 at Aber-mad Care Home just months after celebrating her 100th birthday. A private funeral was held at Aberystwyth Crematorium on 28 May 2020.

Valma Jones giving a singing lesson at Elerch School.

Jones, William John Francis (1908-2005)

Ffermwr Bwlchrosser.

William John Francis Jones oedd yr olaf o deulu nodedig Bwlchrosser, teulu a fu'n ffyddlon iawn i achos Eglwys Elerch. Bu ei chwaer Margaret Catherine 'Katie' Jones (1925-1987) yn organydd ac yn drysorydd yr Eglwys am nifer o flynyddoedd. Arferai hithau weithio fel ysgrifenyddes yn swyddfa'r *Cambrian News*. Bu brawd iau William John, sef Richard Lewis Jones (1912-2002), hefyd yn deyrngar i'r achos. Ymddeolodd y ddau frawd a'r chwaer i fyw yn 4 Maes Seilo, Penrhyn-coch ar ddiwedd y 1970au.

Bedyddiwyd y tri yn Eglwys Elerch yn blant i Alfred Jones (1886-1971), gynt o Breswylfa, Bow Street a mab i Price Jones a'i briod Mary Evans (1891-1971), merch John a Mary Evans, Pantyffynnon. Mae Alfred Jones, ei briod, a'r tri phlentyn wedi eu claddu ym mynwent Eglwys St. Ioan, Penrhyn-coch.

A farmer at Bwlchrosser.

William John Francis Jones was the last member of a notable family who lived at Bwlchrosser, a family that were very supportive of St. Peter's Church, Elerch. His sister Margaret Catherine 'Katie' Jones (1925-1987) was the organist and Church treasurer for many years. She once worked as a secretary at the offices of the *Cambrian News*. William John's younger brother, Richard Lewis Jones (1912-2002), was also faithful to the cause. The two brothers and sister retired to live at 4 Maes Seilo, Penrhyn-coch at the end of the 1970s.

The three were baptized at Elerch the children of Alfred Jones (1886-1971), formerly of Preswylfa, Bow Street and the son of Price Jones and his wife Mary Evans (1891-1971), the daughter of John and Mary Evans, Pantyffynnon. Alfred Jones, his wife and all three children are all buried at St. John's Church, Penrhyn-coch.

Lloyd, Ceredig (1941-2015)

Athro ac ysgolhaig clasurol a fu'n byw yn yr Hen Siop, Bont-goch.

Ganwyd Ceredig Lloyd ar 11 Rhagfyr 1941 yn unig blentyn i'r Parchg William Lloyd a'i briod Judith. Ymgartrefodd yn yr Hen Siop yn Bont-goch yn 1965 ar ôl cwblhau ei addysg. Roedd gwreiddiau'r teulu yn yr ardal, fel y nodir yng nghofnodion ei ewythr Stanley a'i dad William.

Addysgwyd Ceredig yn ysgol fonedd Rossall, Fleetwood, Swydd Gaerhirfryn gan gwblhau ei lefel 'A' yno yn 1959, cyn graddio BA yn y clasuron yng Ngholeg Balliol, Rhydychen yn 1964, ac yna dilyn cwrs ôl-radd yng Ngholeg Llyfrgellwyr Cymru, Llanbadarn Fawr yn 1965-66. Bu'n athro am gyfnod yn Ysgol Breswyl Aber-mad, ger Llanilar, hyd nes i'r ysgol honno gau yn 1972.

Roedd Ceredig yn ŵr annwyl a phreifat iawn, ac yn hoff o ddarllen a gwrando ar gerddoriaeth glasurol, ac roedd ganddo gasgliad da o recordiau. Bu farw ar 5 Ionawr 2015, yn 73 mlwydd oed. Roedd yn aelod yn Eglwys St. Pedr, Elerch, ac yno y cynhaliwyd ei angladd ar ddydd Gwener, 16 Ionawr 2015. Mae wedi ei gladdu ym mynwent yr Eglwys.

A teacher and classical scholar who lived at the Old Shop, Bont-goch.

Ceredig Lloyd was born on 11 December 1941, the only child of the Revd William Lloyd and his wife Judith. He made his home at the Old Shop, Bont-goch in 1965 after completing his education. His family roots were in the parish, as noted in the entries below relating to his uncle, Stanley Lloyd, and his father William.

Ceredig was educated at Rossall public school, Fleetwood, Lancashire completing his 'A' Level in 1959, and graduated BA from Balliol College, Oxford with a degree in the classics in 1964. He subsequently pursued a post-graduate diploma at the College of Librarianship Wales, Llanbadarn Fawr in 1965-66. He taught at Aber-mad private school, near Llanilar until its closure in 1972.

Ceredig was a kind and private man who was fond of reading and listening to classical music. He died on 5 January 2015, aged 73 years. He was a member of St. Peter's Church, Elerch where his funeral was held on 16 January, and where he is buried.

Lloyd, Stanley ('Stanle'r Felin'; 1907-1986)

Gwladwr a chymeriad a anwyd yn Tŷgwyn, ac a fu'n gysylltiedig â'r Felin.

Ganwyd Stanley Lloyd yn Nhŷgwyn, Elerch, ar 23 Awst 1907 yn fab i Hugh Lloyd (1853-1913) a'i briod Margaret Ann (née Thomas; 1870-1944) a'i fedyddio yn Eglwys Elerch ar 19 Ebrill 1908. Hanai teulu Hugh Lloyd o Benrhyn-coch. Roedd Mary Ann yn un o deulu Camddwr Mawr, Nant-y-moch, ac yn ferch i Benjamin Thomas, o deulu Steddfa, Ponterwyd. Mary oedd trydedd gwraig Hugh Lloyd ac roedd Stanley yn frawd hŷn i William a nodir isod. Symudodd y teulu i Dai'r Felin pan oedd Stanley yn ifanc iawn, ond nid oedd ganddo, yn ôl Hilda Thomas ac eraill, gof o'r felin yn weithredol.

Gŵr tawel diymhongar ydoedd ac ni fu erioed ymhell o'i gartref. Gweithiodd am gyfnod yng Nghraig y Pistyll yn gollwng ac yn ail-gronni'r dŵr yn y llyn ar gyfer y pentrefi lawr gwlad. Wedi hynny bu'n bostmon yn ardal Tal-y-bont hyd at Ionawr 1961, cyn dychwelyd i weithio ym Mhurfa Ddŵr Bont-goch yn Chwefror 1961. Roedd hefyd yn arbenigwr ar drwsio oriorau a chlociau. Ond yn fwy na dim, efallai, roedd yn un o gymeriadau mwyaf gwreiddiol a diwylliedig y pentref ac yn wybodus iawn am ei hanes.

A countryman and character born at Tŷgwyn, but mainly associated with Y Felin.

Born at Tŷgwyn, Elerch, on 23 August 1907, Stanley Lloyd ('Stanle'r Felin') was the son of Hugh Lloyd and his wife Margaret Ann (née Thomas; 1870-1944) and was baptized at Elerch Church on 19 April 1908. Hugh Lloyd's family came originally from Penrhyn-coch. Mary's family were from Camddwr Mawr, Nant-y-moch, and she was the daughter of Benjamin Thomas, of Steddfa, Ponterwyd. Mary was Hugh Lloyd's third wife, and Stanley was an elder brother to William noted below. The family moved to Tai'r Felin in Bont-goch when Stanley was very young, but according to Hilda Thomas and others, Stanley could not recall the mill in use.

Stanley was a quiet unassuming man who never roamed far from home. He worked briefly at the Craig y Pistyll reservoir which controlled the supply of water to many lowland villages. He also worked as a postman in the Tal-y-bont area until January 1961, before gaining employment again at the water treatment plant at Bont-goch in February 1961. He was an expert repairer of clocks and watches. But above all, perhaps, he was one of the most original and knowledgeable

Yng nghyfrol nodedig Erwyd Howells ar fugeiliaid canolbarth Cymru, *Good men and true*, ceir llun o Stanley Lloyd mewn grŵp o bobl yn cynorthwyo gyda'r gwaith cneifio ar fferm Nant-y-moch. Byddai'n cynorthwyo gyda'r gwaith cneifio yn yr ardal yn flynyddol ac yn cerdded defaid o Bont-goch i Nant-y-moch, taith o dros chwe milltir, adeg Calan Mai. Byddai'r un daith yn cael eu hail adrodd, wrth eu dychwelyd o'r mynydd yn yr Hydref. Cymwynas deuluol oedd hon gan fod teulu ei fam, fel y nodwyd, yn hanu o Nant-y-moch ac roedd ei fam-gu yn chwaer i William James (1856-1917), tad John (1881-1966) a'i frawd Jim (1891-1969), y ddau olaf i fyw yn fferm Nant-y-moch cyn iddynt adael yn 1961 adeg boddi'r cwm.

Bu farw Stanley Lloyd yn 78 mlwydd oed ar 25 Mai 1986 yn Ysbyty Heol y Gogledd, Aberystwyth ar ôl cystudd hir, ac fe'i claddwyd yn Eglwys Elerch ar 29 Mai. Claddwyd ei dad yn Eglwys Elerch a'i fam Mary Ann Lloyd yn Nhal-y-bont gyda hanner brawd Stanley, sef Private 80420 23rd King's Liverpool Regiment Benjamin James Thomas (1896-1918) a fu'n filwr a oroesodd y Rhyfel Mawr, ond a fu farw yn dilyn pandemig y ffliw Sbaenaidd a laddodd filiynau ar ddiwedd y degawd.

characters in the village, especially in relation to its history.

Erwyd Howells' standard work on the shepherds of mid Wales, *Good men and true*, includes a photograph of Stanley Lloyd among a group of people assisting with sheep shearing at Nant-y-moch. He would offer his help annually in the work of sheep shearing, and at the beginning of May he would take a flock of sheep and walk them from Bont-goch to Nant-y-moch, a journey of over six miles. The return journey to bring the sheep down to lower ground would take place in October. It was natural for Stanley to assist in this way as his mother's family, as noted, hailed from Nant-y-moch, and his grandmother was a sister to William James (1856-1917), the father of John (1881-1966) and his brother Jim (1891-1969), the last two people to live at Nant-y-moch before they left in 1961, prior to the drowning of the valley.

Stanley died after a long illness on 25 May 1986, aged 78 years, at North Road Hospital, Aberystwyth. He was buried at Elerch Church on 29 May. His father was also buried at Elerch, but his mother Mary Ann Lloyd was buried at Tal-y-bont cemetery with Stanley's step-son, Private 80420 23rd King's Liverpool Regiment Benjamin James Thomas (1896-1918) who had survived the Great War, only to succumb to the 1918 Spanish flu pandemic that killed millions of citizens at the end of the decade.

Lloyd, William (1910-1970)

Ficer Mochas, Swydd Henffordd, a anwyd yn Nhŷgwyn.

Roedd William Lloyd yn frawd iau i Stanley (a nodir uchod) a chafodd ei eni yn Nhŷgwyn, Elerch ar 11 Rhagfyr 1910, a'i fedyddio yn Eglwys Elerch ar 2 Ebrill 1911. Ar ôl gadael Ysgol Elerch bu'n dilyn cwrs

Vicar of Moccas, Herefordshire, born at Tŷgwyn.

William Lloyd was the younger brother of Stanley (noted above), and was born at Tŷgwyn, Bont-goch on 11 December 1910, and baptized at Elerch Church on 2 April 1911. He was educated at Elerch School, after which he pursued a course of study at Usk Agricultural

amaethyddol ym Mrynbuga. Ond bu ficer plwyf Elerch, David Charles, yn ei annog i fynd i'r offeiriadaeth, a phenderfynodd fynychu coleg paratoawl St. Ioan, yn Ystradmeurig. Yn ddiweddarach mynychodd Goleg Prifysgol Cymru, Aberystwyth gan raddio BA yn 1940. Oddi yno aeth i Goleg Dewi Sant, Llanbedr Pont Steffan i astudio diwinyddiaeth, ac fe'i hordeiniwyd yn 1941.

Bu'n gurad Ystalyfera yn esgobaeth Abertawe & Aberhonddu rhwng 1941 a 1944, ac yn gurad Llanwnnog a Chaersws yn esgobaeth Bangor rhwng 1944-48, cyn symud i esgobaeth Henffordd fel ficer Sarn, 1948-57. Rhwng 1957 a 1962 bu'n offeiriad plwyf Westbury-on-Severn yn Swydd Gaerloyw. Yn ystod ei gyfnod yno bu hefyd yn gaplan ysbyty lleol Westbury Hall. Penodwyd ef yn rheithor Moccas gyda Preston-on-Wye a Blakenmore yn Swydd Henffordd yn 1962, ac yn gurad Bredwardine a Brodbury, a bu yno hyd at ei farwolaeth ar 18 Ebrill 1970, yn 59 mlwydd oed. Fe'i claddwyd yn Eglwys Moccas ar 23 Ebrill.

Priododd yn 1940 Judith Jones (1900-1962), merch Evan a Margaret Jones, Tŷ'n-bwlch, Lledrod. Claddwyd Judith Lloyd yn Eglwys Lledrod ar 18 Awst 1962 yn 62 oed. Nodir uchod eu hunig blentyn, Ceredig Lloyd (1941-2015). Ailbriododd William Lloyd gyda Mabel Vaughan (1904-2006) yn Weobley, Swydd Henffordd

College. The vicar of Elerch, David Charles, encouraged him to consider entering the Church, and to that end he furthered his preparatory education at St. John's College, Ystradmeurig. He then entered University College of Wales, Aberystwyth and graduated BA in 1940. He subsequently studied theology at St. David's College, Lampeter, and was ordained in 1941.

He served as the curate of Ystalyfera in the Swansea & Brecon Diocese between 1941 and 1944, and curate of Llanwnnog w. Caersws in the Diocese of Bangor between 1944 and 1948, before transferring to the Diocese of Hereford to serve as vicar of Sarn, 1948-57. From 1957 until 1962 he was the vicar of Westbury-on-Severn in Gloucestershire. During his period there he also served as the chaplain of Westbury Hall Hospital. He was appointed rector of Moccas w. Preston-on-Wye and Blakenmore in Herefordshire in 1962, and curate of Bredwardine and Brodbury, and remained there until his death in 1970. He died on 18 April 1970, aged 59 years, and was buried at Moccas Church on 23 April.

He married in 1940 Judith Jones (1900-1962), daughter of Evan and Margaret Jones, Tŷ'n-bwlch, Lledrod. Judith Lloyd was buried at Lledrod Church, on 18 August 1962, aged 62 years. Their only son Ceredig Lloyd (1941-2015) is noted above. William Lloyd subsequently married Mabel

yn 1963. Bu hithau farw yn Nghartref Gofal Chestnuts, Crucywel ar 26 Chwefror 2006, yn 101 oed. Mae hi wedi ei chladdu gyda'i gŵr, William Lloyd, yn Eglwys Moccas.

Vaughan (b. 1907) at Weobley, Herefordshire in 1963. She died at the Chestnuts Care Home, Crickhowell on 26 February 2006, at the age of 101. She is buried with her husband, William Lloyd, at Moccas Church.

Lowe, Michael Anthony (1948-2020)

Cyn ddarlithydd a chyfaill a fu'n byw yn Hafod Elerch.

Syfrdanwyd nifer fawr o glywed am farwolaeth sydyn Mike ar Dydd Sul 13 Medi 2020. Bu'n byw yn Hafod Elerch, Bont-goch rhwng 2000 a 2015, cyn symud i Fryn Melyn, Comins-coch, Aberystwyth.

Fe'i ganwyd yn Kingston upon Hull ar 27 Ionawr 1948 a'i fagu yn ardal Bearwood, ger Llanllienni, yn Swydd Henffordd. Daeth i Aberystwyth ar ddiwedd y 1960au i astudio llyfrgelluddiaeth, ac ar ôl cymhwyso bu'n gweithio am bedair blynedd yn Sir Gorllewin Sussex. Dychwelodd i Gymru yn 1974 gan dderbyn swydd fel Llyfrgellydd Cynorthwyol yng Ngholeg Llyfrgellwyr Cymru, swydd a gyflawnodd am ddegawd cyn ei apwyntiad yn ddarlithydd ar staff y Coleg ac yna yn Adran Astudiaethau Gwybodaeth a Llyfrgelluddiaeth, Prifysgol Aberystwyth. Yn ystod ei yrfa treuliodd gyfnodau ar secondiad yn yr Affrig ag India'r Gorllewin. Ymddeolodd o waith llawn amser yn 2003 gan barhau yn rhan amser hyd at 2008.

Roedd ef a'i briod Sue, a'u plant George a Florrie, yn gymdogion hyfryd i ni am dros bymtheg mlynedd, ac roedd hi'n gyfle da i ddod i adnabod Mike am yr eildro gan i ni fod yn gyd-fyfyrwyr. Roedd yn ŵr dawnus gyda

Former lecturer and friend who lived at Hafod Elerch.

Many were shocked to hear of Mike's very sudden death on Sunday 13 September 2020. He had lived at Hafod Elerch, Bont-goch from 2000 to 2015, before moving to Bryn Melyn, Comins-coch, Aberystwyth.

He was born in Kingston upon Hull on 27 January 1948 and raised in the village of Bearwood, near Leominster, Herefordshire. He came to Aberystwyth to study librarianship in the late 1960s, and after qualifying he worked for four years at West Sussex County Library. In 1974 he returned to Wales after being appointed Assistant Librarian at the College of Librarianship, Wales, a post he held for a decade, prior to being appointed a lecturer on the College staff which later became the Department of Information and Library Studies, at Aberystwyth University. He also spent time on secondment in Africa and in the West Indies. He retired from full-time work in 2003 continuing part-time until 2008.

He and his wife Sue, and their children George and Florrie, were our lovely neighbours for over fifteen years, and it was good to renew my acquaintance with

diddordebau eang. Roedd yn arddwr a choedwigwr o fri, yn mwynhau plygu perthi a thrin ei goedwig ym Mryn Melyn, ac roedd ei MG o gyfnod y 1930au yn rhoi llawer o bleser iddo, er ei fod, fel y gwn o brofiad ar ôl sawl taith, braidd yn anghyfforddus!

Roedd hefyd yn hoff iawn o bob math o chwaraeon a bywyd yr awyr agored, yn cynnwys canwïo, hwylio a beicio mynydd. Cawsom lawer o hwyl a sawl gornest gystadleuol iawn ar gyrsiau golff Y Borth a Chapel Bangor, ond gwrthodais ei gynigon caredig i fentro i'r môr, gan nad oeddwn yn medru nofio! Bu ef, a'i fab George, gyda mi droeon yn gwylio tîm pêl-droed Abertawe, adref ac i ffwrdd, ond tybiaf fod yn well gan Mike gymryd rhan mewn chwaraeon yn hytrach na gwylio.

Cynhaliwyd ei angladd yn Amlosga Aberystwyth ar 2 Hydref 2020 lle y'i claddwyd yn y goedlan a neilltuwyd ar gyfer hynny.

Mike as we had known each other as fellow students. He was a talented man with wide interests. An avid gardener and hedge layer, he enjoyed his woodland at Bryn Melyn, and his 1930s MG gave him great pleasure, although, as I knew from many excursions, it was a not the most comfortable of motoring experiences!

Mike also loved all kinds of sports and outdoor pursuits, including canoeing, sailing and mountain biking. We had lots of fun and several very competitive rounds of golf at Borth and Capel Bangor courses, but I declined his many kind offers to venture out to sea, as I am unable to swim! We also enjoyed many trips, along with George, to watch Swansea City, at home and away, but I think in all honesty that Mike preferred to play sport rather than be a spectator.

His funeral, a woodland burial, was held at Aberystwyth Crematorium on 2 October 2020.

Mason, David ('Grugog'; 1861-1914)

Bardd gwlad a dyn busnes yn Lerpwl, a anwyd ym Mwlch-y-dderwen, Cwm Tŷ-nant.

Ganwyd David Mason ym Mwlch-y-dderwen, Cwm Tŷ-nant yn 1861 a'i fagu yno. Roedd y fab i David Mason (1814-1878) a'i briod Catherine, née Evans, (?1818-1884).

Priododd David Mason â Margaret Jane Jenkins (1871-1936), merch fferm gyfagos Y Winllan yn 1892. Cyn ei briodas treuliodd David Mason rai blynyddoedd ym Mhatagonia, gan ennill y gadair yn Eisteddfod Trelew yn 1884 am gywydd ar y testun "Cartref". Ar ôl ei briodas bu ef a'i briod yn byw yn 34 Florist Street, Lerpwl gan redeg busnes llwyddiannus yno yn masnachu llaeth am dros ugain mlynedd. Nodir eu mab Dewi isod.

Ar ôl symud i Lannau Mersi ymaelododd David

Folk poet and Liverpool businessman, born at Bwlch-y-dderwen, Cwm Tŷ-nant.

David Mason was born at Bwlch-y-dderwen, Cwm Tŷ-nant in 1861 and also raised there. He was the son of David Mason (1814-1878) and his wife Catherine, née Evans, (?1818-1884).

David married Margaret Jane Jenkins (1871-1936), the daughter of the neighbouring farm, Winllan, in 1892. Before his marriage David Mason spent some time in Patagonia, winning the bardic chair at the Trelew Eisteddfod in 1884. After his marriage he and his wife lived at 34 Florist Street, Liverpool where they ran a successful dairying business for over twenty years. Their son Dewi is noted below.

David Mason became a member of Grove Street Welsh Independent Chapel, Liverpool, where the Revd

Mason yng nghapel yr Annibynwyr Cymraeg yn Grove Street, lle'r oedd Y Parchg David Adams (1845-1923), gŵr o Dal-y-bont, yn weinidog. Roedd Mason yn fardd medrus, a chyfrannodd yn rheolaidd i gylchgronau Cymraeg o dan y ffugenw 'Grugog'. Cyhoeddodd gyfrol yn dwyn y teitl *Odlau Hamdden* yn 1903, a gyflwynodd i'w frawd-yng-nghyfraith, Y Parchg John Davies, gweinidog Bethesda, Tŷ-nant, a nodir uchod.

Bu farw David Mason mewn ysbyty yn Lerpwl ym Mai 1914, yn 54 oed. Mae ef a'i wraig wedi eu claddu ym mynwent gyhoeddus Tal-y-bont. Roedd yn ewythr i'r archdderwydd, prifardd, emynydd a'r pregethwr J. J. Williams (1869-1954), ac yn hen ewythr i Hilda Elizabeth Thomas (1914-2008), a nodir isod, gan i'w chwaer hŷn, Elizabeth Mason (1848-1890), briodi â David Evans (?1843-1916), Nantyperfedd, Elerch.

David Adams (1845-1923), born at Tal-y-bont, was minister. Mason was an accomplished poet and he contributed regularly to the Welsh language press writing under the pseudonym 'Grugog'. He published a volume of verse entitled *Odlau Hamdden* in 1903 which he dedicated to his brother-in-law, the Revd John Davies, minister of Bethesda, Tŷ-nant, noted above.

David Mason died at a hospital in Liverpool in May 1914, aged 54 years. He and his wife are both buried at Tal-y-bont cemetery. He was an uncle to the renowned poet, archdruid, hymn writer and minister, J. J. Williams (1869-1954), and a great uncle to Hilda Elizabeth Thomas (1914-2008), noted below, as his eldest sister, Elizabeth Mason (1848-1890), married David Evans (?1843-1916), Nantyperfedd, Elerch.

Mason, Dewi (1892-1916)

Milwr, a anwyd yn Y Winllan, ac a gollodd ei fywyd yn y Rhyfel Mawr.

Ganwyd Dewi Mason yn Y Winllan, Cwm Tŷ-nant, yn fab i David Mason (1861-1914), Bwlch-y-dderwen, a'i briod Margaret Jane Jenkins (1872-1936), merch fferm Y Winllan, a nodir uchod. Roedd yn aelod yng Nghapel Grove Street, Lerpwl ac yn ysgrifennydd yr Ysgol Sul.

Enlistiodd Private Dewi Mason (23354) yn 16eg Bataliwn y Ffiwsilwyr Cymreig, ac erbyn Rhagfyr 1915 roedd wedi ymuno â'r brwydro yn Ffrainc. Collodd ei fywyd yn y Somme ar 11 Gorffennaf 1916, yn 25 oed ym mrwydr enwog Coedwig Mametz.

A soldier, born at Winllan, who lost his life in the Great War.

Dewi Mason was born at Winllan, Cwm Tŷ-nant, the son of David Mason (1861-1914), Bwlch-y-dderwen, and his wife Margaret Jane Jenkins (1872-1936), daughter of the neighbouring farm at Winllan. He was a member of Grove Street Independent Chapel, Liverpool, and was the secretary of the Sunday School.

Private Dewi Mason (23354) enlisted in the 16th battalion of the Royal Welch Fusiliers, and by December 1915 he was on active service in France. He lost his life at the Somme on 11 July 1916, aged 25 years, in the well-known

Enwir Dewi Mason ar gofeb mynwent Thiepval, sy'n cofnodi 72,000 o filwyr na fu modd adnabod eu cyrff.

Yn ddiweddar ychwanegwyd ei enw at gofeb Neuadd Goffa Tal-y-bont.

battle of Mametz Wood. He is listed on the monument at Thiepval cemetery which records 72,000 soldiers whose bodies were never recovered.

His name has recently been added to the commemorative plaque at Tal-y-bont Memorial Hall.

Morgan, John (1872-1958)

Ficer Great Marsden, Nelson, Swydd Gaerhirfryn.

Ganwyd John Morgan yn Bont-goch ar 17 Gorffennaf 1872, yn fab i David Morgan(s), mwynwr, a'i briod Mary Jane (née Humphreys). Roeddent yn byw yn y rhan o bentref Bont-goch a arferai syrthio o fewn plwyf Tirymynach – hynny yw, y darn o'r bont hyd at y ffordd sy'n arwain i gyfeiriad Mynydd Gorddu.

Mynychodd John Ysgol Elerch, ac Ysgol Ramadeg Old Bank yn Aberystwyth, gan gychwyn ei astudiaethau yng Ngholeg Llanbedr Pont Steffan yn Hydref 1895. Cwblhaodd ei gwrs Trwydded mewn Diwinyddiaeth yn llwyddiannus yn 1897, ac fe'i hordeiniwyd yn Llandaf yn 1898. Apwyntiwyd ef yn gurad Pen-maen yn Sir Fynwy ym Medi 1898, cyn symud ymhen dwy flynedd i fod yn gurad Colne yn Swydd Gaerhirfryn. Penodwyd ef yn gurad St. John's, Great Marsden, Nelson yn 1905 gan ei ddyrchafu'n ficer ar yr un ofalaeth yn 1907, pan yn 35 oed. Dathlodd 50 mlynedd yn ei ofalaeth yn 1955 pan gyflwynwyd iddo dysteb o £130. Bu'n gwasanaethu yn y plwyf am 53 mlynedd, hyd nes ei farw yn 86 oed ar 31 Rhagfyr 1958.

Roedd yn gymeriad lliwgar iawn, a byddai'n gyrru car Humber dwy sedd yn dyddio o 1928 am flynyddoedd lawer wrth fugeilio ei braidd. Roedd yn hoff o anifeiliaid a byddai'n cadw nifer o gŵn, cathod ac ieir. Roedd hefyd yn hoff o saethu ac yn chwarae golff a snwcer yn rheolaidd. Yn ei ddyddiau cynnar roedd hefyd yn hoffi marchogaeth ceffylau. Dywedir

Vicar of Great Marsden, Nelson, Lancashire.

John Morgan was born in Bont-goch on 17 July 1872, the son of David Morgan(s), lead miner and his wife Mary Jane (née Humphreys). It is unclear at which house he was born, but it was in that part of the village that fell within Tirymynach parish – that is, the area to the west of the River Leri leading towards Mynydd Gorddu.

John attended Elerch School and the Old Bank Grammar School at Aberystwyth, before commencing his higher education at St. David's College, Lampeter in October 1895. He completed his Licence in Divinity course successfully in 1897, and was ordained at Llandaff in 1898. He was appointed curate of Pen-maen in Monmouthshire in September 1898, before moving within two years to serve as curate of Colne in Lancashire. In 1905 he was appointed curate of St. John's Church, Great Marsden, Nelson, and was elevated vicar of the parish in 1907, at the age of 35. He celebrated 50 years of service to the parish in 1955 when he was presented with a testimonial of £130. He served the parish faithfully for a total of 53 years, until he died on 31 December, 1958, at the age of 86.

John Morgan was a very colourful character, and a familiar figure in his 1928 two seater Humber car. He loved animals and kept a number of dogs, cats and chickens. In his earlier days he was an accomplished horse rider. He also enjoyed shooting and played golf and snooker regularly. It is said that he did not lose his

na chollodd ei acen Gymreig, a phregethodd dros 5,000 o weithiau yn Eglwys St. Ioan, Great Marsden.

Priododd deirgwaith. Priododd yn gyntaf Mrs Elizabeth Kemp (née Davies), gwraig weddw Thomas Kemp (1818-89), gŵr o Gernyw, ac asiant mwyngloddio yng ngweithfeydd Bronfloyd a Mynydd Gorddu. Priododd y ddau yn Swyddfa'r Cofrestrydd, Aberystwyth ar 5 Tachwedd 1892. Roedd gan Elizabeth fab, Thomas Kemp (g. 1883), o'i phriodas gyntaf, ac fe'i bedyddiwyd yn Eglwys Elerch ar 26 Mehefin 1883. Bu yntau yn byw yn Burnley yn ddiweddarach lle bu'n glerc banc.

Roedd Morgan yn ŵr gweddw pan briododd eilwaith gyda Annie Mary Humphreys, (g. 1878), merch David Humphreys, saer maen o Stanley Terrace, Aberystwyth yn Eglwys y Drindod Sanctaidd, Aberystwyth ar 26 Gorffennaf 1901. Bu hi farw yn ifanc ar 25 Ionawr 1921 yn 43 oed. Roedd ganddynt dair o ferched: Jane Marjory (g. 1903), Irene Gwendoline (g. 1905) a Mary Gweniver (g. 1909).

Priododd John Morgan am y trydydd tro ar 7 Mehefin 1922 yn Eglwys St. Mihangel, Aberystwyth. Ei briod oedd Elizabeth Ellen Kemp (g. 21 Mai 1883), gwraig weddw ei lysfab Thomas Kemp, a nodwyd

Welsh accent, and preached over 5,000 times at St. John's Church, Great Marsden.

He married three times. He first married Mrs Elizabeth Kemp (née Davies), widow of Thomas Kemp (1818-89), a Cornish mining agent who worked at Bronfloyd and Mynydd Gorddu lead mines. They married at the Registrar's Office, Aberystwyth on 5 November 1892. Elizabeth's son, Thomas Kemp (b.1883), from her first marriage, was baptized at Elerch Church on 26 June 1883. He later lived at Burnley where he worked as a bank clerk.

Morgan was a widower when he married Annie Mary Humphreys, (b. 1878), daughter of David Humphreys, a stonemason from Stanley Terrace, Aberystwyth. They married at Holy Trinity Church, Aberystwyth on 26 July 1901. Annie Mary died at the age of 43 years on 25 January 1921. They had three daughters: Jane Marjory (b. 1903), Irene Gwendoline (b. 1905) and Mary Gweniver (b. 1909).

John Morgan married for the third time on 7 June 1922 at St. Michael's Church, Aberystwyth. His bride was Elizabeth Ellen Kemp (b. 21 May 1883), the widow of his stepson, Thomas Kemp, mentioned above, who died in 1921. At

Shrovetide Fair, *c.* 1927, St. John's Church, Great Marsden, Nelson, Lancashire.

uchod, ac a fu farw yn 1921. Ar y pryd roedd Elizabeth yn byw yn 1 Custom House Street, Aberystwyth. Roedd hi'n enedigol o Ddiserth, Sir y Fflint, ac yn ferch i John Humphreys, saer maen, ac yn ôl pob golwg yn berthynas i'w wraig gyntaf. Bu Elizabeth Ellen Morgan farw ar 14 Medi 1968 ar ôl ymddeol i 82 Barkerhouse Road, Nelson. Cynhaliwyd ei hangladd yn Amlosgfa Burnley. Roedd ganddi un plentyn o'i phriodas gyntaf, sef Ivy Bridget E. Kemp (*g.* 1910) a fu farw yn ddi-briod yn Ribble Valley, Swydd Gaerhirfryn yn 1989.

Bu farw John Morgan yn 86 oed ar 31 Rhagfyr 1958. Fe'i claddwyd gyda'i ail wraig ym mynwent St. John's, Great Marsden.

that time Elizabeth lived at 1 Custom House Street, Aberystwyth. She was a native of Dyserth, Flintshire, the daughter of John Humphreys, a stonemason, and in all probability a relation to his second wife. Elizabeth Ellen Morgan retired to 82 Barkerhouse Road, Nelson, and died on 14 September 1968. Her funeral was held at Burnley Crematorium. She had one child from her first marriage – Ivy Bridget E. Kemp (*b.*1910), who died unmarried at Ribble Valley, Lancashire in 1989.

John Morgan died at the age of 86 on 31 December 1958. He was buried with his second wife at St. John's Church cemetery, Great Marsden.

Morgan, Olwen Eluned (1899-1947)

Athrawes yn Ysgol Elerch, 1921-1922.

Roedd Olwen Eluned Jones, a anwyd yn Atpar, Castellnewydd Emlyn yn 1900, yn ferch i David Hughes Jones a'i briod Hannah. Daeth yntau yn aelod o heddlu Sir Aberteifi, ond cyn hynny aeth i Lerpwl yn ŵr ifanc i ymuno â'r frigâd dân. Yn ddiweddarach gwasanaethodd fel heddwas yn Atpar a Thal-y-bont gan ddringo i fod yn rhingyll. Gyda'i briod Hannah, cafodd bedwar o blant yn cynnwys Olwen, a ddaeth ymhen amser yn fam i'r Arglwydd Elystan Morgan a'i frawd Deulwyn (1936-2000). Yn ei hunangofiant mae Elystan yn nodi cyraeddiadau ei fam a'i chysylltiadau gydag Ysgol Bont-goch:

> *Aeth fy mam i Goleg Aberystwyth yn 1917, gan ddilyn ei chwaer, Lilian, oedd wedi mynd yno ddwy flynedd o'i blaen. (Daeth hi'n ddiweddarach yn athrawes Ladin yng Nglynebwy). Mi raddiodd fy mam a bu'n dysgu am nifer o flynyddoedd [yn Bont-goch a'r Borth] … Roedd hynny'n orchest go fawr i ferch yn y dyddiau hynny. Ffaith ddiddorol arall amdani oedd y byddai'n teithio i'w gwaith ar gefn beic modur.*

Cwblhaodd Olwen Jones ei chyfnod fel darpar-athrawes yn Ysgol Tal-y-bont ar 30 Medi 1921, a chychwynnodd ei dyletswyddau fel athrawes gynorthwyol yn Elerch ar 3 Hydref, o dan brifathrawiaeth Dennis Hughes (1884-1941), a aeth ymlaen i fod yn brifathro Ysgol Llangynfelyn. Arhosodd Olwen yn Elerch am flwyddyn yn unig gan

Schoolteacher at Elerch School, 1921-1922.

Olwen Eluned Jones, born in 1900 at Adpar, Newcastle Emlyn, was the daughter of David Hughes Jones. and his wife Hannah. He became a member of the Cardiganshire constabulary, but prior to that he moved to Liverpool at a young age to work in the fire brigade. He later served as a police officer at Adpar and Tal-y-bont and rose to the rank of sergeant. With his wife Hannah, he had four children including Olwen, who would in time become the mother of Lord Elystan Morgan and his brother Deulwyn (1936-2000). In his autobiography, Elystan gives due recognition to his mother's achievements and to her connections with Bont-goch:

> *My mother went to Aberystwyth College in 1917, following her sister Lilian who went there two years earlier. (She later taught Latin at Ebbw Vale). My mother graduated, and taught … for many years [at Bont-goch and Borth] … That was some achievement for a female at that time. Another interesting fact about her was that she would arrive at work every day on her motor bike.*

Olwen Jones completed her student-teachership at Tal-y-bont School on 30 September 1921, and commenced her duties as an assistant teacher at Elerch on 3 October under the headship of Dennis Hughes (1884-1941), who later became headmaster at Llangynfelyn. She remained at Elerch for only a year, and moved

symud ymlaen ar ddiwedd Medi 1922. Cyn ei phriodas yn 1931 bu'n athrawes yn ysgol gynradd Y Borth.

Roedd Olwen yn falch o'i chyfraniad i'r byd addysg, ac ystyriai ei bod wedi llwyddo i ddysgu ei disgyblion i ysgrifennu, darllen a rhifo, a chadw'u pennau'n lân! Byddai 'nyrs y chwain' yn galw'n aml i fwrw golwg dros wallt y disgyblion! Mae Beti Griffiths yn ei hunangofiant yn priodoli llawysgrif hynod daclus ei thad i ddylanwad yr athrawes arbennig yma.

Priododd Olwen Jones gyda'r Prifardd Dewi Morgan (1877-1971) yn 1931, ac fel canlyniad i'r arferiad ar y pryd, bu'n ofynnol iddi ymddiswyddo'n syth o'i gwaith. Roedd yn ferch gerddorol ac yn ystod ei bywyd byr yn Bow Street llwyddodd i arwain côr meibion a chyfrannu tuag at ganu'r organ yng Nghapel y Garn.

Bu farw'n ifanc yn 47 oed ar 2 Tachwedd 1947, ac fe'i claddwyd ym mynwent Pen-y-garn.

on at the end of September 1922. Prior to her marriage in 1931 she taught at Borth primary school.

Olwen took great pride in her contribution to the world of education, and she was proud of the fact that she had taught her pupils handwriting, reading and numeracy, and how to keep their heads clean! The 'nit nurse' was a regular visitor to the School! In her autobiography Beti Griffiths attributes her father's copperplate handwriting to the influence of this talented teacher.

Olwen Jones married in 1931 the national winning poet Dewi Morgan (1877-1971), and owing to the current policy at the time she was forced to resign her post. She was very musical and during her short life at Bow Street she conducted a male voice choir and was one of the organists at Capel y Garn.

She died aged 47 years on 2 November 1947 and was interred at Pen-y-garn cemetery.

Morgan, Thomas Brynwyn ('Professor Melini'; 1869-1937)

Ffrenolegwr proffesiynol, a anwyd yn Llawrcwm Canol.

Ganwyd Thomas Brynwyn Morgan yn Llawrcwm Canol, Elerch, yn 1869 yn fab i David Morgan (m. 1886), mwynwr, a'i briod Elizabeth (m. 1892). Mae ei rieni wedi eu claddu ym mynwent Salem Coedgruffydd ynghyd â'i frawd hŷn, David, a fu farw yn 1855 yn ddwy oed.

Addysgwyd Thomas yng Ngholeg Aberhonddu, a phriododd Barbara Jane, merch Y Parchg David Henry (1816-1873), a fu'n weinidog gyda'r Annibynwyr ym Mhen-y-groes, Rhydaman. Priodwyd y ddau yn Llandeilo ar 24 Gorffennaf 1894, ond bu'r briodas yn un anodd, oherwydd salwch meddwl ei wraig. Yn ôl cyfrifiad 1901 bu'r ddau yn rhedeg siop lyfrau o Llenva, yn Stryd y Coleg, Rhydaman. Ceir Morgan yn

A professional phrenologist, born at Llawrcwm Canol.

Thomas Brynwyn Morgan was born at Llawrcwm Canol, Elerch in 1869, the son of David Morgan(s) (d. 1886), a lead miner and his wife Elizabeth (d. 1892). His parents are buried at Salem Coedgruffydd together with his eldest brother David, who died in 1855 aged two years.

Educated at Brecon Memorial College, he married Barbara Jane, the daughter of the Revd David Henry (1816-1873), who served as Independent minister at Pen-y-groes, Ammanford. The couple married at Llandeilo on 24 July 1894, but the marriage proved difficut due to Barbara's mental health problems According to the 1901 census they were running a bookshop at Llenva, College Street, Ammanford. By 1904 Morgan is recorded as a lecturer with the

ddarlithydd gyda'r National Reform Union yn hyrwyddo masnach rydd yn 1904. Gyrrwyd Barbara Morgan i Ysbyty Meddwl Caerfyrddin yn 1903 ac yn 1905, ar ôl treulio naw mis yn weinidog yn Sharron, Pennsylvania, gwyswyd Morgan i'r llys ynadon am beidio cyfrannu digon at ei chynnal. Yn ôl cyfrifiad 1911 roedd Thomas Morgan yn byw yn Tanybryn, Salem, Penrhyn-coch, gyda'i fab Maurice (g. 1906) a anwyd yn Llundain, a'i ferch Eluned Rhun (g. 1909). Roedd Mary Elizabeth Hopcroft, Saesnes ddi-briod o Lundain, yn cadw tŷ iddo. Cofnodir Barbara J. Morgan yn cadw tŷ lodjin yn George Hill, Llandeilo yn yr un

cyfrifiad, ond ymddengys ei bod wedi dychwelyd erbyn 1913 i'r ysbyty meddwl yng Nghaerfyrddin, ac fe'i cofnodir yno yng nghofrestr 1939 fel dynes briod a'i gwaith fel 'unpaid domestic assistant' Bu farw yno yn Ionawr 1941, ac fe'i claddwyd ym mynwent gyhoeddus Caerfyrddin ar 22 Ionawr. Nid oes carreg ar ei bedd.

Ymddengys i Thomas Morgan fethu a sicrhau galwad i'r weinidogaeth yng Nghymru, a throdd ei olygon at yrfa wahanol. Mabwysiadodd y ffugenw 'Professor Melini' a honnai y medrai ddweud ffortiwn wrth ddarllen dwylo a phennau. Disgrifiodd ei hun yng nghyfrifiad 1911 tra'n byw yn Tanybryn, Salem, fel 'professional phrenologist'. Mae'n bosib fod y diddordeb hwn yn deillio o gyfnod pan fu'n rhedeg busnes papur newydd yn ardal Rhydaman,

National Reform Union which supported free trade. However, Barbara Morgan was admitted to a mental hospital in 1903 and in 1905, after spending nine months as a Congregational minister of religion at Sharron, Pennsylvania, and a period in London, Morgan was summoned by local magistrates at Llandeilo for his failure to make maintenance payments to his wife. By the 1911 census Thomas Morgan was living at Tanybryn, Salem, with his son Maurice (b. 1906), born at St. Pancras, London, and his daughter Eluned Rhun (b. 1909) born in Cardiganshire. Mary Elizabeth Hopcroft, an unmarried Englishwoman from London, was his housekeeper. In 1911 Barbara is recorded as a lodging house keeper living at George Hill, Llandeilo, but it appears she had been readmitted to the mental hospital at Carmarthen by 1913, and in the 1939 register she is still resident there as a married woman and described as an 'unpaid domestic assistant'. She died there in January 1941, and was buried in an unmarked grave at Carmarthen municipal cemetery on 22 January.

It appears that Thomas Morgan failed to obtain a calling to minister a church after returning to Wales, and so he turned his attention to pursue an alternative career. He adopted the pseudonym 'Professor Melini' and claimed that he could foretell his clients' fortunes through phrenology and palmistry. In the 1911 census, whilst living at Tanybryn, Salem, he described his

busnes a werthodd i David Christmas Evans, ffrenolegydd yn Llanymddyfri. Arferai Morgan dreulio'r haf yn Aberdyfi yn cynnig gwasanaeth dweud ffortiwn wrth ymwelwyr.

Erbyn 1912 aeth Thomas Morgan i fyw eilwaith i Lundain, lle bu mewn tipyn o helynt gyda'r awdurdodau. Tra'n byw yn 357 Edgware Road yn Rhagfyr 1916 cafodd ddirwy drom o £50, neu ddewis o garchar am dri mis, am ei weithgareddau a ystyriwyd gan y llys yn Marylebone fel twyll pur. Daeth yr heddlu i'w dŷ gan gasglu tystiolaeth oedd yn cynnwys pêl grisial a ffon hud. Disgrifiwyd ef gan un a aeth i'w weld i geisio olrhain perthynas coll fel '… *the Rev Charles Haddon Spurgeon magnified and crowned with a wealth of waving white hair, and you have the professor*'. Cafodd yr achos yn ei erbyn cryn sylw yn y wasg Lundeinig.

Bu hefyd yn byw yn Darren Bank ar ddiwedd y 1920au ac yn Bwlch Villa, Cwmerfyn rhwng 1930 a 1937, gyda'i gymar Mary Elizabeth a nodwyd yn y gofrestr etholwyr gyda'r cyfenw Morgan erbyn hynny yn hytrach na Hopcroft. [Bu Bwlch Villa ar un adeg yn gartref i Robert Northey (1815-1876), rheolwr y gwaith mwyn lleol]. Etholwyd Thomas Morgan yn un o ddau gynrychiolydd plwyf Trefeurig i Gyngor Gwledig Aberystwyth mewn gornest drichornel yn 1931. Roedd Thomas a Mary yn aelodau o Gapel Siloa ac ef yn Arolygydd yr Ysgol Sul. Bu Thomas farw ar 27 Hydref 1937 yn 68 oed, ac fe'i claddwyd yn Siloa, Cwmerfyn yn dilyn gwasanaeth cyhoeddus ar 30 Hydref. Nid oes carreg ar ei fedd.

Bu ei ferch, Eluned Rhun Morgan, farw yn ddi-briod yn Weymouth ar 11 Mai 1988. Cynhaliwyd ei hangladd yn Amlosgfa Weymouth ar 25 Mai. Credir i'w brawd Maurice symud i fyw i Lundain.

occupation as a 'professional phrenologist'. It is possible that his interest in this science emanated from his business links with David Christmas Evans, a phrenologist from Llandovery, to whom he sold his bookshop. Morgan would spend the Summer months at Aberdyfi offering his services to the visiting tourists.

By 1912 he again moved back to London and soon found himself in serious conflict with the authorities. Whilst residing at 357 Edgware Road in December 1916, he received a hefty fine of £50, or an alternative three-month prison sentence, for his activities which the court at Marylebone considered were grossly misleading to the public. The police actually raided his house and took away evidence including a crystal ball and a magic wand. One client who visited him in the hope of tracing a lost relative described him as: '… the Rev Charles Haddon Spurgeon magnified and crowned with a wealth of waving white hair, and you have the professor'. The case against Morgan attracted considerable publicity in the London press.

He lived at Darren Bank, Trefeurig towards the end of the 1920s and at Bwlch Villa, Cwmerfyn from 1930 until 1937, with his housekeeper Mary Elizabeth listed in the electoral register as Morgan, and not as Hopcroft. [Bwlch Villa was once the home of Capt. Robert Northey (1815-1876), manager of the local lead mine]. In 1931, in a three-cornered contest, Thomas Morgan was elected as the second of two representatives for Trefeurig parish on Aberystytwh Rural District Council. Both Thomas and Mary were members of Siloa Chapel, Cwmerfyn and he was appointed the Sunday School Supervisor. Thomas died on 27 October 1937, and was buried at Siloa, Cwmerfyn, following a public service. There is no stone on his grave.

His daughter, Eluned Rhun Morgan, died unmarried at Weymouth on 11 May 1988. Her funeral was held at Weymouth Crematorium on 25 May. It is thought that her brother Maurice moved to London.

Morris, Arthur (1891-1918)

Milwr a fu'n byw yn Nhanllidiart ac Elerch House, ac a laddwyd yn y Rhyfel Mawr.

Bu farw Private 18043 Arthur Morris, Elerch House, Bont-goch yn 26 oed ar 26 Awst 1918 wrth wasanaethu gyda Bataliwn 14 y Ffiwsilwyr Cymreig yn y Rhyfel Mawr. Fe'i claddwyd ym mynwent Caterpillar Valley, Longueval, yn ardal y Somme, gogledd Ffrainc.

Roedd Arthur Morris, a anwyd ar 15 Rhagfyr 1891, yn fab i William Edwin Morris (1862-1931) a'i wraig Elizabeth (1856-1931). Ar 27 Gorffennaf 1888, priodwyd y ddau yn Eglwys St. Pedr, Elerch. Nodwyd fod William yn ŵr di-briod, 26 oed, yn fwynwr ac yn enedigol o Lwydlo (Ludlow), Swydd Amwythig. Ar y pryd roedd William yn gweithio fel labrwr ar fferm Llety Ifan Hen ac roedd ei briod Elizabeth yn ferch leol, ac yn weddw i John Jones, mwynwr.

Mae cyfrifiad 1891 yn dangos William Edwin Morris a'i deulu yn byw ym mhentref Bont-goch, heb nodi'r union dŷ. Cofnodir y plant canlynol: Elizabeth Jones (12 oed) a John D. Jones (10 oed), plant Elizabeth o'i phriodas gyntaf, a Mary E. Morris (2 oed) a William E. Morris (1 oed), sef plant yr ail briodas. [Nodir John David Jones mewn cofnod unigol uchod]. Ganwyd Arthur ar 15 Rhagfyr 1891 ar ôl dyddiad y cyfrifiad ar 5 Ebrill, a chychwynnodd ei astudiaethau yn Ysgol Elerch yn 1894.

Mae cofnodion Eglwys Elerch yn gymorth i leoli'r

A soldier who lived at Tanllidiart and Elerch House, who lost his life in the Great War.

Private 18043 Arthur Morris, Elerch House, Bont-goch died aged 26 years on 26 August 1918 whilst serving with the 14th Battalion of the Royal Welsh Fusiliers in the Great War (1914-1918). He is buried at Caterpillar Valley Cemetery, Longueval, in the Somme region of northern France.

Arthur Morris, born on 15 December 1891, was the son of William Edwin Morris and his wife Elizabeth, who married at St. Peter's Church, Elerch on 27 July 1888. William was a lead miner and a bachelor, aged 26 years, and a native of Ludlow, Shropshire, but at the time of his marriage he was working as a farm labourer at Llety Ifan Hen, while his wife Elizabeth, a local girl and the widow of John Jones, a lead miner, was in service at Pant-y-ffin.

In the 1891 census Edwin's son, William Edwin Morris, and his family are recorded as living at Bont-goch, although the exact house is unknown. The following children are recorded: Elizabeth Jones (12 years) and John D. Jones (10 years), both children from Elizabeth's first marriage, and Mary E. Morris (2 years) and William E. Morris (1 year), the children from the second marriage. [John D. Jones is noted above in a separate entry]. Arthur was born on 15 December 1891, after the census was taken on 5 April. He first attended Elerch School in 1894.

The registers of St. Peter's Church, Elerch provide a

union dŷ lle'r oedd y teulu'n byw gan iddynt benderfynu bedyddio'r pumed plentyn, George, ar 31 Gorffennaf 1898, pan nodir y cyfeiriad fel Y Felin, a gwaith y tad fel 'Mwynwr & Melinwr'. Erbyn 7 Ebrill 1901, pan fedyddiwyd mab arall o'r enw Llewellyn, roedd y teulu wedi ymgartrefu yn Nhanllidiart, Bont-goch. Erbyn cyfrifiad 1901 roedd plant y briodas gyntaf wedi gadael y nyth, a nodir y canlynol yn unig yn y cartref: William Edwin (bellach yn 11 oed), Arthur (9 oed), Thomas J. (6 oed), George (2 oed), a Llewellyn (1 oed).

Ni cheir sôn am William Edwin Morris, y tad, yng nghyfrifiad 1901, gan ei fod wedi gadael Bont-goch am dde Cymru i chwilio am waith yn y pyllau glo, ac fe'i ceir yn byw fel *boarder* yn 65 East Road, Ferndale yng Nghwm Rhondda. Arhosodd ei wraig a'i blant yn Nhanllidiart, a nodir Elizabeth ar gyfrifiad y flwyddyn honno fel *'wife of a collier'*. Erbyn 1911 roedd y teulu yn byw ym Mhen-y-graig, Bont-goch. Ymhen amser byddai tri o'r meibion yn dilyn trywydd y tad, ac yn ymgartrefu yn 43 High Street, Abertridwr, ger Senghennydd yng Nghwm Rhymni, tra byddai hithau a'r plant iau yn symud can llath lawr y ffordd i dŷ mwy yn Elerch House.

Yn Senghennydd ar 14 Hydref 1913 cafwyd un o'r damweiniau diwydiannol erchyllaf a welodd y byd erioed pan laddwyd 439 o lowyr mewn tanchwa, ac yn eu plith roedd nifer o fechgyn Sir Aberteifi yn cynnwys dau o feibion William Edwin Morris, sef William Edwin a Thomas (Tom) James – y naill yn 23 oed a'r llall yn 19 oed. Ar y diwrnod tyngedfennol hwnnw, roedd dros 950 o lowyr yn y pwll, ac mae'n bosibl bod William Edwin a'i fab Arthur ymhlith y rhai ffodus a ddihangodd yn fyw.

Ymhen llai na blwyddyn gwelwyd dechreuad ar frwydrau gwaedlyd y Rhyfel Mawr, ac yn gynnar yn y Rhyfel enlistiodd Arthur Morris ar gyfer gwasanaeth

clue to the house where the family lived as they decided that their fifth child, George, would be the first to be baptized at Elerch Church on 31 July 1898, where their residence is given as the Mill, and the father's occupation as 'Miner & Miller'. By 7 April 1901, when another child, Llewellyn, was baptized the family had moved to Tanllidiart, Bont-goch, by which time the children from the first marriage had left home. The following children are recorded as living at home with their mother: William Edwin (by now aged 11 years), Arthur (9 years), Thomas J. (6 years), George (2 years), and Llewellyn (1 year).

By this time the father William Edwin Morris had left Bont-goch to seek work in the South Wales coalfield, and in the 1901 census he is recorded as a boarder living at 65 East Road, Ferndale, in the Rhondda Valley. His wife and family remained at Tanllidiart, and Elizabeth is described in the census as the 'wife of a collier'. The family lived at Pen-y-graig, Bont-goch in 1911. Eventually three of her sons would follow their father to the coalfield, where they all resided at 43 High Street, Abertridwr, near Senghennydd in the Rhymney Valley. In the meantime, Elizabeth moved 100 yards down the road to the more spacious Elerch House.

On 14 October 1913 Senghennydd witnessed one of the worst mining disasters ever recorded when 439 miners perished in an underground explosion. Many Cardiganshire men died on that tragic day including two sons of William Edwin Morris, namely William Edwin and Thomas (Tom) James – the former aged 23 years, and the latter only 19 years. On that tragic day over 950 miners were underground, and it is conceivable that the father William Edwin Morris and his son Arthur were among the fortunate ones that managed to survive.

Within less than a year after the Senghennydd disaster, battle commenced in the Great War, and Arthur Morris immediately responded to the call to enlist and serve King and Country. After seeing what

milwrol. Mae'n siŵr ei fod yn meddwl byddai mynd i ryfel yn rhyw fath o ddihangfa o'r pwll glo a'i beryglon ag yntau newydd golli dau o'i frodyr yn namwain fawr pwll yr Universal. Aeth ymhen amser i Ffrainc gyda dymuniadau da Eglwys Fethodistaidd Senghennydd a gyflwynodd iddo Feibl a llyfr emynau i'w gysuro ar ei daith. Ar ôl treulio dwy flynedd yn ffosydd Ffrainc cafodd anafiadau drwg. Caniatawyd iddo ddychwelyd at ei deulu yn Bont-goch i gryfhau, a threfnwyd cyfarfod croeso anrhydeddus iddo gan yr ardalwyr. Ar ôl gwella'n ddigonol treuliodd beth amser gyda'r fyddin yn Iwerddon yn 1916, blwyddyn terfysg yr Easter Rising, cyn dychwelyd eilwaith i Ffrainc ym Mehefin 1917. Ac yno y bu farw ar faes y gad ar 26 Awst 1918, gan adael ei rieni i alaru ar ôl colli trydydd plentyn o fewn cyfnod o lai na phum mlynedd.

Ar ôl symud o Bont-goch yn 1927, bu ei rieni yn byw yn Epworth House, Tre Taliesin, ac maent wedi eu claddu ym mynwent gyhoeddus Tal-y-bont: bu farw'r ddau yn 1931 – William Edwin ar 22 Mai a'i briod ar 8 Tachwedd.

Oherwydd iddo enlistio yn ne Cymru nid yw enw Arthur Morris ar gofeb Neuadd Goffa Tal-y-bont, ond yn ddiweddar ychwanegwyd ei enw ynghyd â dau fachgen lleol arall.

Mae ei nai Arthur J. Morris, Landbeach, ger Caer-grawnt, mab i Llewellyn Morris, brawd bach y teulu, yn dal i ymweld â Cheredigion yn flynyddol. Roedd ef a'i nai, Gavin Morris, yn bresennol yng ngwasanaeth Sul y Cofio a gynhaliwyd yn Neuadd Goffa Tal-y-bont yn 2018 adeg canmlwyddiant diwedd y rhyfel.

Arthur J. Morris yn ymweld â bedd ei ewythr yn Ffrainc / Arthur J. Morris visiting his uncle's grave in France

had happened in the Universal Pit he probably felt that going to France could not possibly be any worse than risking his life underground. He was soon posted to France where he went with the best wishes of the Methodist Church at Senghennydd who presented him with a Bible and a hymn book to comfort him on his journey. After spending two years fighting in the trenches he received serious injuries, as a result of which he was allowed leave of absence to visit his family. When he arrived back at Bont-goch he was treated like a hero and given a formal reception by the villagers. After a period of recuperation he was posted to Ireland in 1916, the year of the Easter Rising, before returning once again to France in June 1917. And there he fell in battle on 26 August 1918, leaving his parents to mourn the loss of their third child in a period of less than five years. The family continued to live at Elerch House until 1927, when they moved to Epworth House, Tre Taliesin. Both parents died in 1931 – William Edwin on 22 May and his wife on 8 November, and they are buried at Tal-y-bont cemetery.

As he enlisted in south Wales, Arthur Morris was not commemorated at Tal-y-bont Memorial Hall, but recently his name, and the names of two other local soldiers, have been added to the commemorative plaque.

His nephew, Arthur J. Morris, of Landbeach, near Cambridge, son of Llewellyn Morris, the youngest of the brothers, continues to visit Ceredigion annually. He and his nephew Gavin Morris attended the Remembrance Service at Tal-y-bont Memorial Hall in 2018 to mark the centenary of the cessation of hostilities.

Morris, Richard (1863-1955)

Ffermwr a chymeriad lliwgar a fu'n byw yn Nhan-y-bwlch.

Roedd Richard Morrris yn un o gymeriadau mwyaf lliwgar Bont-goch. Bu ef, ei chwaer Catherine (1860-1947), a'u rhieni yn byw yn Nhan-y-bwlch am nifer o flynyddoedd. David Morris (1820-1887) oedd eu tad, ffenswr gwifren a ffermwr, ac roedd Jane (1830-1889), eu mam, yn ferch o Lanfihangel-y-Creuddyn.

Roedd Richard Morris yn cofio bod yn bresennol gyda'i dad adeg agoriad Eglwys Elerch yn 1868, pan fyddai ond yn 5 mlwydd oed. Cynorthwyodd James Pearce Evans i adeiladu ei siop newydd yn 1906. Ond bu hefyd mewn trafferthion gyda'r awdurdodau ar adegau, a chafodd fynd o flaen ei well ar un achlysur a'i gael yn euog o achosi helynt ar y ffordd fawr rhwng Llanbadarn Fawr a Chapel Bangor yn 1909. Ei ddiléit pennaf oedd hela, a byddai'n hoffi dilyn y cŵn cadno fel y'i gelwir ar lafar.

Ar ôl ei farwolaeth cyflwynwyd ei wely *four poster*, a orchuddiwyd gan dipyn o iorwg, i'r Amgueddfa Werin yn Sain Ffagan gan deulu Adolf Prag, a brynodd Tan-y-bwlch oddi ar Ystad Gogerddan. Yn ddiweddarach trosglwyddwyd y gwely i Amgueddfa Lloyd George yn Llanystumdwy lle gellir ei weld gan y cyhoedd.

Mae Richard Morris, ei chwaer, a'i rieni, wedi eu claddu yn Eglwys Elerch. Mae ei dad-cu a mam-gu, Lewis Morris (*m.* 1864) a'i briod Mary (*m.* 1870) wedi'u claddu ym mynwent Eglwys Llanfihangel Geneu'r-glyn.

Farmer and colourful character who lived at Tan-y-bwlch.

Richard Morris was one of Bont-goch's most colourful characters. He, his sister Catherine (1860-1947), and their parents lived at Tan-y-bwlch for many years. Their father was David Morris (1820-1887), a wire fencer and farmer, and their mother Jane (1830-1889) hailed from Llanfihangel-y-Creuddyn.

Richard Morris recalled being present with his father at the opening of Elerch Church in 1868, when only 5 years of age. He also assisted James Pearce Evans in the building of his new shop in 1906. Richard Morris got into difficulties with the authorities at times, and on one occasion in 1909 he was convicted of causing an affray on the highway between Llanbadarn Fawr and Capel Bangor. His main passion was hunting, and throughout his life he enjoyed following the fox hounds.

After his death his four poster bed, largely covered in ivy, was presented by Adolf Prag, who purchased Tan-y-bwlch from the Gogerddan Estate, to the Museum of Welsh Life at St Fagans. The bed has since been transferred to the Lloyd George Museum in Llanystumdwy where it can be seen on public display.

Richard Morris, his sister, and parents, are all buried in Elerch Church. His grandparents Lewis Morris (*d.* 1964) and his wife Mary (*d.* 1870) of Cwm-glo are buried at Llanfihangel Genau'r-glyn Church.

Owen, James (Jim) (1927-2013)

Cymydog da a gŵr annwyl a fu'n byw yn Hengoed.

Ar ôl i ni symud i fyw i Bont-goch yn 2002, daethom yn fuan i adnabod y gŵr bonheddig a oedd yn byw yn ein hymyl yn Hengoed. Byddem yn dod ar ei draws yn aml wrth iddo gerdded ei gi Trixie, a ninnau yn ceisio ymarfer ein sbaniel bywiog Caleb!

Erbyn i ni ddod i'w adnabod roedd Jim Owen eisoes yn ŵr gweddw, ac wedi colli ei wraig Madeleine Ruth (née Ball) yn 2000. Daethant i Bont-goch i fyw yn 1987, ar ôl treulio cyfnod yn nhyddyn Waunclawdd, Llanddewibrefi.

Ganwyd Jim Owen ar 11 Gorffennaf 1927 yn Birmingham. Gwasanaethodd gyda'r Royal Army Service Corps ym Mhalestina rhwng 1945 a 1948. Roedd yn trin offer peirianyddol wrth ei alwedigaeth. Yn ddiweddarach bu'n gweithio mewn siop nwyddau haearn T. Alun Evans / W. Henry Price yn Lôn y Ffynnon Haearn yn Aberystwyth lle bu'r profiad hwn gyda pheiriannau yn ddefnyddiol iawn iddo.

Bu farw James Owen ar 16 Awst 2013 yn 86 oed, a chynhaliwyd ei angladd yn Amlosgfa Aberystwyth ar 28 Awst. Gadawodd fab a dwy ferch: Victor James Owen, Christina Mary (Honeysett) a Maria Madeleine (Myatt).

A good neighbour and gentleman who lived at Hengoed.

After moving to Bont-goch in 2002, it was not long before we were warmly welcomed by a charming gentleman who lived at nearby Hengoed. We would often meet him when he was out walking his dog Trixie, and when we were being exercised by our lively springer spaniel Caleb!

When we first got to know him Jim Owen was a widower, having lost his wife Madeleine Ruth (née Ball) in 2000. They had moved to Bont-goch in 1987, having lived previously on a smallholding at Waunclawdd, Llanddewibrefi.

Jim Owen was born on 11 July 1927 in Birmingham and served in the Royal Army Service Corps in Palestine from 1945 until 1948. He was a machine tools engineer by trade. He later worked for some years in a local ironmonger's shop (T. Alun Evans / W. Henry Price) in Chalybeate Street, Aberystwyth, where his army experience with machinery proved invaluable.

James Owen died on 16 August 2013, aged 86 and his funeral service was held at Aberystwyth Crematorium on 28 August. He was survived by a son and two daughters: Victor James Owen, Christina Mary (Honeysett) and Maria Madeleine (Myatt).

Owen, Richard (1838-1913)

Offeiriad cyntaf Elerch, 1864-1867, a fu'n byw ym Mhlas Cefn Gwyn.

Lewis Gilbertson (1814-1896), Plas Cefn Gwyn, Bont-goch, fel y nodwyd uchod, oedd prif noddwr plwyf Elerch, ac ef oedd y ficer cyntaf gan gymryd at ei ddyletswyddau yn Ebrill 1869. Fodd bynnag, cyn hynny, fe wasanaethodd gŵr lleol arall fel curad y plwyf, gan gynnal gwasanaethau yn yr ysgol a godwyd yn 1856, cyn cysegru Eglwys St. Pedr yn 1868. Ei enw oedd Richard Owen, ac fe'i ganwyd ym Mhenrhyn-coch yn fab i William Owen (1810-87), Felin Cwmbwa, a'i briod Elizabeth (1813-74). Fe'i bedyddiwyd yn Eglwys Llanbadarn Fawr ar 22 Mai 1838. Treuliodd Richard gyfnod dan hyfforddiant yn Rhydychen cyn ei ordeinio yn 1862, ac roedd ficer St. Thomas yn y ddinas honno yn un o'i ganolwyr. Bu Richard Owen yn gurad Rhuthun, 1862-63.

Dan ddylanwad Lewis Gilbertson, apwyntiwyd Owen yn gurad Elerch ac aros yn y plwyf o 1864 hyd at 1867 gan fyw ym Mhlas Cefn Gwyn. Dychwelodd wedyn i fyw i Well Street, Rhuthun lle bu'n gurad eilwaith ar y plwyf yn ogystal â phlwyf Llan-rhudd. Apwyntiwyd ef yn ficer Glandyfrdwy yn 1876, cyn ei benodi'n rheithor Llanfor, ger Y Bala, yn 1881. Bu farw ar ôl salwch byr yn 39 Stryd Portland, Aberystwyth ar 24 Mawrth 1913 yn 74 oed, ac fe'i claddwyd ym mynwent newydd Llanfihangel Genau'r-glyn ar 29 Mawrth 1913 yn ymyl ei chwaer Elizabeth a'i frawd-yng-nghyfraith Richard

Elerch's first clergyman, 1864-1867, who lived at Plas Cefn Gwyn.

Lewis Gilbertson (1814-1896), Plas Cefn Gwyn, Bont-goch, as noted above, was the main benefactor of the parish, and was the first vicar of the parish commencing his duties in April 1869. However, before that date another local man had served as curate of Elerch and had held services in the school, built in 1856, prior to the consecration of St. Peter's Church in 1868. His name was Richard Owen, born in Penrhyn-coch, the son of William Owen (1810-1887), Felin Cwmbwa, and Elizabeth (1813-1874) his wife, and he was baptized at Llanbadarn Fawr Church on 22 May 1838. Richard spent some time being trained at Oxford, prior to his ordination in 1862, and the vicar of St. Thomas' Church in Oxford was one of his referees. Richard Owen served as curate of Ruthin, 1862-63.

Under Lewis Gilbertson's influence, Owen was appointed curate of Elerch from 1864 until 1867 and lived at Plas Cefn Gwyn. He then returned to Well Street, Ruthin serving again as curate of Ruthin and also Llan-rhudd. He was appointed vicar of Glandyfrdwy in 1876, and rector of Llanfor, near Bala in 1881. After a short illness he died at 39 Portland Street, Aberystwyth on 24 March 1913, aged 74 years, and was buried at the new cemetery in Llanfihangel Genau'r-glyn in close proximity to his sister and

Bowen. Roedd Richard Owen yn ddi-briod, ac mae ei rieni wedi eu claddu yn hen fynwent Llanfihangel Genau'r-glyn. Bu ei frawd George Owen hefyd yn offeiriad yn Lerpwl a gogledd-ddwyrain Cymru gan wasanaethu ym mhlwyfi Bodelwyddan, Corwen, Llaneilian a Threuddyn.

brother-in-law, Richard Bowen. Richard Owen was unmarried, and his parents are buried in the adjoining old cemetery. His brother George Owen was also a clergyman who ministered in Liverpool and north-east Wales serving the parishes of Bodelwyddan, Corwen, Llaneilian and Treuddyn.

Page, Ceinwen Elizabeth (1936-2010)

Athrawes a anwyd yn Llawrcwmbach.

A schoolteacher born at Llawrcwmbach.

Ganed Ceinwen Elizabeth Evans ar 28 Tachwedd 1936, yr ieuengaf o bedwar plentyn Richard Jenkin Evans (1883-1955) a'i briod Margaretta (1905-1996), Llawrcwmbach. Derbyniodd ei haddysg yn Ysgol Elerch, Ysgol Sir Ardwyn, a Choleg Addysg y Barri lle cymhwysodd fel athrawes. Ei swydd gyntaf oedd yn Ysgol Gynradd Yr Ystog, ger Trefaldwyn, a symudodd o'r fan honno i bentref cyfagos Bausley ym Mhowys i fod yn ddirprwy-bennaeth ar yr ysgol leol. Yno y cyfarfu â David (Dai) Page, ac fe'i priodwyd ar 26 Hydref 1963 yng Nghapel Coedway, Crew Green, ger Y Trallwng.

Yn 1968 symudasant i bentref Eglwyssau Bassa (Baschurch) yn Swydd Amwythig lle bu Ceinwen yn ddirprwy brifathrawes ar Ysgol Bicton hyd at ei hymddeoliad yn 1982. Bu'n weithgar iawn yn yr Eglwys leol, ac ymhlith ei diddordebau niferus oedd dawnsio a chadw'n heini. Bu'n rhedeg sawl hanner marathon ar gyfer elusennau amrywiol, ac roedd yn medru hwylio a sgïo yn fedrus iawn. Byddai'n ymweld yn gyson â'i brodyr Gareth, Geraint a Ken, ac roedd yn

Ceinwen Elizabeth Evans was born on 28 November 1936, the youngest of the four children of Richard Jenkin Evans (1883-1955) and his wife Margaretta (1905-1996), Llawrcwmbach. She received her education at Elerch, Ardwyn County School and Barry Training College where she qualified as a teacher. Her first post was at Churchstoke Primary School, near Montgomery, moving from there to the nearby village of Bausley in Powys to be deputy headteacher at the local primary school. There she met David (Dai) Page, and was married on 26 October 1963 at Coedway Calvinistic Methodist Church, Crew Green, near Welshpool.

In 1968 the couple moved to the village of Baschurch in Shropshire, where Ceinwen was also deputy headteacher at Bicton School until her retirement in 1982. She was very active in the local Church, and among her many interests were dancing and keeping fit. She also ran several half marathons for various charities, and enjoyed skiing and sailing. She regularly visited her brothers Gareth, Geraint and Ken

hoff iawn o gerdded llwybrau bro ei mebyd, a chael sgwrs gyda'r trigolion. Roedd hefyd yn mwynhau gwyliau teithiau tramor yn gyson.

Bu farw ar 12 Hydref 2010 yn 73 oed, a chynhaliwyd ei hangladd yn Amlosgfa Yr Amwythig ar 27 Hydref. Diogelwyd ei dyddiadur gan y Comisiwn Brenhinol ar Henebion Cymru. Mae'r cofnod cyntaf yn 1950 yn nodi: '*Whist drive yn Ysgol Bontgoch, fi yn chware am y tro cyntaf, cael 2nd prize ladies. Jam Dish a caead arni.*'

and enjoyed walking through the village of Bont-goch and chatting with the residents. She also regularly travelled abroad.

She died on 12 October 2010 aged 73 years, and her funeral was held at Shrewsbury Crematorium on 27 October. Her diary has been preserved at the Royal Commission on the Ancient and Historical Monuments of Wales. The first entry for 1950 reads: '*Whist drive at Bontgoch School, playing for the first time, had 2nd prize ladies. Jam Dish with a lid.*'

Parry, Dafydd Llewelyn (1925-2020)

Ffermwr, gŵr busnes a chymdeithaswr.

Bu Dafydd Parry yn ffermio Plas Cefn Gwyn o 1971 hyd at 1991 tra hefyd yn rhedeg busnes merlota llwyddiannus yno. Bu farw yn 96 oed ar 23 Medi 2020.

Mae'r cofnod hwn wedi ei seilio ar deyrnged ei gyfaill Robat Gruffudd a gyhoeddwyd ym *Mhapur Pawb*.

Ganed Dafydd ym mhentre Bethel, ger Caernarfon, ac aeth i'r Coleg Normal cyn gwasanaethu yn yr RAF. Yna enillodd grant i ddychwelyd i'r Brifysgol ym Mangor i astudio Amaethyddiaeth. Ar ôl graddio, bu'n gweithio am rai blynyddoedd fel cynghorydd amaethyddol gan deithio ffermydd ledled Cymru, profiad a fwynhaodd ac a gyfoethogodd ei adnabyddiaeth o'r wlad a'i phobl.

Ym 1971 mentrodd brynu Plas Cefn Gwyn a'i redeg fel busnes merlota tra hefyd yn cadw ceffylau a defaid. Roedd y Plas yn gyrchfan poblogaidd yn lleol a gan ymwelwyr tramor. Roedd croeso cynnes Dafydd, a'i ofal o'i gwsmeriaid, yn allweddol i lwyddiant y fenter.

Roedd Dafydd wrth ei fodd mewn cwmni ac roedd ganddo gof eithriadol am bobl a llefydd. Yn wir gellir dweud bod yn ei ben atlas manwl o lawer iawn o'r Gymru Gymraeg. Roedd yn ddyn deallus ac abl a

Farmer, businessman and raconteur.

Dafydd Parry farmed Plas Cefn Gwyn from 1971 until 1991 whilst also running a successful pony trekking centre. He died aged 96 years on 23 September 2020.

The following note is largely based on the tribute by his friend Robat Gruffudd which was published in *Papur Pawb*.

Dafydd was born in Bethel, Caernarfonshire, and educated at Bangor Normal College before serving in the RAF. He was later awarded a grant which enabled him to study Agriculture at the university in Bangor. After graduating, he worked for many years as an agricultural consultant travelling the length and breadth of Wales, an experience which enriched his knowledge of the people and the land.

In 1971 he ventured to purchased Plas Cefn Gwyn running it as a pony trekking centre whilst also engaged in sheep farming. The Plas became a popular attraction for people far and wide including visitors from home and abroad. Dafydd's warm welcome, and his generous nature, were crucial factors in the success of the business.

Dafydd enjoyed the company of his many friends and he had a phenomenal memory for names and

wnaeth gyfraniad gwerthfawr i fyd amaeth a thwristiaeth.

Ymddeolodd ar ôl ugain mlynedd gan symud i fyw i Gwm Glas, Tal-y-bont. Treuliodd ei flynyddoedd olaf pan nad oedd ei iechyd yn dda yng nghartref gofal Carlton House yn Llan-non, lle a ganmolai Dafydd yn gyson am ei groeso Cymreig.

Bu Dafydd yn briod (cyn ymwahanu) â Marian, chwaer Dr Dafydd Huws. ac maent yn gadael dau o blant sef Hywel, sy'n byw yn Aberystwyth, a Rhiannon (Dafis), sydd wedi ymgartrefu yn Llanarthne, Sir Gaerfyrddin gyda'i gŵr, Tegid, a'u plant, Fflur a Rhys.

places. He was encyclopedic in his knowledge, and was a man of considerable ability who made an important contribution to both the agricultural and tourism sectors.

After twenty years at Cefn Gwyn, he retired and moved to Cwm Glas, Tal-y-bont.

His last years of failing health were spent at Carlton House, Llan-non, a care home he commended for its Welsh ethos and warm welcome.

Dafydd was separated from his wife Marian, sister of Dr Dafydd Huws. They are survived by two children: Hywel Siôn, of Aberystwyth, and Rhiannon (Dafis), who has settled at Llanarthne, Carmarthenshire, with her husband Tegid, and their children Fflur and Rhys.

Pell, Jonathan (1834-1884)

Asiant gweithfeydd mwyn a pherchennog gwesty a fu'n byw ym Mhlas Cefn Gwyn.

Ganwyd Jonathan Pell yn 1834 yn Bullock Booth, Weston Favell, Swydd Northampton, yn fab i George Pell, ffermwr, a'i briod Mary. Fe'i bedyddiwyd yn Eglwys Moulton, Swydd Northampton, ar 27 Mawrth 1833. Cofnodir Jonathan Pell yn byw ym Mhlas Cefn Gwyn yng nghyfrifiad 1861, fel asiant a pherchennog gweithfeydd mwyn, ond ni fu yno am fwy na thua pum mlynedd. Daeth i Sir Aberteifi am y tro cyntaf yn 1856 i gynorthwyo ei frawd George gyda rhedeg mwynfeydd y Court Grange rhwng Bont-goch a Phenrhyn-coch. Priododd Sarah, trydedd merch y diweddar Charles Marshall o Aberystwyth, a anwyd yn Cheltenham. Bu Marshall yn berchennog ar Westy'r Belle Vue yn Aberystwyth rhwng 1840 a'i farwolaeth yn 1858. Priododd y ddau yn Eglwys St. Marylebone, Llundain ar

A lead mining agent and hotel proprietor who lived at Plas Cefn Gwyn.

Jonathan Pell was born at Bullock Booth, Weston Favell, Northamptonshire, the son of George Pell, a farmer, and his wife Mary. He was baptized at Moulton Church, Northamptonshire on 27 March 1833. Jonathan Pell is recorded as living at Plas Cefn Gwyn in the 1861 census as a 'Lead mine agent & Propr. of lead mines', but he stayed there for only some five years. He first came to Cardiganshire in 1856 to assist his brother with managing the Court Grange mines between Bont-goch and Penrhyn-coch. He married Sarah, third daughter of the late Charles Marshall of Aberystwyth, and a native of Cheltenham. Marshall was the proprietor of the Belle Vue Hotel in Aberystwyth from 1840 until his death in 1858. The couple married at St. Marylebone Church, in London on 1 December 1859 where Pell's address is

1 Rhagfyr 1859 pan nodir cyfeiriad Pell fel Cefn Gwyn. Erbyn 1864 nodir Jonathan Pell fel perchennog Gwesty'r Belle Vue, sef y flwyddyn pan wnaeth y rheilffordd gyrraedd y dref am y tro cyntaf. Yn yr un flwyddyn cymerodd les ar Glanystwyth, fferm ar gyrion y dref.

Rhoddodd hyn oll gryn statws i Pell yn y gymuned, a phan agorodd Coleg y Brifysgol ei drysau yn 1872 fe'i dewiswyd un o'i llywodraethwyr. Cafodd ei ethol hefyd yn gynghorydd bwrdeistref Aberystwyth, ac roedd yn flaenllaw iawn yn yr ymgyrch i sefydlu llyfrgell gyhoeddus i'r dref a dadleuai'n gryf dros wneud hynny mewn adeilad newydd pwrpasol. Roedd hefyd yn gysylltiedig â'r cwmni i ddatblygu pier Aberystwyth.

Bu'n berchennog ar y Belle Vue hyd at o leiaf 1876 gan ei redeg gyda'i fam ar ôl iddo golli ei wraig Sarah yn 1873, yn 46 oed. Claddwyd Sarah yn Eglwys Llanbadarn Fawr yn 46 oed ar 30 Rhagfyr 1873. Ailbriododd Jonathan Pell gyda Miss Kate Andrews o Greenwich yn Eglwys St. George, Hanover Square, Llundain yn 1875.

Yn Nhachwedd 1881 nodir Jonathan Pell fel un o dri phrif gyfranddalwyr y North Cardiganshire Silver and Lead Mining Company, a ffurfiwyd i gloddio gweithiau mwyn Tal-y-bont ac Allt-y-crib.

Bu farw Pell ar 20 Awst 1884 ar y môr wrth hwylio ar y llong *Mosella* i Columbia, yn ne Amerig ar drip busnes yn ymwneud â'i waith fel asiant mwyngloddio. Gadawodd fab, Charles Marshall Pell (*g.* 1863) a briododd Margaret Jane Hughes o'r Bala yn 1884, a mab a merch o'i ail briodas.

Worrall's Directory, 1875.

recorded as Cefn Gwyn. By 1864 he is listed as the proprietor of the Belle Vue Hotel – which seemed a shrewd move as that was the year that the railway first arrived in Aberystwyth. He was also granted a lease on Glanystwyth, a farm on the outskirts of the town.

These developments gave Pell status in the community, and when the University College first opened its doors in 1872 he was appointed one of its governors. He was also elected as a borough councillor, and was instrumental in the campaign to establish a purpose-built public library in the town and with the development of the pier as its managing director.

He was proprietor of the Belle Vue until at least 1876, running it with the help of his mother, after the death of his wife in 1873, aged 46 years. Sarah Pell was buried at Llanbadarn Fawr Church on 30 December 1873. He subsequently married Miss Kate Andrews of Greenwich in 1875 at St. George's Church, Hanover Square, London.

In November 1881 Jonathan Pell is listed as one of three major shareholders in the North Cardiganshire Silver and Lead Mining Company, formed to work the Tal-y-bont and Allt-y-crib mines.

Jonathan Pell died at sea on 28 August 1884 on board the ship *Mosella* sailing to Columbia in South America during a business trip relating to his work as a mining engineer. He left a son, Charles Marshall Pell (*b.* 1863) who married Margaret Jane Hughes of Bala in 1884, and a son and daughter from his second marriage.

Pendrell-Smith, Eric (1871-1935)

Cyfrifydd a fu'n byw yn Ficerdy Elerch, a pherchennog y car cyntaf yn Bont-goch.

Ganwyd Eric Pendrell-Smith yn Lewisham, Llundain yn fab i Frederick William Smith, cyfrifydd a anwyd yn Gibraltar, a'i briod Adelaide Gertrude. Ceir cyfeiriad ato yn ŵr ifanc 19 oed yn 1890 fel ysgrifennydd y New York, Pennsylvania & Ohio Railroad Company Equipment Trust Bonds. Teithiau'n gyson i'r Unol Daleithiau, a bu yno o leiaf wyth o weithiau rhwng 1905 a 1931.

Priododd Theresa Janie Whitaker yn Lewisham yn y flwyddyn 1895. Roedd Eric Pendrell-Smith hefyd yn gyfrifydd, ac yng nghyfrifiad 1911 fe'i cofnodir yn byw yn 27 Abbey Road, yng ngogledd Llundain, stryd a anfarwolwyd yn ddiweddarach gan y Beatles. Adeg hynny roedd gan ei wraig ag yntau un mab Humphrey, 10 oed. Bu Humphrey Pendrell-Smith farw yn 33 oed yr 18 Gorffennaf 1933.

Nodir cyfeiriad Pendrell-Smith yn 1906 fel Elerch Vicarage, ac mae'n bosibl ei fod yn aros yno ac yn gyfaill i John Alexander Williams, a nodir isod, sef mab y ficer, Alexander Williams. Roedd y ddau yr un oed, ac roedd John hefyd yn gweithio yn Llundain ar y pryd.

Ar 13 Awst 1906 cofrestrwyd car rhif EJ 32 yn enw Pendrell-Smith, Ficerdy Elerch, y modur cyntaf i'w gofrestru yn Bont-goch. Cynhyrchwyd y modur gan MMC, neu'r Manufacturing Co., Coventry, a aeth yn fethdalwyr yn 1904.

An accountant who lived at Elerch Vicarage, and the owner of the first car in Bont-goch.

Eric Pendrell-Smith was born at Lewisham, London the son of Frederick William Smith, an accountant born in Gibraltar, and his wife Adelaide Gertrude. In an early reference, dated 1890 when he was only 19 years of age, he is recorded as the secretary of a fund listed as the New York, Pennsylvania & Ohio Railroad Company Equipment Trust Bonds. He travelled regularly to the United States making at least eight return voyages between 1905 and 1931.

He married in 1895 at Lewisham. He was also an accountant, and in 1911 he is recorded as living at 27 Abbey Road, in north London, a street which later became synonymous with the Beatles. At the time he and his wife had one son, Humphrey, aged 10 years. Humphrey Pendrell-Smith died aged 33 years on 18 July 1933.

Pendrell-Smith's address in 1906 was given as Elerch Vicarage, and it is conceivable that he was staying there as a friend of John Alexander Williams, noted below, the son of the vicar, Alexander Williams. They were both the same age, and John was also working in London at the time.

On 13 August 1906 vehicle EJ 32 was registered in the name of Pendrell-Smith, Elerch Vicarage, the first car to be registered at Bont-goch. It was manufactured by the short-lived MMC Motor Manufacturing Co. of Coventry, which went into liquidation in 1904.

A NEW LIGHT CAR.

Credir iddo ysgaru ac ailbriodi Emily B. Bosman, a hi a enwir fel ei wraig adeg ei farwolaeth yn 64 oed ar 18 Mai 1935 yn ei gartref 25a Belsize Avenue, Camden.

Fe'i claddwyd ym mynwent Hampstead ar 22 Mai.

It is thought that his first marriage ended in divorce and he remarried Emily B. Bosman who is noted as his wife at the time of his death aged 64 years on 18 May 1935 at his home, 25a Belsize Avenue, Camden.

He was buried at Hampstead Cemetery on 22 May.

Prag, Adolf (1906-2004) & Frede Charlotte Prag (1904-2004)

Mathemategwr ac athro, a fu'n byw yn Nhan-y-bwlch a'i briod Frede Charlotte Prag (1904-2004) – ysgolhaig Saesneg ac athrawes.

Bu'r mathemategwr dawnus Adolf Prag a'i briod Frede yn berchen ar dŷ haf yn Bont-goch, sef Tan-y-bwlch, rhwng 1956 a 1990. Roeddent hefyd, fel y nodwyd eisoes, yn gyfeillgar gyda theuluoedd eraill yn y pentref oedd â chysylltiad Almaenig yn cynnwys John Duguid, Ruth Evans, a Jack & Hanne Yates. Roedd y tŷ, a brynwyd oddi ar Stad Gogerddan ar ôl marwolaeth y tenant blaenorol Richard Morris (1863-1955), a nodir uchod, yn golygu llawer mwy i'r teulu na thŷ haf, a chwaraeodd ran bwysig ym mywyd y rhieni, y plant, a'r wyrion gan adael cryn argraff arnynt a dylanwadu'n fawr ar eu hagweddau.

Ganwyd Adolf yn Baden-Oos, ar ymylon y Schwarzwald, yn yr Almaen ar 27 Mehefin 1906, yn unig fab i Leo a Betty Prag, ond symudodd y teulu yn fuan i Frankfurt. Oherwydd ei fod yn Almaenwr o dras Iddewig fe'i gwaharddwyd rhag sicrhau swydd briodol i'w gymwysterau yn y sector addysg gyhoeddus adeg cyfnod goruchafiaeth y Natsïaid, ac yn hytrach derbyniodd swydd ddysgu mewn ysgol breifat Iddewig yn Herrlingen yn 1931. Ar ôl 1933 pan ddaeth Hitler i rym, aeth pethau yn anoddach fyth i'r Iddewon, a symudwyd yr ysgol yn 1937 i Bunce Court ger Faversham yng Nghaint. Parhaodd Prag i ddysgu yno ac fe'i penodwyd yn ddirprwy brifathro. Yn ystod yr un flwyddyn cyfarfu â Frede Charlotte Warburg *(g.* 23

Mathematician and teacher and his wife Frede Charlotte Prag (1904-2004), English scholar and teacher, who lived at Tan-y-bwlch.

The eminent mathematician Adolf Prag and his wife were the owners of a summer house in Bont-goch at Tan-y-bwlch from 1956 until 1991, and were friendly with other families in the village who had German connections as noted in the entries relating to John Duguid, Ruth Evans and Jack & Hanne Yates. The house, purchased from the Gogerddan estate after the death of the tenant Richard Morris (1863-1955), noted above, was, according to the family, much more than a 'holiday home', and played a very important part in the lives of the parents, children and grandchildren and has had a lasting influence on all their lives and outlook.

Adolf Prag was born on 27 June 1906 in Baden-Oos, at the edge of the Black Forest in Germany, the only son of Leo and Betty Prag, but the family soon moved to Frankfurt. Because his Jewish identity prevented him from teaching in state-run schools in Nazi Germany, despite his formal qualifications, he took a post at a private Jewish school in Herrlingen in 1931. With the rise of Hitler the political climate in Germany changed for the worse, and in 1933 the school moved to Bunce Court near Faversham in Kent. Adolf Prag continued teaching here, becoming deputy head of the school. In 1937 he met Frede Charlotte Warburg *(b.* 23 November 1904), another German emigrant and

Tachwedd 1904), ffoadur Almaenig arall, a merch yr hanesydd celf Aby Warburg, ac fe'u priodwyd yn Faversham yn 1938, gan gydweithio i ganfod cartrefi newydd i'r miloedd o blant Iddewig a ddaeth i Brydain o dan gynllun *Kindertransport.*

Yn 1939 symudodd Prag i ddysgu yn St. Edward's School yn Rhydychen, gan dreulio rhai misoedd wedi ei gaethiwo yn Ynys Manaw yn 1940, cyn ei benodi i Winchester College. Yn 1946 ar ddiwedd y Rhyfel penodwyd ef i staff Westminster School, lle daeth ymhen amser yn bennaeth ar yr adran fathemateg ac yn llyfrgellydd yr ysgol. Ymddeolodd i Rydychen a Bont-goch yn 1966. Roedd yn awdurdod rhyngwladol ar fathemateg yr ail ganrif ar bymtheg, ac yn arbennig ar Isaac Newton

(1643-1727), a bu'n cynorthwyo'r Athro D. T. Whiteside (1923-2008) o Brifysgol Caer-grawnt i gyhoeddi *The Mathematical Papers of Isaac Newton*, gwaith a ymddangosodd mewn wyth cyfrol rhwng 1967-1981.

Bu farw Adolf Prag yn 98 oed yn Rhydychen ar 27 Mawrth 2004. Bu farw ei wraig yn ddiweddarach yr un flwyddyn ar 12 Mai, hithau yn 99 oed. Cynhaliwyd eu hangladdau yn Amlosgfa Rhydychen, a gwasgarwyd eu llwch ym mhen uchaf Cwm Eleri ym Mehefin 2004.

Ganwyd tri o blant iddynt: John, archaeolegydd a ddaeth yn Geidwad y Casgliad archaeoleg yn

daughter of the well-known art historian Aby Warburg at the school: they were married in Faversham in 1938, and devoted themselves to finding homes for the thousands of Jewish children who arrived from the continent due to the *Kindertransport* initiative.

From 1939 Prag taught at St Edward's School in Oxford, with a few months' internment on the Isle of Man in 1940, and then at Winchester College, and in 1946 after the end of the War he was appointed to Westminster School, where he eventually became head of the mathematics department and also school librarian, retiring to Oxford – and Bont-goch – in 1966. He was an international authority on seventeenth-century mathematics, especially Isaac Newton (1643-1727), and assisted Professor D. T. Whiteside (1923-2008) of Cambridge University in the publication of *The Mathematical Papers of Isaac Newton*, which was issued in 8 volumes from 1967-1981.

Adolf Prag died at Oxford aged 98 years on 27 March 2004. His wife died within a few weeks on 12 May, aged 99 years. After cremation at Oxford, their ashes were later scattered in the upper reaches of Cwm Eleri in June 2004.

They had three children: John, an archaeologist who became Keeper of the Archaeology Collection and Professor Emeritus of Classics at the University of

Amgueddfa Manceinion, ac Athro Emeritws y Clasuron ym Mhrifysgol Manceinion; Peter, a ddylanwadwyd yn fawr gan amgylchfyd Bont-goch a chael ei ddymuniad i weithio yng nghefn gwlad fel syrfëwr siartredig; a Thomas a aeth i'r byd darlledu a gwleidyddiaeth leol.

Manchester; Peter, who was much influenced by the environment of Bont-goch and determined then to have a career that enabled him to live and work in the countryside and became a rural practice chartered surveyor; and Thomas, who went into broadcasting and local politics.

Pryse, Lady Gwendoline Marjorie (1906-1993)

Heliwr a chymeriad a fu'n byw yn Nhŷ'r-banc.

Mae David Gorman wedi ysgrifennu'n fanwl mewn rhifyn o'r cylchgrawn *EGO* am fywyd a gwaith Gwendoline Marjorie Pryse, un o gymeriadau mwyaf lliwgar gogledd Ceredigion yn y cyfnod diweddar. Mae Lady Pryse yn ennill ei lle yn y gyfrol hon oherwydd iddi fyw yn Nhŷ'r-banc, ar gyrion pentref Bont-goch am nifer o flynyddoedd, gan symud yno yn ystod Haf 1983.

Daeth Marjorie i Geredigion yn wreiddiol fel plentyn mabwysiedig David a Gertrude Howell, Plas Cwmcynfelin. Addysgwyd yn Aberystwyth ac yn breifat yn Ysgol St. Paul's, Hammersmith. Treuliodd gyfnodau ar y cyfandir gan ddod yn rhugl mewn Ffrangeg ac Almaeneg. Dychwelodd i Aberystwyth gan gymryd prydles ar Ffynnon Caradog, ger Comins-coch. Erbyn hynny roedd yn amddifad ac wedi etifeddu holl gyfoeth ei rhieni mabwysiedig.

Sefydlodd gyfeillgarwch gyda Syr Lewes Thomas Loveden Pryse (1864-1946), Plas Gogerddan, a'i briodi yn Hydref 1938, ar ôl iddo ysgaru ei wraig Madeleine.

Huntswoman and character who lived at Tŷ'r-banc.

David Gorman has provided a detailed account in *EGO* magazine of the life of Gwendoline Marjorie Pryse, one of north Ceredigion's most colourful characters of recent years. Lady Pryse is included in this volume as she lived for many years at Tŷ'r-banc, on the outskirts of Bont-goch, where she moved in Summer 1983.

Marjorie originally came to Cardiganshire as the adopted child of David and Gertrude Howell, Plas Cwmcynfelin. She was educated at Aberystwyth and privately at St. Paul's Girls' School at Hammersmith. She spent time on the continent and became fluent in French and German. She returned to Aberystwyth taking a lease on Ffynnon Caradog, near Comins-coch. By this time she was an orphan and had inherited all the wealth of her adopted parents.

She established a close friendship with Sir Lewes Thomas Loveden Pryse (1864-1946), the squire of Plas Gogerddan, whom she married in October 1938, after he had divorced his wife Madeleine. Sir Lewes was 74 years old at the time, and his young bride was only 32.

Roedd Syr Lewes yn 74 ar y pryd a'i wraig newydd ond yn 32 oed. Bu'r ddau yn hapus iawn ac yn gyd-feistri ar gŵn hela enwog Gogerddan. Bu farw Syr Lewes yn 82 oed yn 1946. Dychwelodd Lady Pryse i fyw i Ffynnon Caradog, ond erbyn diwedd ei hoes roedd ei hamgylchiadau ariannol yn rhai anodd.

Bu'n ffyddlon iawn i Eglwys St. Ioan, Penrhyn-coch, eglwys a adeiladwyd ar dir a roddwyd gan deulu Gogerddan, a bu'n warden y ficer yno am nifer o flynyddoedd. Bu hefyd yn aelod lleyg o bwyllgor cynhadledd yr Esgobaeth.

Bu farw Lady Pryse yng Nghartref Tregerddan, Bow Street, ar 20 Hydref 1993, a'i chladdu gyda'i gŵr yn Eglwys St. Ioan ar 30 Hydref.

The couple had a happy marriage and enjoyed their mutual passion for hunting as joint masters of the famous Gogerddan Hunt. Sir Lewes died aged 82 years in 1946. Lady Pryse returned to live at Ffynnon Caradog, but her financial position was somewhat precarious towards the end of her life.

She was a faithful member at St. John's Church, Penrhyn-coch, a church built on land donated by the Gogerddan family, serving for many years as the vicar's warden. She was also a lay member of the St. Davids Diocesan Conference.

Lady Pryse died at Cartref Tregerddan, Bow Street, on 22 October 1993, and was buried with her husband at St. John's Church on 30 October.

Rees, David John (1905-1986)

Gweinidog Capel Bethesda Tŷ-nant, 1937-1943.

Minister of Bethesda Chapel, Tŷ-nant, 1937-1943.

Ganwyd D. J. Rees yr hynaf o dri phlentyn Y Parchg Jenkin Rees a'i briod Ellen, Blaenwaun, Cilcennin, a threuliodd Jenkin gyfnod yn weinidog ar eglwysi yn Ohio. Sefydlwyd D. J. Rees yn weinidog ar Bethesda, Tŷ-nant a Seion, Cwm Ceulan yn 1937, ond yn 1943 derbyniodd alwad i eglwysi Tabor, Llansaint a Soar, Mynydd y Garreg, Sir Gaerfyrddin. Yn 1955 symudodd eto i ofalu am eglwysi yng nghylch Corris, cyn ymddeol i Aberystwyth yn 1960.

Priododd Hettie Ann Owen o fferm y Gilfach, Glynarthen, Ceredigion a ganwyd dau o blant iddynt – y newyddiadurwr a'r

D. J. Rees was the eldest of three children born to the Revd Jenkin Rees, Blaenwaun, Cilcennin, and his wife Ellen; Jenkin had spent some time in Ohio as a minister. D. J. Rees was inducted as the minister of Bethesda, Tŷ-nant and Seion, Cwm Ceulan in 1937, but in 1943 he received a calling to minister Tabor, Llansaint and Soar, Mynydd y Garreg, Carmarthenshire. In 1955 he again moved to take charge of chapels in Corris, before retiring to Aberystwyth in 1960. He married Hettie Ann Owen, a farmer's daughter of Gilfach, Glynarthen, Ceredigion and they raised two

awdur (David) Lynn Owen-Rees (1936-2008) a'i chwaer Glynda (Butler).

Bu farw D. J. Rees ar 30 Gorffennaf 1986 a'i gladdu yng nghapel yr Annibynwyr Glynarthen. Bu farw ei briod ar 11 Gorffennaf 1992 yn 87 oed. Mae hi a'i mab hefyd wedi eu claddu yng Nglynarthen.

Ar 8 Medi 2007 dadorchuddiwyd cofeb i'r Parchg D. J. Rees ar fur allanol Capel Bethesda.

children – the journalist and author (David) Lynn Owen-Rees (1936-2008) and his sister Glynda (Butler).

D. J. Rees died on 30 July 1986 and was buried at the Independent Chapel at Glynarthen. His wife died on 11 July 1992, aged 87 years. She and her son are also buried at Glynarthen.

On 8 September 2007 a memorial plaque to the Revd D. J. Rees was unveiled on the outside wall of Bethesda Chapel.

Rees, John (1838-1924)

Curad a Ficer Elerch, 1870-1883, a fu'n byw ym Mhlas Cefn Gwyn a Ficerdy Elerch.

Ganwyd John Rees ar 13 Ebrill 1838 yn Tynywaun, Llandeilo, Sir Gaerfyrddin yn fab i Morgan Thomas Rees, ffermwr, a'i wraig Mary (née Davies). Derbyniodd ei addysg yng Ngholeg Dewi Sant, Llanbedr Pont Steffan gan raddio BA yn 1866. Ordeiniwyd yn 1866, a bu'n gurad yn Llanelli ac Aberteifi cyn ei apwyntiad fel curad ar 22 Rhagfyr 1869, a'i ddyrchafu'n ficer ymhen blwyddyn. Yn ôl cyfrifiad 1871 roedd ef a'i briod Augusta Brudenell Rees (née Morris) a'i ferch Mary, yn ymgartrefu ym Mhlas Cefn Gwyn. Rees oedd y cyntaf i fyw yn Ficerdy newydd Elerch a gwblhawyd erbyn 1875. Erbyn 1886 roedd ei deulu wedi ymestyn i gynnwys wyth o blant.

Roedd John Rees yn bresennol pan gysegrwyd eglwys newydd Penrhyn-coch ym Mehefin 1881, ac fe'i gwahoddwyd i ddarllen y llith gyntaf yn y gwasanaeth.

Curate and vicar of Elerch, 1869-1883, who lived at Plas Cefn Gwyn and Elerch Vicarage.

John Rees was born on 13 April 1838 at Tynywaun, Llandeilo, Carmarthenshire, the son of Morgan Thomas Rees, a farmer, and his wife Mary (née Davies). He was educated at St. David's College, Lampeter, graduating BA in 1866. Ordained in 1866, he served as a curate in Llanelli and Cardigan before his appointment as curate of Elerch on 22 December 1869, and subsequently promoted to vicar in 1870. According to the 1871 census he and his wife Augusta Brudenell Rees (née Morris) and daughter Mary were living at Plas Cefn Gwyn. Rees was the first vicar to live at the new Vicarage completed in 1875, and by 1886 his family had expanded to include eight children.

John Rees was present when the new church at neighbouring Penrhyn-coch was consecrated in June 1881, and he was invited to read the first lesson. He

Bu'n ficer ar blwyfi Llanafan Fawr, Llanfihangel Brynpabuan a Llanafan Fechan yn Sir Frycheiniog rhwng 1883 a 1893, cyn ei apwyntio'n rheithor Treletert a Llanfair Nant-y-gof, yn Sir Benfro yn 1893 tan ei ymddeoliad yn 1919.

Bu farw John Rees yn 86 oed yn ei gartref Llwyn Ceirios, Rotherfield Peppard, ger Henley-on-Thames, Swydd Rhydychen ar 5 Hydref 1924, ac fe'i claddwyd ar 8 Hydref. Bu farw ei briod o'i flaen ar 13 Ebrill 1922, a'i chladdu ar 17 Ebrill. Rhoddwyd y ddau i orffwys ym mynwent Eglwys yr Holl Seintiau, Rotherfield Peppard ac mae'r garreg fedd yn nodi fod Augusta yn ferch i'r Parchg Ebenezer Morris (1790-1867) o Lanelli – cymeriad dadleuol a lliwgar a gelyn pennaf yr anghydffurfwyr lleol.

Mae'n bur debyg iddo ef a'i briod ymddeol i Rotherfield Peppard yn dilyn penodiad eu merch Rose Hastings Rees (1883-1969) fel prifathrawes yr ysgol gynradd leol yn 1922. Gweithredodd hithau fel pennaeth yr ysgol hyd at ei hymddeoliad yn 1943. Bu farw Rose Hastings Rees yn Worthing, Sussex ar 10 Mai 1969, yn 86 oed, a chafodd ei gwasanaeth angladdol ei gynnal yn Amlosga Worthing ar 16 Mai.

served as vicar of Llanafan Fawr, Llanfihangel Brynpabuan and Llanafan Fechan in Breconshire between 1883 and 1893, prior to his appointment as the rector of Letterston and Llanfair Nant-y-gof, Pembrokeshire, from 1893 until his retirement in 1919.

John Rees died aged 86 years at his home Llwyn Ceirios, Rotherfield Peppard, near Henley-on-Thames, Oxfordshire on 5 October 1924, and was buried on 8 October. His wife predeceased him on 13 April 1922 and was buried on 17 April. Both were laid to rest at All Saints Church, Rotherfield Peppard, and are commemorated with a gravestone noting that Augusta was the daughter of the Revd Ebenezer Morris (1790-1867) of Llanelli – a colourful character and notorious scourge of the local nonconformists.

It seems likely that John Rees and his wife chose to retire to Rotherfield Peppard following the appointment of their daughter Rose Hastings Rees (1883-1969) as head teacher of the local primary school in 1922. She remained in that post until her retirement in 1943. Rose Hastings Rees died at Worthing, Sussex on 10 May 1969, aged 86 years, and her funeral service was held at Worthing Crematorium on 16 May.

Rowlands, William ('Gwilym Lleyn'; 1802-1865)

Llyfryddwr a gweinidog Capel Ebenezer, Bont-goch, 1858-1861.

Fel y nodwyd eisoes roedd Capel Ebenezer Bont-goch yn rhan o Gylchdaith Gymraeg Aberystwyth ac yn cael ei wasanaethu gan y gweinidog neu weinidogion a benodwyd i'r Gylchdaith. Roedd William Rowlands yn un o'r ffigurau pwysicaf a wasanaethodd y Gylchdaith yn ystod y bedwaredd ganrif ar bymtheg, ac fe fyddai wedi cynnal gwasanaethau yn Bont-goch yn rheolaidd.

Ganwyd Rowlands ar 24 Awst 1802 ym Mryncroes, Sir Gaernarfon, yn fab i William ac Eleanor Rowlands. Gwasanaethodd mewn nifer o rannau o Gymru yn cynnwys Cylchdaith Aberystwyth rhwng 1858 a 1861. Ymddeolodd o waith cylchdeithiol yn 1864 gan ymsefydlu yng Nghroesoswallt.

Roedd William Rowlands yn ŵr llengar a bu'n olygydd ar gylchgrawn *Yr Eurgrawn Wesleaidd*: 1842 hyd at 1845, ac eto o 1852 hyd at 1856. Ysgrifennai hefyd i gylchgronau eraill, ond fe'i cofir yn bennaf am ei gampwaith *Llyfryddiaeth y Cymry*, a gyhoeddwyd yn 1869, bum mlynedd ar ôl ei farwolaeth. Mae'r gwaith hwn yn rhestru pob llyfr Cymraeg a gyhoeddwyd rhwng 1546 hyd at 1800, tasg aruthrol a gyflawnwyd cyn sefydlu nifer o lyfrgelloedd pwysicaf Cymru.

Bu farw William Rowlands ar 21 Mawrth 1865 ac fe'i claddwyd yng Nghaerau, gerllaw Llanidloes.

Bibliographer and minister of Ebenezer Chapel, Bont-goch, 1858-1861.

As noted above Ebenezer Chapel, Bont-goch fell within the Aberystwyth Circuit of Wesleyan chapels and as such was served by a minister or ministers appointed to the Circuit. The Revd William Rowlands was one of the most significant figures to have served the Circuit during the nineteenth century, and would have regularly taken services at Bont-goch.

Rowlands was born on 24 August 1802 at Bryncroes, Caernarfonshire, the son of William and Eleanor Rowlands. He served in many parts of Wales including the Aberystwyth Circuit from 1858 until 1861. He retired in 1864 and settled at Oswestry.

William Rowlands was a literary figure of note and served as editor of *Yr Eurgrawn Wesleaidd* on two occasions: 1842 to 1845, and again from 1852 to 1856. He also contributed to other periodicals, but he is best remembered for his major work entitled *Llyfryddiaeth y Cymry* (Cambrian bibliography), published posthumously in 1869, five years after his death. This work lists all Welsh books published between 1546 and 1800 and represents a major achievement during a period which precedes the establishment of a number of important libraries in Wales.

William Rowlands died on 21 March 1865 and was buried at Caerau, near Llanidloes.

Tait, John Wilson (1874-1951)

Peiriannydd yng ngwaith Bwlch-glas.

Ganwyd John Wilson Tait yng Nghaeredin ar 16 Ebrill 1874, yn fab i John Tait (1851-1902) a'i wraig Martha (1849-1918). Priododd â Rose Matilda Dore ar 31 Mawrth 1910, yn Strath ar Ynys Skye yn Sir Inverness. Ganwyd Rose ar 23 Gorffennaf 1880 yn Camden, Llundain.

Yng nghyfrifiad 1911 roedd ef a'i wraig yn byw yng Nglanrafon, Pontbren-geifr, Bont-goch lle nodir ei alwedigaeth fel 'Engineer's Fitter (Head Mine)', a hynny, yn ôl pob tebyg, yng ngwaith mwyn Bwlch-glas gerllaw. Ymddengys nad arhosodd ef a'i wraig yn hir yn Bont-goch, gan fod eu plentyn cyntaf Charles John Wilson, wedi ei eni yn Tarbrax ar 10 Mai 1915, pentref bach yn Swydd Lanark, i'r de-orllewin o Gaeredin sy'n enwog am ei fwynglawdd siâl lle llwyddodd John gyda'i sgiliau peirianyddol, mae'n debyg, i ddod o hyd i waith cymwys.

Hwyliodd John Wilson Tait am America ym 1923, tra arhosodd ei wraig gartref yn 6 Montpelier Terrace, Caeredin. Talodd ymweliadau pellach â'r Unol Daleithiau ym 1930 a 1932. Unwaith eto, ni ellir ond tybio bod yr ymweliadau hyn yn ymwneud â'i waith.

Roedd ei fab Charles yn beilot gyda'r RAF ond collodd ei fywyd yn 25 oed ar 18 Mehefin 1940 yn y Sudan ar wasanaeth gyda 112 Squadron. Mae wedi ei gladdu ym mynwent Ryfel Khartoum.

Bu farw John Wilson Tait ar 21 Mehefin 1951, yn 77 mlwydd oed, yn 79 Gilmore Place, Caeredin. Bu farw ei wraig Rosa yn Ysbyty Brenhinol Caeredin ar 8 Rhagfyr 1959, yn 79 mlwydd oed. Rhoddwyd ei chyfeiriad hefyd fel 79 Gilmore Place, Caeredin. Fe'i cofrestrwyd gan ei mab Thomas Kenneth Tait, Oxgangs Farm Grove, Caeredin. Ganwyd Thomas yng Nghaeredin yn 1918, a bu farw yn Kelso yn 1985 yn 67 oed.

Mining engineer at Bwlch-glas mine.

John Wilson Tait was born in Edinburgh on 16 April 1874, the son of John Tait (1851-1902) and his wife Martha (1849-1918). He married Rose Matilda Dore (*b*. 23 July 1880 at Camden, London), the marriage taking place on 31 March 1910 on the Isle of Skye at Strath, Inverness-shire.

In the 1911 census he and his wife were living at Glanrafon, Pontbren-geifr, Bont-goch where his occupation is given as 'Engineer's Fitter (Head Mine)', presumably at the nearby Bwlch-glas mine. It appears that he and his wife did not stay long at Bont-goch, as their first child Charles John Wilson, was born at Tarbrax on 10 May 1915, a small village in Lanarkshire, south west of Edinburgh renowned for its shale mine where John with his engineering skills, probably found employment.

John Wilson Tait sailed for America in 1923, leaving his wife home at 6 Montpelier Terrace, Edinburgh. He paid further visits to the States in 1930 and 1932. Again, one can only assume that these visits were made in conjunction with his work.

His son Charles became an RAF pilot but was tragically killed on active service with 112 Squadron RAF on 18 June 1940, and is buried at the Khartoum War cemetery, Sudan.

John Wilson Tait died on 21 June 1951, aged 77 years, at 79 Gilmore Place, Edinburgh. His wife Rosa died at the Edinburgh Royal Infirmary on 8 December 1959, aged 79 years. Her address was also given as 79 Gilmore Place, Edinburgh. It was registered by her son Thomas Kenneth Tait, of Oxgangs Farm Grove, Edinburgh. Thomas was born in Edinburgh in 1918, and died at Kelso in 1985, aged 67 years.

Thomas, David James ('Dei Bont-goch'; 1938-2009)

Gwladwr a chymeriad a fu'n byw yn Nhanllidiart.

Collodd Bont-goch un o'i chymeriadau mwyaf gwreiddiol ychydig ddyddiau cyn Nadolig 2008 pan fu farw David James Thomas, neu *'Dei Bont-goch'* i'w ffrindiau. Bu farw yn Ysbyty Cyffredinol Bronglais ar 22 Rhagfyr yn 71 oed.

Ganed Dei yn Nhanllidiart, Bont-goch ar 4 Tachwedd 1938, a'i fedyddio yn Eglwys St. Pedr, Elerch. Treuliodd ei holl oes yn Nhanllidiart, ac eithrio'r cyfnod byr pan orfodwyd iddo adael yn dilyn tân difrifol ar 28 Gorffennaf 2008 a ddinistriodd ei gartref yn llwyr. Bu Bont-goch yn wag iawn hebddo yn ystod y cyfnod y gwelwyd ail-adeiladu'r tŷ, a phan ddychwelodd ymhen llai na blwyddyn roedd pawb yn falch iawn i'w groesawu adref. Ond roedd hi'n amlwg fod y tân wedi gadael ei ôl arno, ac wedi effeithio ar ei iechyd.

Cychwynnodd Dei yn Ysgol Elerch ar 8 Chwefror 1943, cyn symud i Ysgol Uwchradd Dinas, Aberystwyth ym mis Medi 1950, ac ar ôl gadael yno bu'n gweithio ar y tir yng Ngharregydifor ac yn Llety Ifan Hen, cyn derbyn swydd fel gyrrwr tractor ar staff Bridfa Blanhigion Cymru ym Mhlas Gogerddan. Gweithiodd yno am 34 mlynedd gan dderbyn medal am hir-wasanaeth. Ond gŵr ei filltir sgwâr oedd Dei, ac roedd ganddo stôr werthfawr iawn o wybodaeth lafar am ei hanes, traddodiadau a'i theuluoedd, ac roedd ei

Countryman and character who lived at Tanllidiart.

Shortly before Christmas 2008 Bont-goch lost one of its most original characters with the passing of David James Thomas, or *'Dei Bont-goch'* to his friends who died at Bronglais General Hospital on 22 December, aged 71 years.

Dei was born at Tanllidiart, Bont-goch, on 4 November 1938, and baptized at Elerch Church. He spent his entire life at Tanllidiart, apart from a few months when he was forced to relocate to Tal-y-bont after a very serious fire totally destroyed his home. The village did not seem the same without him, and after he returned everyone was happy to see him back in the community where he belonged. But it was evident that the fire had greatly affected his general health.

He enrolled at Ysgol Elerch on 8 February 1943, before moving to Dinas Secondary School in Aberystwyth in September 1950. After leaving school he worked as an agricultural labourer at Carregydifor and Llety Ifan Hen before obtaining work as a tractor driver at the Welsh Plant Breeding Station, Plas Gogerddan. He was employed there for 34 years for which he received a long-service medal. But above all he was a home bird, and he possessed an amazing store of information on parish history and lore, and its traditions and families – his own family were deep-rooted in the Nant-y-moch area, and prior to that in Cwmystwyth.

wreiddiau yntau yn ardal Nant-y-moch, a chyn hynny yn ardal Cwmystwyth.

Cynhaliwyd ei angladd yn Amlosgfa Aberystwyth ar 6 Ionawr 2009. Roedd y pentref dan drwch o eira a methodd llawer o'i ffrindiau a bod yn bresennol gan ail-adrodd, yn eironig iawn, yr un sefyllfa a gododd pan fu farw ei ewythr David Morris Thomas a nodir isod adeg storm 1982.

His funeral was held at Aberystwyth Crematorium on 6 January 2009. On that day the village was covered in a very heavy snowfall, and many of his friends and neighbours were unable to attend the service. Ironically, this replicated the conditions which prevailed during the 1982 blizzard which also affected the attendance at his uncle's funeral as noted below in the entry for David Morris Thomas.

Thomas, David John Clifton ('John Cwmere'; 1940-2018)

Ffermwr a chymeriad a anwyd yng Nghwmere.

Ganwyd John Thomas ar 5 Hydref 1940 yn fferm Cwmere, a'i fedyddio ar 9 Mawrth 1941 yn Eglwys Elerch. Roedd yn fab i David Alcwyn Thomas a'i briod Hilda Thomas (née Evans), a nodir isod.

Disgrifiwyd John fel 'un o gymeriadau mwyaf gwreiddiol a lliwgar gogledd Ceredigion' gan ei gyfaill Robat Gruffudd a dalodd y deyrnged olaf iddo yn ei angladd. Yn ei deyrnged nododd Robat i John gael ei eni yn fferm Cwmere, gan fynychu ysgolion Tal-y-bont ac Ysgol Sir Ardwyn, Aberystwyth. Gadawodd yr ysgol i ffermio Cwmere cyn symud i Rydyronnen yng Nghwm Ceulan. Roedd ei ffrind agos Dr Dafydd Huws am iddo fynd i brifysgol, ond arhosodd adref i ffermio, ond cyflawnodd John ei addewid academaidd yn ddiweddarach drwy raddio BA gyda gradd mewn Hanes a Chymraeg yng Ngorffennaf 1995 ar ôl dilyn cwrs allanol Prifysgol Aberystwyth. Un o'i gyd-fyfyrwyr ar y cwrs oedd Hefin Llwyd. Mae gan Hefin atgofion melys o'r

Farmer and character born at Cwmere.

John Thomas was born on 5 October 1940 at Cwmere and was baptized on 9 March 1941 at Elerch Church. He was the son of David Alcwyn Thomas and his wife Hilda Thomas (née Evans), noted below.

John was described by his good friend Robat Gruffudd in his eulogy as 'one of the most original and colourful characters in north Ceredigion'. Robat also noted that he was born at Cwmere and that he attended Tal-y-bont primary school and Ardwyn County School, Aberystwyth. He left school to farm Cwmere, before moving to Rhydyronnen in Cwm Ceulan. Another friend, Dr Dafydd Huws, urged him to go to university, but he opted to stay at home to farm. However, John fulfilled his academic promise when he graduated BA with an honours degree in History and Welsh in July 1995 after pursuing an external degree course at Aberystwyth University. One of his fellow students was Hefin Llwyd. Hefin has very fond memories of the lectures and summer schools he

darlithoedd a'r ysgolion haf a dreuliodd yng nghwmni John. Soniodd wrthyf fod clywed John yn trafod a thraethu mewn seminar a thiwtorial wrth ymateb i sylwadau'r darlithwyr yn brofiad arbennig.

Roedd yn ddarllenwr mawr, yn genedlatholwr digyfaddawd, ac yn chwaraewr gwyddbwyll o'r radd flaenaf. Roedd yn aelod ffyddlon a hael iawn ei gyfraniad i Eglwys Elerch, a olygai llawer iawn iddo.

Yn ei flynyddoedd olaf cafodd ofal tyner iawn gan ei briod Sujittra, a chafodd gyfle i ymweld â'i theulu yng ngwlad Thai nifer o weithiau cyn i'w iechyd ddirywio.

Bu farw ar 26 Mehefin 2018, a chynhaliwyd ei angladd ar 3 Gorffennaf yn Eglwys Elerch lle rhoddwyd ei weddillion i orwedd yn ymyl beddau eraill y teulu. Gadawodd fab Gareth (a fu farw'n ifanc yn 2019), a merch, yr actores Catrin Fychan, ac fel y nodwyd gan Robat Gruffudd yn ei deyrnged angladdol, bu Hilda, mam Catrin, yn gweithio am flynyddoedd iddo yng Ngwasg y Lolfa.

Ar ei daflen angladdol argraffwyd cwpled addas a chrefftus o waith Gwilym Fychan, a fu'n frawd-yng-nghyfraith iddo:

"Colli'r gŵar lliwgar o'r lle
Ym marw John Cwmere".

attended in John's company. He mentioned that listening to John's contributions and discussions in seminars and tutorials with his lecturers was a special experience.

John was a voracious reader, an uncompromising Welsh nationalist, and an accomplished chess player. He was also a very faithful member of Elerch Church which he supported very generously as it meant so much to him.

During his later years he was well cared for by his wife Sujittra, and he was able to visit her home and family in Thailand on a number of occasions before his health deteriorated.

He died on 26 June 2018, and his funeral was held at Elerch Church on 3 July 2018 where he was laid to rest in close proximity to his family. He was survived by his son Gareth (who sadly died in 2019), a daughter, the actress Catrin Fychan, and Robert Gruffudd added in his eulogy that her mother, Hilda, had for many years worked at Y Lolfa in Tal-y-bont.

On his funeral leaflet Gwilym Fychan, who had been his brother-in-law, paid a moving poetic tribute in the form of a well-crafted couplet, which loosely translates as: 'With John Cwmere's death we have lost a civilized and colourful character from this place'.

*"Colli'r gŵar lliwgar o'r lle
Ym marw John Cwmere".*

Thomas, David Morris ('Dai Bont-goch'; 1907-1982)

Cymeriad a gwladwr a fu'n byw yn Nhanllidiart.

Roedd 'Dai Bont-goch' yn un o gymeriadau mawr pentref Bont-goch, ac roedd yn ewythr i 'Dei Bont-goch' a nodir uchod. Cafwyd portread byw ohono gan Robat Gruffudd ym *Mhapur Pawb* yn dilyn ei farwolaeth yn Ionawr 1982:

Countryman and character who lived at Tanllidiart.

'Dai Bont-goch' was one of the great village characters, and an uncle to 'Dei Bont-goch', noted above. Following his death in January 1982 Robat Gruffudd wrote the following tribute in *Papur Pawb*:

Ganwyd yn Nôl-rhuddlan yn ardal Nant-y-moch, yn fab i William Thomas o Gwmystwyth, a chredir iddo symud i Danllidiart, Bont-goch pan oedd yn un oed mewn cyfnod anodd o dlodi a diweithdra. Cafodd y tad waith yn Bwlch-glas. Yn fuan ar ôl gadael ysgol aeth ef a'i dad, fel llawer eraill, i lawr i faes glo de Cymru i chwilio am well byd. Bu'n gweithio dan ddaear yn Y Tymbl, ger Llanelli am ddwy flynedd; wedyn am flynyddoedd ar ffermydd yng nghanolbarth Lloegr. Daeth yn ôl i'r ardal hon i weithio yn Ynys-hir, Moelgolomen, a ffermydd eraill, a gyda'r Comisiwn Coedwigaeth.

Hen lanc oedd David Morris o arferion pendant. Yr enwocaf o rhain oedd ei arfer o hwylio ar ei feic lawr o Bont-goch i Dal-y-bont i ddisychedu min nos. Gadawai'r beic wrth un o'r tafarnau, yna cerdded, gyda'r beic y rhan fwyaf o'r ffordd adref.

Mwyn hefyd oedd ei gymeriad, a charedig. Y gwmnïaeth a'r tynnu coes, y canu, ac yn y gaeaf – gwres y tân, oedd y pethau a'i denai i "waelod y pentre". Er nad yn gantor, roedd yn hoff o ganu. Roedd ganddo hefyd ei stoc o storïau a phenillion.

Fe'i claddwyd ar 18 Ionawr 1982 yn Eglwys Elerch yn 74 oed adeg yr eira mawr gan gyfyngu'n sylweddol ar y niferoedd a ddaeth i'w angladd.

Lladdwyd ei frawd hŷn, Isaac John Thomas, mewn damwain ar ôl cael ei daro gan gar tra'n byw ac yn gweithio ym mhyllau glo Y Tymbl, Sir Gaerfyrddin. Claddwyd Isaac yn 36 oed yn Eglwys Elerch ar 30 Mai 1936. Nodwyd ei gyfeiriad yn y gofrestr claddedigaethau fel 32 Railway Terrace, Y Tymbl.

He was born at Dôl-rhuddlan in the Nant-y-moch area, the son of William Thomas, from Cwmystwyth, and it is thought that he moved to Tanllidiart at a time of serious poverty when he was just a year old. His father then obtained work at the Bwlch-glas lead mine. Shortly after he left school he and his father, like many others in the village, sought work in the South Wales coalfield. He worked for two years in Tumble, near Llanelli, and later worked as an agricultural labourer in England, before returning to work at Ynys-hir, Moelgolomen, and other local farms, prior to obtaining employment with the Forestry Commission.

David Morris was a confirmed bachelor and a creature of predictable habits. The best known of these was his practice of regularly waltzing down to Tal-y-bont on his bike to quench his thirst in the local hostelries. He would leave his bike outside the hostelry and then walk back home most of the way pushing his cycle.

He was a gentle and kind soul. The company, the leg pulling, the singing and the heat from an open fire were all factors in attracting him to the two public houses in Tal-y-bont. Although he was not blessed with a good singing voice, he nevertheless enjoyed a good sing-song. He also had a rich store of anecdotes and tales to share with his companions.

He was buried on 18 January 1982 at Elerch Church aged 74 years. The heavy snow that descended on the village at the time severely curtailed the attendance at his funeral.

His elder brother Isaac John Thomas was killed after being struck by a car whilst living and working in the coal mines at Tumble. Isaac was buried aged 36 years at Elerch Church on 30 May 1936. His address was noted in the burial register as 32 Railway Terrace, Tumble.

Thomas, Hilda Elizabeth ('Hilda Cwmere'; 1914-2008)

Cymeriad a chymwynaswraig a anwyd yng Nghwmere.

Mae'r cofnod hwn yn seiliedig yn bennaf ar deyrnged a gyhoeddwyd gan Hefin Llwyd ym *Mhapur Pawb*.

Bu farw Mrs Hilda Thomas, Cwmere ar 5 Ebrill 2008 yn 94 mlwydd oed. A chyda'i hymadawiad collwyd un o gymeriadau hynotaf ardal *Papur Pawb*. Doedd hi ddim yn rhy hoff o gael ei galw'n Mrs Thomas, gan mai Hilda oedd hi i bawb. Treuliodd y cyfan o'i hoes fwy neu lai o fewn ei milltir sgwâr gan gyfrannu'n helaeth iawn i fywyd y gymdeithas wledig hon yr oedd yn gymaint rhan ohoni.

Ganwyd hi yng Nghwmere, Bont-goch ar 9 Mawrth 1914, yr hynaf o bump o blant David Evans (1877-1955) a'i briod Mary Anne, née Peate, (1899-1923). [Y plant eraill oedd David 'Dewi' Edward (1915-2001), Tal-y-bont; Dorothy Ann Evans (1918-1944), a nodir uchod mewn cofnod ar wahân; Emma Mary Peate, a fu farw yn 6 mis oed yn Rhagfyr 1922 a Janet Maria (Evans), Fronallt, Tre'r-ddôl, (1923-2009). Hanai'r tad o deulu mawr a fagwyd yn fferm gyfagos Nantyperfedd. Roedd ei mam yn ferch i deulu'r Peate o Lanbryn-mair, teulu cerddorol oedd yn canu'r delyn a'r ffidil. Ac roedd ei mam-gu Hilda Elizabeth (1848-1890), priod David Evans (1843-1916) yn chwaer i David Mason ('Grugog'), y bardd gwlad a nodir uchod mewn cofnod unigol.

Mynychodd Hilda Ysgol Elerch, Bont-goch, ac yna

Character and community patron born at Cwmere.

The following entry is based primarily on a tribute by Hefin Llwyd published in *Papur Pawb*.

Mrs Hilda Thomas, Cwmere, Bont-goch died on 5 April 2008 aged 94 years. With her passing the *Papur Pawb* area lost one of its most original characters. She was not particularly fond of being called Mrs Thomas, as she was known to everyone as Hilda. She spent her entire life at Cwmere, making a major contribution to this rural area which meant so much to her.

Hilda was born at Cwmere on 9 March 1914, the eldest of five children born to David Evans (1877-1955) and his wife Mary Anne, née Peate, (1899-1923). [The other children were David 'Dewi' Edward (1915-2001), of Tal-y-bont; Emma Mary Peate, who died aged 6 months in December 1922; Dorothy Ann Evans who is noted above in a separate entry, and Janet Maria (Evans), of Fronallt, Tre'r-ddôl (1926-2009). The father hailed from a large family raised at Nantyperfedd, whilst the mother was one of the talented and musical Peate family of Llanbryn-mair who played the harp and violin. Hilda's grandmother, Hilda Elizabeth (1848-1890), wife of David Evans (1843-1916) was also a sister to the poet David Mason ('Grugog'), noted above in a separate entry.

Hilda attended Elerch School and Ardwyn County

Ysgol Sir Ardwyn, Aberystwyth. Ond ergyd drom i'r teulu oedd colli ei mam pan oedd Hilda yn naw oed yn 1923. Yn bymtheg oed, ac yn dal yn Ardwyn, gadawodd yr ysgol a dychwelodd i Gwmere i ofalu am y teulu. Fel y nodir uchod, ergyd arall drom i'r teulu oedd colli ei chwaer Dorothy Ann [Evans] yn 1944 a hithau ond yn 25 oed mewn damwain erchyll adeg yr Ail Ryfel Byd.

Ar ddiwedd y 1930au cyfarfu Hilda â David Alcwyn (Alec) Thomas o ardal Pren-gwyn, Llandysul a phriodasant yn 1939 gan ymgartrefu yng Nghwmere. Ganwyd iddynt ddau o blant, sef Barbara (Jenkins) a'r diweddar David John Clifton Thomas, a nodir uchod, ac a fu farw ar 26 Mehefin 2018.

Bu Alec farw'n frawychus o sydyn yn Ebrill 1988. Treuliodd Hilda ei holl fywyd yng Nghwmere ar wahân i'r ddwy flynedd a hanner ddiwethaf pan ofalwyd amdani gan ei merch yn Hafod Ifan, Tre'r-ddôl. Drwy gydol ei hoes fe gyfrannodd yn helaeth i fywyd cymdeithasol, diwylliannol a chrefyddol yr ardal. Roedd yn aelod gweithgar o Eglwys Elerch. Bu'n warden yr eglwys am dros ddeugain mlynedd ac yn ysgrifennydd y Cyngor Plwyfol Elerch am nifer o flynyddoedd.

Pan sefydlwyd *Papur Pawb* yn 1974 un o'r colofnau yn y rhifyn cyntaf un oedd colofn Hilda dan y pennawd 'Bobol Annwyl' gan 'Mab y Mynydd'. Dros y blynyddoedd daeth y golofn honno'n rhan annatod o'r papur a hi hefyd oedd gohebydd lleol Bont-goch. Bu Hilda hefyd yn cystadlu llawer mewn eisteddfodau gan deithio gryn bellter i ambell un, ac roedd ganddi lais canu hyfryd. Roedd hefyd i'w chlywed yn aml ar raglenni Radio Cymru yn sgwrsio gyda Hywel Gwynfryn a Sulwyn Thomas

Cynhaliwyd ei hangladd a'i chladdedigaeth yn Eglwys Elerch ar 10 Ebrill 2008.

School, Aberystwyth, but the loss of her mother when only nine years of age was a major blow to the family. At the age of 15 she left Ardwyn to assist the family at home. As noted above, the family received another blow in 1944 when her younger sister Dorothy Ann [Evans] was killed in an accident aged 25 years.

At the end of the 1930s Hilda met David Alcwyn (Alec) Thomas from Pren-gwyn, Llandysul and they married in 1939 settling at Cwmere. They had two children, Barbara (Jenkins) and the late David John Clifton Thomas, noted above, who died on 26 June 2018.

Hilda lost her husband very suddenly in April 1988. She spent her entire life at Cwmere except for her last two years when she was cared for by her daughter at Hafod Ifan, Tre'r-ddôl. Throughout her life she contributed enormously to the social, cultural and religious life of the parish. She served as a churchwarden at Elerch for over forty years and was also secretary of the parochial church council for a lengthy period.

When *Papur Pawb* was established in 1974 Hilda wrote a popular column under the title 'Bobol Annwyl' by 'Mab y Mynydd', and she also acted as the local correspondent for Bont-goch. Hilda supported local eisteddfodau travelling far and wide to compete, and she had a fine singing voice. She was also a familiar contributor to Radio Cymru and could be heard regularly chatting with presenters Hywel Gwynfryn and Sulwyn Thomas.

Her funeral and burial was held at Elerch Church on 10 April 2008.

Thomas, Melvyn (1904-1993)

Ficer Elerch, 1938-1948.

Ganwyd Melvyn Thomas ar 17 Ebrill 1904, yn fab i John E. Thomas, glöwr, a'i briod Sarah, Gwauncaegurwen, plwyf Llan-giwg. Addysgwyd yng Ngholeg Dewi Sant, Llanbedr Pont Steffan, lle graddiodd BA yn 1932. Ordeiniwyd yn 1933, ac ar ôl gweithredu fel curad ym mhlwyfi Llanedi, 1933-35 a Llandybïe, 1935-38, fe'i hapwyntiwyd yn ficer Elerch yn 1938. Cyfarfu ei wraig Alice Davies (1904-1969) yn Llandybïe a'i phriodi yn Eglwys y Santes Fair, Abertawe, ar 29 Hydref 1938.

Ar ôl treulio degawd yn byw yn y Ficerdy, Bont-goch, yn cynnwys blynyddoedd y Rhyfel, dychwelodd i Sir Gaerfyrddin fel ficer Llangain yn 1948, a bu yno tan 1960 pan apwyntiwyd ef yn ficer Llangadog. Yn ystod ei gyfnod yn Llangadog bu farw ei wraig Alice ar 4 Rhagfyr 1969. Ymddeolodd Melvyn Thomas yn 1974, gan symud i fyw i Aberhonddu. Yn ddiweddarach bu'n byw yn Llanbedr Pont Steffan a Chaerfyrddin cyn symud i Cawdor Court, Arberth erbyn 1992. Bu farw 14 Hydref 1993, yn 89 oed, a chynhaliwyd ei wasanaeth coffa yn Amlosgfa Arberth ar 19 Hydref. Gadawodd weddw Anne Thomas, o'i ail briodas, a llysferch, Rita Burgess, Clarbeston Road, Sir Benfro. Bu Mrs Burgess, gweddw'r Capt. Henry Burgess, farw yn Southgate Park, Spittal, Sir Benfro yn 2002.

Vicar of Elerch, 1938-1948.

Melvyn Thomas was born on 17 April 1904, the son of John E. Thomas, a coal miner, and his wife Sarah, of Gwauncaegurwen, Llan-giwg parish. He was educated at St. David's College, Lampeter, where he graduated BA in 1932. Ordained in 1933, he served as curate of Llanedi, 1933-35 and Llandybïe, 1935-38 prior to his appointment as vicar of Elerch in 1938. He met and married his wife Alice Davies (1904-1969) at Llandybïe, and married her at St. Mary's Church, Swansea on 29 October 1938.

After spending a decade at Bont-goch, living in the Vicarage, including the War years, he returned to Carmarthenshire as vicar of Llangain in 1948 where he remained until 1960 when he was appointed the vicar of Llangadog. During his time at Llangadog he lost his wife Alice on 4 December 1969. He retired in 1974 to Brecon. He later lived at Lampeter and Carmarthen before moving to Cawdor Court, Narberth by 1992. He died on 14 October 1993, aged 89 years, and his funeral was held at Narberth Crematorium on 19 October. He was survived by his second wife Ann, and his stepdaughter, Rita Burgess, of Clarbeston Road, Pembrokeshire. Mrs Burgess, the widow of Capt. Henry Burgess, died at Southgate Park, Spittal, Pembrokeshire in 2002.

Thompson, Samuel (Sam) (1876-1920)

Mwynwr, glöwr, gwleidydd a Cheidwadwr.

Ganwyd Samuel Thompson yn Efrog Newydd ar 5 Ebrill 1876, yn fab i Samuel Thompson a'i briod Margaret. Roedd y rhieni yn enedigol o Gymru, ac wedi ymfudo i'r Unol Daleithiau tua 1867 ar ddiwedd y Rhyfel

Lead miner, coal miner and Conservative politician.

Samuel Thompson was born at New York on 5 April 1876, the son of Samuel Thompson and his wife Margaret. Both parents were from Wales and had emigrated to the United States around 1867 at the

Cartref. Bu'r tad farw yn 1877, a phenderfynodd Margaret Thompson ddychwelyd i Gymru gyda'i mab ifanc Sam, a'i ddwy chwaer hŷn, Mary Anne (g. 1867 yn Aberystwyth) a Margaret (g. 1874 yn America) gan ymgartrefu yn Stryd y Dollborth, Aberystwyth.

Ar 20 Tachwedd 1878, yn Swyddfa'r Cofrestrydd, Aberystwyth ailbriododd Margaret Thompson gydag Ebenezer Ellis, mwynwr a gŵr gweddw, gyda dau o blant, [John James Ellis (1873-1921) a Griffith Richard Ellis (g. 1874)] a gwnaethant ymgartrefu mewn bwthyn mwynwr ger gwaith Llety Ifan Hen yn Bont-goch, a rentiwyd o stad Trawsgoed. Ganed plentyn arall o'r briodas, ond ni fu'r tad fyw i weld ei blentyn, a chladdwyd Ebenezer Ellis ym mynwent Eglwys Elerch ar 26 Gorffennaf 1890 yn 49 mlwydd oed. Bedyddiwyd plentyn Ebenezer a Margaret yn Eglwys Elerch ar 2 Ebrill 1891 a'i enwi yn William Lewis Ellis.

Bu Samuel Thompson yn ddisgybl yn Ysgol Elerch hyd at gyrraedd ei 12fed pen-blwydd. Gadawodd yr ysgol erbyn diwedd 1888, a chafodd waith yng ngweithfeydd mwyn Cwmsymlog. Credir iddo weithio yno am ddwy flynedd, cyn cael cyfle i ddechrau prentisiaeth fel dilledydd gyda siop enwog Daniel Thomas yn Aberystwyth.

Erbyn 1901, fel nifer o gyn-fwynwyr, roedd yn byw ac yn gweithio yn y diwydiant glo yng Nghwm Rhondda, ac fe'i rhestrir fel *boarder* yn 3 Woodland Cottages, Ystradyfodwg yng nghyfrifiad 1901. Bu'n gweithio ym mhwll glo Tylorstown yn y Rhondda Fach ers tua chwe blynedd, a bu'n ffodus i oroesi trychineb mawr yn y pwll pan laddwyd 57 o'i gydweithwyr a 80 o geffylau mewn tanchwa ar 27 Ionawr 1896.

Ar ôl ymgartrefu yn y Rhondda, dechreuodd Samuel Thompson ddangos diddordeb yn y byd gwleidyddol,

end of the Civil War. The father died in 1877 and Margaret Thompson decided to return to Wales with her young son, and his two elder sisters, Mary Anne (b. 1867 in Aberystwyth) and Margaret (b. 1874 in America) settling at Northgate Street, Aberystwyth.

On 20 November 1878, at Aberystwyth Registry Office, Margaret Thompson married Ebenezer Ellis, a lead miner and widower, who had two children – John James Ellis (1873-1921) and Griffith Richard Ellis (b. 1874). They settled at a cottage near the Llety Ifan Hen mine, which was rented from the Trawsgoed estate. A child was born following the second marriage, but sadly the father did not live to witness the event. Ebenezer Ellis was buried at Elerch Church on 26 July 1890 aged 49 years. Ebenezer and Margaret's child was baptized at Elerch Church on 2 April 1891 and christened William Lewis Ellis.

Samuel Thompson was educated at Elerch School until his 12th birthday. He left school before the end of 1888 and obtained work at the Cwmsymlog lead mine. It is believed he remained there for two years before obtaining an apprenticeship at Daniel Thomas' gents' outfitters shop in Aberystwyth.

By 1901, like many of his fellow ex-miners, he migrated to the South Wales coalfield and in the 1901 census he is recorded as a *boarder* living at 3 Woodland Cottages, Ystradyfodwg. He had worked for at least six years at the Tylorstown mine in the Rhondda Fach valley, and was fortunate to have survived a major explosion which killed 57 miners and 80 horses on 27 January 1896.

After settling in the Rhondda, Samuel Thompson began to show an interest in politics, but continued to

ond parhaodd i weithio dan ddaear tan 1907. Er syndod, efallai, o ystyried ei gefndir fel mwynwr a glöwr, ymunodd yn 1897 â Chlwb Ceidwadwyr Tylorstown, gan ddod ymhen amser yn gadeirydd, ac erbyn 1902 etholwyd ef yn gadeirydd Ceidwadwyr y Rhondda, ac yn aelod o bwyllgor rhanbarthol De Cymru o'r blaid.

Bu'n ymgyrchu dros y Torïaid yn etholiad cyffredinol 1900, a bu'n arbennig o weithgar gyda mudiad y Tariff Reform League, a sefydlwyd yn 1903 i warchod Prydain yn erbyn mewnforio annheg, ac i hyrwyddo masnach gyda gwledydd yr Ymerodraeth Brydeinig ar draul yr Unol Daleithiau a'r Almaen. Bu'n annerch nifer fawr iawn o gyfarfodydd cyhoeddus i ledaenu neges y Gynghrair, ac arweiniodd y sylw a gafodd yn sgil yr ymgyrch honno, a'i effeithiolrwydd fel siaradwr cyhoeddus yn Gymraeg a'r Saesneg, at ei ddewis ym Mehefin 1908 fel darpar ymgeisydd Ceidwadol ar gyfer etholaeth Gorllewin Sir Ddinbych. Fodd bynnag, yn etholiad cyffredinol Ionawr 1910 trechwyd Sam Thompson gan y Rhyddfrydwr Syr John Herbert Roberts (1863-1955), cynrychiolydd y sedd ers 1892, a enillodd gyda dros 3,000 o fwyafrif.

Ar 24 Awst 1910, yn Eglwys St. Ioan, Maesteilo, priododd Samuel Thompson gyda Jane Thomas, merch David a Hannah Thomas, fferm Cefnrhiwlas, Pen-y-banc, Llandeilo. Er i etholiad cyffredinol arall gael ei chynnal yn Rhagfyr 1910, ail-etholwyd Rhyddfrydwr Gorllewin Dinbych yn ddiwrthwynebiad, ac ni fu Sam Thompson yn ymgeisydd. Yn gwbl annisgwyl ar 6 Ebrill 1911, bu farw ei wraig, a oedd yn feichiog ar y pryd, a hynny ddyddiau'n unig ar ôl mynychu angladd ei thad. Fe'i claddwyd ym mynwent Capel Isaac, Eglwys yr Annibynwyr, ger Llandeilo.

Erbyn diwedd Ebrill 1911 ceir Samuel Thompson yn byw ym Mhlas Iolyn, Rhuthun, lle nodwyd ei waith fel *political agent*. Yn 1913 priododd drachefn yn Ormskirk, Swydd Gaerhirfryn gyda Beatrice Harriet

work underground until 1907. Surprisingly, perhaps, considering his background as a lead and coal miner, he joined the Tylorstown Conservative Club in 1897 and became its Chairman. By 1902 he was chairman of the Rhondda Conservatives and a committee member of its South Wales executive.

He campaigned for the party in the 1900 general election, and was particularly active in the *Tariff Reform League* established in 1903 to protect Britain from unfair imports and to develop new markets with the British Empire in preference to the United States and Germany. He addressed many public meetings to support the work of the League, and the exposure he got from his activities as an effective public speaker, in both English and Welsh, paved the way for his adoption in June 1908 as the Conservative parliamentary candidate for West Denbighshire. However, in the ensuing January 1910 election the sitting Liberal member Sir John Herbert Roberts (1863-1955), who had represented the seat since 1892, was returned with a majority of over 3,000 votes.

On 24 August 1910, at St. John's Church, Maesteilo, Samuel Thompson married Jane Thomas, the daughter of farmer David Thomas and his wife Hannah, Cefnrhiwlas, Pen-y-banc, Llandeilo. Although another general election was held in December 1910, the Liberal member for West Denbighshire was returned unopposed and Sam Thompson did not contest the seat. Unexpectedly on 6 April 1911 he lost his wife, who was pregnant at the time, days only after attending her father's funeral. She was buried at Capel Isaac Independent Chapel cemetery.

By April 1911 Thompson was living at Plas Iolyn, Ruthin, where his occupation is given as political agent. In 1913 he remarried at Ormskirk, Lancashire, Beatrice Harriet Turpin of Cluny, Birkdale. They raised

Turpin o Cluny, Birkdale, a ganwyd tri o blant iddynt: Winifred Olive Louise (*g.* 1914), Margaret H. (*g.* 1915) a Samuel Arthur Merlin (1916-1966).

Ar ddechrau 1914 mabwysiadwyd Sam Thompson fel ymgeisydd Ceidwadol Meirionnydd ar gyfer yr etholiad cyffredinol a ddisgwyliwyd yn 1915. Ond gyda dechreuad y Rhyfel Mawr yn Haf 1914 gohiriwyd pob gweithgaredd gwleidyddol, ac ni chynhaliwyd etholiad arall cyn 1918.

Ar ddechrau 1916 adroddwyd fod Thompson wedi cael comisiwn fel is-lieutenant gyda 4ydd Catrawd y Ffiwsilwyr Brenhinol Cymreig (Tiriogaethwyr Sir Ddinbych). Fe'i dyrchafwyd yn Gapten cyn diwedd y Rhyfel.

Pan ddaeth etholiad 1918, ail-etholwyd Rhyddfrydwr Meirionnydd yn ddiwrthwynebiad, ac ni fu Thompson yn ymgeisydd. Mae'n bosibl nad oedd ei iechyd yn ddigon da erbyn hynny i ymladd etholiad arall gan iddo farw'n ifanc yn 44 oed yn y Royal Infirmary, Lerpwl ar 28 Ebrill 1920. Fe'i claddwyd ar 1 Mai ym mynwent newydd Eglwys Llantysilio, yn agos at gartref y teulu yn 3 Dolafon Villas, Llangollen. Yn dilyn ei farwolaeth symudodd ei weddw a'i blant i Swydd Gaerhirfryn i fyw.

three children: Winifred Olive Louise (*b.* 1914), Margaret H. (*b.* 1915) and Samuel Arthur Merlin (1916-1966).

Thompson was adopted as parliamentary candidate for Merioneth in anticipation of a general election in 1915. But with the outbreak of war in Summer 1914, all political activity was suspended, and no election was held until 1918. In 1916 it was reported that Thompson had been commissioned as a second-lieutenant in the 4th Battalion of the Royal Welch Fusiliers (Denbighshire Territorials). He was promoted to Captain before the end of the War.

When the election was held in 1918, the Liberal member for Merioneth was re-elected unopposed. It is probable that Thompson was not well enough to fight an election, because he died at the young age of 44 years at the Royal Infirmary, Liverpool, on 28 April 1920. He was buried on 1 May at the new cemetery at Llantysilio, close to his family home at 3, Dolafon Villas, Llangollen. After his death his widow and children moved to Lancashire.

Williams, Alexander (1839- 1910)

Ficer Elerch, 1883-1910.

Bu Alexander Williams yn ficer Elerch am 28 mlynedd. Fe'i ganwyd ym mhlwyf Llan-giwg, Sir Forgannwg yn 1839, ac roedd ei wraig Harriet (1840-1922) yn hanu o Arberth, Sir Benfro. Bu Williams yn ysgolfeistr am gyfnod a dyna oedd ei alwedigaeth pan briododd Harriet Phillips yn Llangynwyd yn 1868. Bu'n athro am gyfnod byr hefyd yn Llanelli, Sir Frycheiniog, cyn mentro i Goleg Dewi Sant, Llanbedr Pont Steffan gan raddio yn 1873.

Vicar of Elerch, 1889-1910.

Alexander Williams was vicar of Elerch for 28 years. He was born in the parish of Llan-giwg, Glamorgan in 1839, and his wife Harriet (1840-1922) was from Narberth, Pembrokeshire. Williams was originally a teacher and that was his occupation when he married Harriet Phillips at Llangynwyd in 1868. He also taught briefly at Llanelli, Breconshire before enrolling as a student at St. David's College, Lampeter, where he graduated in 1873.

Ordeiniwyd yn 1875, a bu'n gurad Goginan am wyth mlynedd rhwng 1875 a 1883 cyn ei benodiad yn ficer Elerch, a dengys cyfrifiad 1881 ei fod yn byw yn Woodside House, Goginan gyda'i deulu. Apwyntiwyd ef i blwyf Elerch yn 1883, a bu'n gwasanaethu yno hyd at ei farwolaeth yn 1910, gan fyw yn y Ficerdy newydd. Mae Alexander Williams, ei wraig Harriet, a'u merch Bertha Maudeline (1881-1942), a'i phriod Henry Whitlock Jones (1881-1954) o Dre Taliesin, i gyd wedi eu claddu ym mynwent Elerch.

Bu farw Alexander Williams ar 3 Rhagfyr 1910, a'i gladdu ar 8 Rhagfyr. Bu farw ei wraig Harriet yn Fferm Glandyfi, Y Borth, ar 22 Ebrill 1922 a'i chladdu ar 27 Ebrill. Gosodwyd cofeb i'r teulu ar un o furiau mewnol yr Eglwys (t. 153).

Ordained in 1875, he served as curate of Goginan for eight years between 1875 and 1883 before his appointment as vicar of Elerch. The 1881 census records him living at Woodside House, Goginan with his family. He was appointed to the parish of Elerch in 1883, where he served until his death in 1910 and lived at the new Vicarage. Alexander Williams, his wife Harriet, and their daughter Bertha Maudeline (1881-1942), and her husband, Henry Whitlock Jones (1881-1954) from Tre Taliesin, are all buried at Elerch churchyard.

Alexander Williams died on 3 December 1910, and was buried on 8 December. His wife Harriet died at Glandyfi Farm, Borth, on 22 April 1922 and was buried on 27 April. A memorial plaque to the family was placed on one of the inner walls of the Church (p. 153).

Williams, John Alexander (1872-1933)

Ficer yn Eglwys Lloegr a fagwyd yn Ficerdy, Elerch.

Ganwyd John Alexander Williams yn Llanelli, Sir Frycheiniog yn fab i Alexander Williams (1839-1910), ficer Elerch a nodwyd uchod. Symudodd i fyw i'r Ficerdy yn Elerch pan yn 11 oed. Mynychodd Coleg Denstone, swydd Stafford yn 14 oed yn Medi 1884 gan aros yno tan 1889. Graddiodd o Brifysgol Caergrawnt yn 1897.

Ordeiniwyd yn 1898, ac fe'i hapwyntiwyd yn gurad Llantarnam, Sir Fynwy, lle arhosodd tan 1902. Ar 21 Ionawr 1902 priododd Sarah Frances McMahon Smyth, merch George Smyth o Ddulyn. Treuliodd

Church of England cleric raised at Elerch Vicarage.

John Alexander Williams was born at Llanelly, Breconshire, the son of Alexander Williams (1839-1910), the vicar of Elerch, noted above. He entered Denstone College, Staffordshire in September where he remained until 1889. He graduated from Cambridge University in 1897.

Ordained in 1898, he was appointed curate of Llantarnam, Monmouthshire, where he remained until 1902. On 21 January 1902 he married Sarah Frances McMahon Smyth, the daughter of George Smyth of Dublin. He then spent a brief period in South Africa,

gyfnod byr yn Ne Affrica, cyn ei apwyntiad yn gurad Eglwys St. Augustine, Croydon yn 1903. Bu farw ei wraig yn Nhachwedd 1903, yn fuan ar ôl iddo fynd i Croydon, ac yno y cafodd ei chladdu. Gweithredodd fel prifathro Griffin House School, Brondesbury, Middlesex hyd at

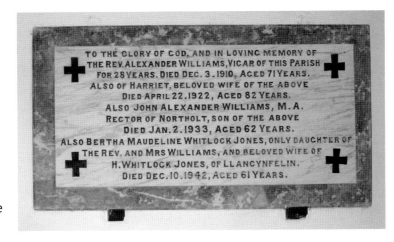

1909, cyn dychwelyd i'r offeiriadaeth lle bu'n gurad Eglwys St. Paul, Kilburn, 1907-09, St. Paul, Knightsbridge, 1909-12, St. Pedr, Eaton Square, 1912-14 a chaplan Ysbyty Westminster 1918-23.

Priododd am yr eilwaith yn Paddington yn 1919, Adelaide Gertrude Louise Wills (1884-1958). Treuliodd gyfnod hefyd fel caplan yn Antofagasta yng ngogledd Chile, ac yn Ynysoedd y Falkland rhwng 1924-25, cyn ei benodiad yn rheithor Northolt yng ngorllewin Llundain yn 1926. Bu yno am 7 mlynedd.

Bu farw ar 2 Ionawr 1933 yn 61 oed, ac fe'i claddwyd ym mynwent Eglwys Northolt ar 5 Ionawr.

before being appointed curate of St. Augustine's Church, Croydon in 1903. His wife died shortly after his appointment to Croydon and she is buried at the Church. He then served as headmaster of Griffin House School, Brondesbury, Middlesex until 1909,

before returning to clerical life as the curate of St. Paul, Kilburn, 1907-09, St. Paul, Knightsbridge, 1909-12, St. Peter, Eaton Square, 1912-14 and chaplain to Westminster Hospital, 1918-23.

He remarried Adelaide Gertrude Louise Wills (1884-1958) at Paddington in 1919.

He also spent a period as chaplain in Antofagasta in northern Chile, and in the Falkland Islands between 1924-25, prior to his appointment as rector of Northolt in west London in 1926, where he served for seven years.

He died on 2 January 1933 aged 61 years, and was buried at Northolt Church on 5 January.

Williams, William David (1899-1968)

Ficer Elerch, 1934-1938.

Ganwyd William David Williams ar 20 Medi 1899 yn Sir Fôn, a derbyniodd ei addysg yng Ngholeg Prifysgol Cymru gan raddio BA yn 1925 ac yng Ngholeg Dewi Sant, Llanbedr Pont Steffan. Ordeiniwyd yn 1926. Gweithredodd fel curad ym Mhorthmadog 1926-1929, ac Eglwys Newydd (Hafod), Sir Aberteifi, 1929-1934,

Vicar of Elerch 1934-1938.

William David Williams was born in Anglesey on 20 September 1899, and educated at the University College of Wales, Aberystwyth, graduating BA in 1925. He subsequently attended St. David's College, Lampeter. He was ordained in 1926. He served as curate of Porthmadog 1926-1929, and Eglwys Newydd

mewn cyfnod pan ddinistriwyd yr Eglwys gan dân yn Ebrill 1932.

Apwyntiwyd ef yn ficer Elerch yn 1934, ond symudodd i Sir Benfro ymhen pedair blynedd pan benodwyd ef yng Ngorffennaf 1938 i fod yn rheithor Begeli a Dwyrain Tregwilym. Fe'i dyrchafwyd yn ddeon gwlad Arberth yn 1948. Symudodd i blwyf Herbrandston ger Aberdaugleddau yn 1965.

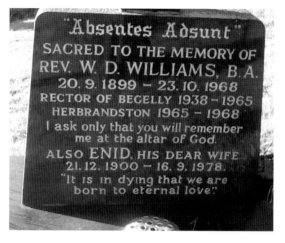

Bu'r Parchg W. D. Williams farw ar 23 Hydref 1968, ac mae wedi ei gladdu yn Eglwys Begeli. Bu farw ei briod Enid (ganwyd ar 21 Rhagfyr 1900) ar 16 Medi 1978. Cyhoeddwyd llythyr doniol yn ei henw yn y *Daily Mail* yn ymwneud â chamfihafio diniwed gan ei merch.

Roedd ganddynt ddwy ferch, a bu farw mab iddynt yn faban.

(Hafod), Cardiganshire, 1929-1934, at the time when a fire severely damaged the Church in April 1932.

He was appointed vicar of Elerch in 1934, but moved to Pembrokeshire after four years when he was appointed rector of Begelly w. East Williamson in July 1938. He was elevated to rural dean of Narberth in 1948. He moved to Herbrandston parish near Milford Haven in 1965.

The Revd W. D. Williams died on 23 October 1968, and is buried at Begelly Church. His wife Enid, (born on 21 January 1900), died on 18 September 1978. She published a humorous letter in the *Daily Mail* relating to some innocent misdemeanours by her daughter.

They had a family of two daughters, and one son, who died in infancy.

Yates, Jack (1923-2012)

Arlunydd a'i deulu a fu'n byw yn y Tŷ Capel, Bont-goch.

Roedd Jack Yates yn arlunydd talentog a fu'n byw yn Nhŷ Capel, Bont-goch yn ystod y 1950au. Fe'i ganwyd yn Sheffield ar 16 Rhagfyr 1923, yn fab i Jack Yates, diddanwr mewn clybiau gweithwyr, a'i briod Clara. Ef oedd yr ifancaf o dri phlentyn. Dechreuodd weithio mewn ffatri gwneud cyllyll a ffyrc pan oedd yn 14 oed, cyn ymuno â'r fyddin ar ddechrau'r Ail Ryfel Byd. Yn ystod ei wasanaeth milwrol, bu'n rhan o gyrch D-Day.

Ar ôl y Rhyfel ymddiddorodd mewn arlunio gan ddilyn cwrs yn Sheffield College of Arts and Crafts ac yn ddiweddarach mewn dosbarth nos cyfarfu â'i gymar

An artist and his family who lived at Tŷ Capel, Bont-goch.

Jack Yates was a talented artist who lived at Tŷ Capel, Bont-goch during the 1950s.

He was born in Sheffield on 16 December 1923, the son of Jack Yates, an entertainer in a working men's club and his wife Clara. He was the youngest of three children. He started working at a cutlery factory when he was 14, before joining the army at the beginning of World War II. He saw active service and was involved in the D-Day landings.

After the War he pursued an art course at Sheffield College of Arts and Crafts and at an evening class he

oes, Hannelore 'Hanne' Elizabeth H. Richter (*g.* 1924), merch o'r Almaen, a'i phriodi yn Hampstead, Llundain yn 1953. Ganwyd mab iddynt, Paul Yates, yn Rhagfyr 1955, ac yn fuan ar ôl hynny yn 1956 symudodd y teulu ifanc ac ymgartrefu yn Bont-goch lle cafodd Jack waith ym Mridfa Blanhigion Cymru ym Mhlas Gogerddan fel swyddog technegol yn yr adran gynhyrchu a lluosogi hadau. Credir iddynt ddod i Bont-goch ar ôl cael eu hannog gan eu ffrindiau Almaenig Ruth Evans (Y Ficedy) ag Adolf a Frede Prag, oedd eisoes yn berchen ar dŷ haf yn y pentref, fel y nodwyd uchod. Ruth Evans oedd mam bedydd Paul.

Ganwyd merch iddynt, Susan Iris Yates, yn 1958, ac fe'i bedyddiwyd hithau yn Eglwys Elerch ar 18 Mai 1958. O fewn blwyddyn yn 1959 symudodd y teulu i 13 Lindfield Gardens yn ardal Hampstead, (tŷ yn eiddo i'w ffrind John Duguid a nodir uchod), arlunydd a fyddai'n treulio'r haf yn Bont-goch, ac ef hefyd oedd tad bedydd Susan. Gan iddo dderbyn ei addysg yn yr Almaen, roedd ganddo ef â Hanne, hithau yn arlunydd ac yn Almaenes, ddeubeth yn gyffredin. Parhaodd y teulu i ddefnyddio'r Tŷ Capel fel tŷ haf tan 1973 pan y'i meddiannwyd gan brotestwyr. Ar ôl hynny penderfynodd yr Eglwys Fethodistaidd ddirwyn y denantiaeth i ben.

Ar ôl symud i Lundain bu Jack yn gweithio mewn nifer o swyddi: mewn busnes gwerthu lluniau yn Mayfair, yn fframiwr lluniau, yn baciwr parseli yn Harrods a chyfnod gyda Gwasg Prifysgol Rhydychen. Yn 1962, fe'i penodwyd i swydd darlithydd yn y Camden Arts Center, lle treuliodd weddill ei yrfa o dros ddeg mlynedd ar hugain, gan weithio'n rhan amser yn ei flynyddoedd olaf a hynny hyd at ei ben-blwydd yn 70 oed. Yn y cyfnod hwn dechreuodd arddangos ei waith o ddifrif mewn

met his wife, Hannelore 'Hanne' Elizabeth H. Richter (*b.* 1924), a German lady, whom he married in Hampstead, London in 1953. Their first child, Paul Yates, was born in London in December 1955, after which the young family moved and settled at Bont-goch in 1956 where Jack gained employment at the Welsh Plant Breeding Station at Plas Gogerddan as a technical officer in the seed multiplication and production division. It is believed that they came to Bont-goch after being persuaded to do so by their German friends Ruth Evans (the Vicarage) and Adolf & Frede Prag who had, as noted above, acquired a summer house in the village.

A daughter, Susan Iris Yates, born in 1958, was baptized at St. Peter's Church, Elerch on 18 May 1958. Within a year in 1959, the family moved to 13 Lindfield Gardens, a house in Hampstead owned by his artist friend John Duguid (noted above) who spent his summer months in Bont-goch, and who was Susan's godfather. He had been educated in Germany and as such had a common bond with Hanne, who was also a talented artist. They retained tenancy of Tŷ Capel until the 1970s, but following the house's occupation by squatters in 1973, the tenancy agreement was terminated by the Methodist Church.

Once in London Jack worked in a number of jobs – a business selling pictures in Mayfair, as a photograph framer, a parcel packer in Harrods, and a period with Oxford University Press. In 1962, he was appointed to the post of lecturer at the Camden Arts Center, where he remained for almost thirty years, later working on a part-time basis until he was 70 years of age. During this period he began to exhibit his oil paintings in

orielau yn Llundain a thu hwnt, yn cynnwys gwledydd tramor, gyda llawer o'i gynnyrch yn adlewyrchu ei ddiddordeb yng Nghymru. Daeth yn adnabyddus yn y byd arlunio, a chafodd wahoddiad i arddangos ei waith mewn sefydliadau blaenllaw fel y Royal Academy.

Cyhoeddodd nifer o lyfrau yn cynnwys *Creating in Collage* (1967) (ar y cyd gyda Natalie d'Arbeloff), llyfr a gyfieithwyd hefyd i'r Almaeneg, a *Figure Painting in Watercolour*, a gyhoeddwyd yn 1981. Cyfrannodd 19 o luniau i *Mist and Minstrels*, stori fer hir o waith Ruth Evans, Almaenes a fu'n byw yn yr Hen Ficerdy a ffrind agos i'r teulu. Cyhoeddwyd y gyfrol yn breifat gan yr awdur, ac mae'n ddarlun byw o fywyd pentref dychmygol yng Nghymru, ac yn seiliedig ar gymeriadau lleol cyfarwydd Bont-goch. Ar un adeg, roedd gan Yates stiwdio yn stablau'r Ficerdy.

Cyfrannodd Yates hefyd yn rheolaidd i gylchgrawn *The Artist* a bu'n olygydd ar sawl rhifyn o'r cylchgrawn celfyddydol *Fragments*. Darparodd nifer o ddarluniau hefyd i lyfrau barddoniaeth. Fel y nodwyd roedd ei wraig hefyd yn arlunydd talentog, ac yn arbennig felly yn y maes o greu cyfanwaith gyda thoriadau papur. Bu ei thad-cu, Adolf Johann Hoeffler (1825-1898), hefyd yn arlunydd amlwg yn Frankfurt ac fe wnaeth ymweld â'r Amerig a Chuba cyn 1850, ac fe'i cofir yn arbennig am ei luniau arloesol a hanesyddol o rannau uchaf yr Afon Mississippi.

Bu farw Jack Yates ar 15 Hydref 2012, yn 89 oed yn y Royal Free Hospital, Hampstead. Bu farw ei briod Hanne ar 14 Medi 2013, a chynhaliwyd eu hangladdau yn Amlosgfa Golders Green, gogledd Llundain.

London and in overseas countries, many of which had a Welsh theme. He became well-known in the art world, and was invited to exhibit his work at the Royal Academy.

He published a number of books including *Creating in Collage* (1967) (in association with Natalie d'Arbeloff), a book which was also translated into German, and *Figure Painting in Watercolour*, issued in 1981. He also provided 19 sketches to illustrate a novella by Ruth Evans, another German lady and family friend, who lived at the same time in Bont-goch. *Mist and Minstrels* was a private publication and is based on village life in an imaginary Welsh village, but largely modelled on Bont-goch. At one time, Yates had a studio in the Vicarage stables.

Yates also regularly contributed to periodicals such as *The Artist* and was the editor and founder of the arts magazine, *Fragments*. He was also asked to provide illustrations for several poetry books. As noted, his wife was also an extremely gifted artist, with a special talent for working with paper cuttings. Her grandfather, Adolf Johann Hoeffler (1825-1898), was a renowned artist in Frankfurt who visited America and Cuba before 1850, and is best known for his historical paintings of the Upper Mississippi region.

Jack Yates died on 15 October 2012 at the Royal Free Hospital, Hampstead, at the age of 89. Hanne died on 14 September 2013. Their funerals were held at Golders Green Crematorium, north London.

OFFEIRIAID A GWEINIDOGION / CLERGYMEN AND MINISTERS

Offeiriaid St. Pedr, Elerch / St. Peter's Church, Elerch Clergymen

Owen, Richard (1838-1913)
Edwards, John (1838-1903?)
Gilbertson, Lewis (1814-1896)
Rees, John (1838-1924)
Williams, Alexander (1839-1910)
Jones, David Sinnett (1863-1927)
Charles, David (1876-1955)
Williams, William David (1899-1968)
Thomas, Melvyn (1903-1993)

Evans, Alfred Leslie (1909-1985)
Evans, David Eifion (1911-1997)
Jones, Frederick Morgan (1919-2016)
Badger, Mervyn Hector (1903-1986)
Davies, David Leslie Augustus (1925-2006)
John, Meurig Hywel (1946-2019)
Evans, William James Lynn (1930-2015)
Francis, David Everton Baxter (1945-2020)

Gweinidogion Capel Bethesda Tŷ-nant / Ministers of Bethesda Chapel, Tŷ-nant

Davies, Peter (1843-1914)
Davies, John (1851-1947)
Davies, Frederick Hughes (1887-1968)
Davies, David Stephen (1885-1935)
Rees, David John (1905-1986)

Detholiad o weinidogion Capel Ebenezer, Bont-goch / Selection of ministers of Ebenezer, Bont-goch

Davies, William ('Dafis Affrica' 1784-1851)
Rowlands, William ('Gwilym Lleyn'; 1802-1865)
Jenkins, Joseph (1886-1962)
Griffiths, John Henry (1915-1985)
Davies, Joseph Haines (1917-2004)
Davies, Daniel (1914-1984)
Davies, Tudor (1923-2010)

Offeiriaid eraill / Other clergymen

Charles, Harold John ((1914-1987)
Lloyd, William (1910-1970)
Morgan, John (1872-1958)
Williams, John Alexander (1872-1933)

NODIADAU / NOTES

Badger, Mervyn Hector (1903-1986): *Crockford's Clerical Directory*; *Western Mail,* 12 August 1986, p. 15; *Papur Pawb*, 351 (2009), t. 6. Gwybodaeth a delwedd gan y teulu / Information and image from the family: Y Parchg Mary Cecilia Charles (Treletert).

Charles, David (1876-1955): *Crockford's Clerical Directory*. Gwybodaeth a delwedd gan y teulu / Information and image from the family: Catherine M. Daly (Hertfordshire).

Charles, Harold John (1914-1987): *Crockford's Clerical Directory*; *Liverpool Daily Post*, 14 December 1987, p. 10; *The Times*, 15 December 15, 1987, p. 16; *Who was who*. Gwybodaeth gan y teulu / Information from the family: Margaret Greely (Hertfordshire); Delwedd / Image: Revd Canon Michael R. Balkwill & Diane McCarthy (Esgobaeth Llanelwy).

Corton, John (1973-2017): *Doncaster Free Press,* 8 June, 2017. Gwybodaeth gan y teulu / Information from the family: Brigid Rose (Bont-goch) and William & Ann Corton (Doncaster). Delwedd / Image: Prifysgol Aberystwyth.

Dare, John Harry Westwood (1919-2006): Dare, John: 'Bwlchros(s)er' [Yn] *Ein Canrif*, (2002), tt. 374-8; Imperial War Museum: https://www.iwm.org.uk/collections/item/object/1030019784. Gwybodaeth a delwedd gan y teulu / Information and image from the family: Joan Dare (Bont-goch) & Robert Dare (Aberystwyth).

Darlington, Thomas (1864-1908): *Y Bywgraffiadur Cymreig*: https://bywgraffiadur.cymru; Thomas Darlington Papers: Bangor University; *Cambrian News*, 7 February 1908, p. 8; *Welsh Gazette*, 19 February 1903, p. 8; Darlington, T. 'Anerchiad i ieuenctyd Cymru'. *Y Winllan*, 52 (Ionawr 1899), tt. 1-5; Darlington, Walter A.: *I do what I like* (1950); *Oxford Dictionary of National Biography* (William Aubrey Cecil Darlington). Gwybodaeth / Information: Y Parchg Peter M. Thomas (Aberystwyth). Delwedd / Image: *Y Winllan*.

Davies, Daniel (1908-1980): *Cambrian News*, 29 March 1935, p. 6: *Welsh Gazette*, 28 March 1935, p. 7; Jones, Evan: 'Symud neu fudo', *Y Ddolen*, 45 (1981), t. 7: *Papur Pawb*, 61 (1980), t. 3; 259 (2000), t. 7; *Y Tincer*, 31 (1980), t. 7; Tudur, Gwilym: [Nodiadau am hanes y teulu]. Gwybodaeth gan y teulu / Information from the family: Emyr & Lisa Davies, Dafydd Mason (Bont-goch) & Gwilym Tudur (Caernarfon). Delwedd / Image: Teulu Llety Ifan Hen.

Davies, Daniel (1914-1984): *Cambrian News*, 3 August 1984, p. 5; Griffiths, E. H.: 'Y Parchedig Enoc T. Davies, 1910-93', *Yr Eurgrawn*, 162 (1970), tt. 107-12; Jones, Albert Wyn: 'Y diweddar Barchg Daniel Davies', *Y Gwyliedydd*, 9 Awst 1984, t. 2; Edwards, Eric: *Yr Eglwys Fethodistaidd: hanes ystadegol am aelodau, gweinidogion, capelau &c yn y taleithiau Cymraeg* / casglwyd gan Eric Edwards (1980). Gwybodaeth a delwedd gan y teulu / Information and image from the family: Nerys Davies (Bow Street).

Davies, David John (1879-1935): *Sydney Morning Herald*, 24 March 1937, p. 16; Huws, Richard E.: 'O Bantgwyn i Sydney: taith yr archddiacon D. J. Davies (1879-1935)', *Papur Pawb*, 343 (2008), t. 10; McIntosh, John A.: *Anglican evangelism in Sydney: Nathaniel Jones, D. J. Davies and T C. Hammond* (2018). Gwybodaeth a delwedd / Information and image: Revd Dr John A. McIntosh (Moore College, Sydney).

Davies, David Leslie Augustus (1925-2006): *Crockford's Clerical Directory*; *Welsh Gazette*, 6 May 1955, p. 7. Gwybodaeth / Information: Lynwen Jenkins (Penrhyn-coch).

Davies, David Stephen (1885-1935): Blwyddiadur yr Annibynwyr am 1936, (1937), tt. 192-3; *Welsh Gazette*, 25 April 1935, p, 6; Jones, Simon B.: *Hanes Peniel a Bwlchycorn*, (1938), tt. 19-20.

Davies, Frederick Hughes (1897-1968): *Cambrian News*, 5 September 1919, p. 7; *O gam i gam: dathlu canmlwyddiant Brynrhiwgaled, 1894-1994* (1994), t. 33c; *Blwyddiadur yr Annibynwyr am 1970* (1971), tt. 163-4; *Bethania, Y Tymbl Uchaf, 1800-2000*; gol. John Gwilym Jones, (2000), t. 29. Gwybodaeth / Information: Harry & Janice Petche (Y Tymbl). Delwedd / Image: *Bethania, Y Tymbl Uchaf, 1800-2000*, gol. John Gwilym Jones (2000), t. 29.

Davies, James Glyndwr (1873-1939): 'Y Parch J. Glyndwr Davies, Germiston, Deheudir Affrica', *Y Winllan*, 55 (Tachwedd 1903), tt. 16-17: *Cambrian News*, 12 August 1910, p. 3 & 9 April 1915, p. 8. Delwedd / Image: *Y Winllan*.

Davies, John (1851-1947): *Aberystwyth Observer*, 16 February 1889, p. 8; 'Taborfryn': 'Y Parch J. Davies, Bethesda, Talybont', *Tywysydd y Plant*, 31 (1901), tt. 62.67; *Blwyddiadur yr Annibynwyr 1948* (1949), tt. 209-10. Delwedd / Image: yr awdur / the author.

Davies, Joseph Haines (1917-2004): 'Priodas filwrol', *Y Dinesydd Cymreig*, 16 Rhagfyr 1914, t. 4; Edwards, Eric: *Yr Eglwys Fethodistaidd: hanes ystadegol am aelodau, gweinidogion, capelau &c yn y taleithiau Cymraeg* / casglwyd gan Eric Edwards (1980); *Pwy yw pwy yng Nghymru*, 2ail gyfrol, (1982), t. 8; *Liverpool Daily Post*, 8 March 2004, p. 10, 16 March 2004, p. 6; Parry, Geraint W.: 'Cofio cyfaill: y diweddar Barchedig Joseph Haines Davies', *Y Gwyliedydd Newydd* (Mai 2004), tt. 1, 3.; Davies, Arfon Haines: *Mab y Mans* (2009). Gwybodaeth a delwedd gan y teulu / Information and image from the family: Arfon Haines Davies (Caerdydd).

Davies, Peter (1843-1914): *Y Dydd*, 6 Rhagfyr 1872, t. 4; *Tywysydd y Plant*, 32 (1902), tt. 231-5; *Y Tyst*, 6 Ionawr 1915, t. 6; *Y Blwyddiadur Cynulleidfaol am 1916* (1917), t. 190.

Davies, Tudor (1923-2010): Edwards, Eric: *Yr Eglwys Fethodistaidd : hanes ystadegol am aelodau, gweinidogion, capelau &c yn y taleithiau Cymraeg* / casglwyd gan Eric Edwards (1980); Davies, Tudor: Cofio Tecwyn: 'pregethwr dan eneiniad', (2002); *Bara ein bywyd: emynau, cerddi ac ysgrifau* (2013). Gwybodaeth a delwedd gan y teulu / Information and image from the family: Gwyn Tudur Davies (Aberystwyth).

Davies, William ('Dafis Affrica' 1784-1851): Extracts from the journal of the Rev William Davies, when a missionary at Sierra Leone, Western Africa: containing some account of the country, its inhabitants, the progress of religion among the Negroes, manner of governments, state of the weather, (Llanidloes, 1835); 'Agoriad capel', *Yr Eurgrawn*, 28 (1836), tt. 241-3; M. Pennant Lewis: 'Dyddiadur ein cenhadwr cyntaf'. *Bathafarn* 10 (1955), tt. 45-51; Edwards, Eric: *Yr Eglwys Fethodistaidd: hanes ystadegol am aelodau, gweinidogion, capelau &c yn y taleithiau Cymraeg* / casglwyd gan Eric Edwards (1980); Martin Evans-Jones: 'The strange story of Davies Affica', *Methodist Recorder*, 7 September 2012, p. 17. Gwybodaeth / Information: Parchg Pamela Cram (Abertawe), Brenda Evans (Cydweli) & Dr Lionel Madden (Aberystwyth). Delwedd / Image: Brenda Evans.

Duguid, John Francis (1906-1961): Rate books of Aberystwyth RDC (Archifau Ceredigion ABR/TR/11/35/2); *The Times*, 21 September 1961. p. 1; Spalding, *Francis: 20th century painters and sculptors* (1991), p. 152. Gwybodaeth a delwedd / Information and image: Heather Dawson-Mains (Lakeland Arts, Cumbria).

Dunn, William (1861-1924): *Cambrian News*, 19 July 1878, p. 5; 25 June 1880, p. 6; *Aberystwyth Observer*, 23 January 1902, p. 2; *Welsh Gazette*, 5 March 1908, p. 4; Jones, J. R.: 'Atgofion y Teiliwr', *Papur Pawb*, 75, (1982), t. 4.

Edwards, John (1838-1903?): *Crockford's Clerical Directory.*

Edwards, John Caleb (1916-1996): *Cambrian News*, 21 June 1991, p. 2, 21 November 1996, p. 10; Archifdy Ceredigion: Vehicle Registration Database: http://www.archifdy-ceredigion.org.uk/vehiclesdb.php. Gwybodaeth a delwedd gan y teulu / Information and image from the family: David Charles Edwards and Richard & Kathleen Webster (Aberystwyth); hefyd / also: David J. James, Mair Jones & Ruth Myfanwy (Aberystwyth).

Edwards, John David (1866-1937): *Welsh Gazette*, 21 March 1935, p. 2, 28 October 1937, p. 8; *Y Tincer*, 355 (2013), t. 10; Nodiadau / Notes Ceredig W. Davies. Gwybodaeth a delweddau gan y teulu / Information and images from the family: Ceredig W. Davies (Aberystwyth) & Elsie Morgan (Penrhyn-coch).

Edwards, Julian Robert (1934-1986): *The historical register of the University of Cambridge, 1951-55*; *The Times*, 28 September 1960, p. 14 & 28 August 1986, p. 14; *Papur Pawb*, 122 (1986), t. 4; 351 (2009), t. 3. Gwybodaeth a delwedd gan y teulu / Information and image from the family: Nicky Edwards (Chorley, Lancashire); hefyd / also: Robert & Enid Evans (Bont-goch), Colin Fletcher (Aberystwyth), Mair Jenkins (Penrhyn-coch), Stephanie Osborne (Durham), Professor Nicholas Perdikis (Aberystwyth) & Dr Michael Stansfield (Durham).

Edwards, Margaret Lilian Anne (1888-1966): *Papur Pawb*, 44 (1979), t. 7.

Edwards, Mary Gladys (1890-1963): *Papur Pawb*, 44 (1979), t. 7.

Edwards, William Henry (1880-1915): Huws, Richard E: 'William Henry Edwards (1880-1915), Lerry View, Bont-goch', *Papur Pawb*, 331 (2007), t. 17. Delwedd / Image: www.cwgc.org

Edwards, William Morgan (1893-1968): *Daily Mail,* 21 August 1950; p. 5: *Daily Telegraph,* 14 August 1950, p. 5; Pugh, Aelwyn: 'Wyt ti'n cofio?', *Papur Pawb,* 462 (2020), t. 5. Gwybodaeth a delweddau gan y teulu / Information and images from the family: Kenneth Wyn Edwards & Susan N. Herron (Bow Street).

Ellis, James ('Jim Penro'; 1905-1986): *Papur Pawb,* 120 (1986), t. 2; *Ein Canrif* (2002), tt. 126-8. Delwedd / Image: *Papur Pawb.*

Erasmus, Thomas (1833-1884): Huws, Richard E.: 'Thomas Erasmus (1833-1884) a'i deulu', *Papur Pawb,* 345 (2009), t. 6. Gwybodaeth / Information: Rob Phillips (Llanbedr Pont Steffan).

Evans, Alfred Leslie (1909-1985): *Crockford's Clerical Directory.* Gwybodaeth / Information: Margaret Davies (Machynlleth). Delwedd / Image: yr awdur / the author.

Evans, David (1865-1891) & Evans, William (1869-1891): *Cambrian News,* 25 June 1891, p. 5; *Welsh Gazette,* 7 November 1935, p. 7; *Western Mail,* 26 June 1891, p. 5; Fychan, Cledwyn: *Nabod Cymru* (1973), tt. 68-69; Will O'Whispers, 'Lightning killed two brothers', *Cambrian News,* 9 January 1976, p. 16; 'Olrhain teulu yn Elerch', *Papur Pawb,* 369 (2011), t. 5. Gwybodaeth / Information: Anne George (Lledrod), Rheinallt Llwyd (Aberystwyth) & Neville Richards (Whitchurch, Hampshire). Delwedd / Image: yr awdur / the author.

Evans, David Eifion (1911-1997): *Crockford's Clerical Directory.* Gwybodaeth gan y teulu / Information from the family: Y Gwir Barchg J. Wyn Evans (Tyddewi), hefyd / also Eric Heyes & Jean Morgan (Aberystwyth). Delwedd / Image: St. Michael's Church, Aberystwyth.

Evans, Dorothy Ann (1918-1944): Commonwealth War Graves Commission: www.cwgc.org; Cymdeithas Lenyddol Capel y Garn, *Atgofion amser Rhyfel* (2007), t. 21; Jones, Steven H.: *Fallen flyers: tragedy in the skies over wartime Gower* (2009). Gwybodaeth a delwedd gan y teulu / Information and image from the family: Barbara Jenkins (Tre'r-ddôl) & Jayne Jones (Aberystwyth).

Evans, Gareth Teifi (1927-2015): Jenkins, Gwilym: 'Teyrnged: Gareth Teifi Evans', *Papur Pawb,* 416 (2016), t. 7. Gwybodaeth / Information: Y Parchg Wyn Rhys Morris (Penrhyn-coch). Delwedd / Image: *Ein Canrif.*

Evans, Geraint James (1930-2011): Morris, Wyn Rhys: 'Teyrnged: Geraint James Evans', *Papur Pawb,* 372 (2011), t. 8; https://www.facebook.com/media/set?vanity=LleHanes&set=a.3326367657421250. Delwedd / Image: *Western Mail,* 3 July 1971.

Evans, Gwladys (1909-1994): *Cambrian News,* 1 September 1933, p. 9, 5 June 1969, p. 11, 22 June 1973, p. 11, 16 September 1994, p. 10 & 22 June 2006, p. 48; *Welsh Gazette,* 6 February 1941, p. 6 & 17 March 1960, p .7; *Y Tincer,* 401 (2017), t. 7. Delwedd / Image (Rosalind Edwards): Eirian Morgan (Penrhyn-coch).

Evans, James Pearce (1875-1960): *Welsh Gazette,* 11 February 1960, p. 7; 'Brêc Bontgoch', *Papur Pawb,* 107 (1985), t. 3, 108 (1985), t. 6. Nodiadau personol, delweddau a gwybodaeth gan ei wyres Carys Briddon / Personal notes, images and information from his grand-daughter, Carys Briddon (Tre'r-ddôl).

Evans, Margaret Mary (1893-1993): Macdonald, Tom: 'Portrait of a dying village', *Western Mail,* 3 July 1971, p. 6; Jones, Tegwyn: 'Coffâd Miss M. M. Evans', *Y Tincer,* 58 (1983), t. 5. Delwedd / Image: *Y Tincer.*

Evans, Ruth Hubertha Mathilde (1915-1997): *Y Bywgraffiadur Cymreig:* https://bywgraffiadur.cymru – Ifor L. Evans; *Cambrian News,* 6 June 1952; *Western Mail,* 2 June 1952, p. 3; Rees, Alwyn D.: 'Ifor Leslie Evans (1897-1952)', *Welsh Anvil* 4 (1952), pp. 9-12 ; *Oxford Mail,* 19 July 2013: https://www.oxfordmail.co.uk/news/10558599: Eco_design_awards_highlight_buildings_for_saving_energy; *The Times,* 28 March 1963, p. 14 & 28 April 1964, p. 14. Jones, J. Graham: 'The reminiscences of Mrs Ruth Evans', *National Library of Wales Journal,* 35 (2010), pp. 16-28; 'The story of Plas Penglais', by Ruth Evans, edited by Elgan Davies, *Prom,* 25 (2016), pp. 26-27. Gwybodaeth a delwedd gan y teulu / Information and image from the family: Jessica Atkinson (London), J. Rhys Evans, Peter Haxworth (Oxford) & Hetty Haxworth (Aberdeenshire); hefyd / also L. John Harries (Aberystwyth).

Evans, William James Lynn (1930-1986): *Crockford's Clerical Directory.* Gwybodaeth / Information: Huw Ceiriog & Diana Jones (Llandre); Y Parchg Adrian Teale (Brynaman). Delwedd / Image: *Trefeurig.org.*

Evans, William Thomas (1911-1986): Thomas, Hilda: 'Teyrnged: William Thomas Evans', *Papur Pawb,* 124 (1986), t. 7: *Papur Pawb,* 259 (2000), t. 7. Gwybodaeth a delwedd gan y teulu / Information and image from the family: Dewi & Tegwen Evans, Robert & Enid Evans (Bont-goch).

Francis, David Everton Baxter (1945-2020): *Crockford's Clerical Directory*; *Y Tincer*, 160 (1993), t. 3; *Cambrian News*, 12 March 2020, p. 39. Delwedd / Image: Hugh Jones (Penrhyn-coch).

Francis, Richard (1948-2007): *Papur Pawb*, Medi 2007, t. 14: Gwybodaeth gan y teulu / Information from the family: Jacqueline E. Francis (Bont-goch). Delwedd / Image: yr awdur / the author.

Francis-Jones, Gwyneth & Edward: *Cambrian News*, 2 August 1991, p. 5; Francis-Jones, Gwyneth: Llythyr: *Cristion*, 6 (1984), t. 20, 'Cyfrinydd a Chymraes' 9 (1985), p. 7; House of Commons. Committee on Welsh Affairs. Session 1985-86. Tourism in Wales. Appendices to the minutes of evidence; *Y Tincer*, 141(1991), 161 (1993), p. 16. Gwybodaeth / Information: Harry James (Aberystwyth), Delyth Pryce Jones (Y Borth), Dewi Owen Jones (Llangefni), David P. Kirby, Gareth Lewis (Aberystwyth), Heulwen Morgan (Bow Street) & Y Cyng. Alun Williams (Aberystwyth).

Gilbertson, Lewis (1814-1896): *Western Mail*, 10 June 1874, p.5; *Cambrian News*, 9 December 1910, p. 5; *Y Bywgraffiadur Cymreig*: https://bywgraffiadur.cymru; *Crockford's Clerical Directory*; Chapman, Mark; 'Anglo-Catholocism in West Wales: Lewis Gilbertson, Llangorwen and Elerch', *Journal of Religious History, Literature and Culture*, 6 /1 (2020), 71-95. Delwedd / Image: Eglwys Elerch.

Gilbertson, Richard (1818-1905): *Aberystwyth Observer*, 4 May 1905, p. 2: Huws, Richard E.: *The footballers of Borth and Ynys-las, 1873-1950*, (2011), p. 3.

Griffiths, Griffith: (1799-1845): *Cardiff & Merthyr Guardian*, 31 January 1846, p. 1; Lloffwr: 'Griffith Griffiths, 1799-1845', *Papur Pawb*, 2 (1974), t. 3; *Y Bywgraffiadur Cymreig*: https://bywgraffiadur.cymru. Gwybodaeth a delweddau / Information and images: Suzette Morgan (Falmouth Library, Trelawny, Jamaica).

Griffiths, John Henry (1915-1981): *Ar nodyn ysgafn*: [cyfrol o ysgrifau], (1981); 'Y diweddar John Henry Griffiths, B.A.' *Y Gwyliedydd Newydd*, 26 Rhagfyr 1985, t. 2; *Bro annwyl y bryniau: atgofion am Ystumtuen* (1988). Gwybodaeth gan y teulu / Information from the family: Dolig Farrell (Aberystwyth) & Eirwen Hughes (Penrhyn-coch).

Hall, Roderick Hubert (1880–1950): Gwybodaeth / Information: William H. Howells (Penrhyn-coch) & Ioan Rhys Lord (Cwmrheidol). Delwedd / Image: Ioan Rhys Lord (Cwmrheidol).

Hughes, Jenkin Nuttall (1899-1985): 'Mr & Mrs Nuttall, Lluesty (*sic*) Bugail, Ceredigion', *Cronicl y Cymdeithasau Crefyddol*, 59 (1901), tt. 661-63; Llyfrgell Genedlaethol Cymru – Casgliad tapiau sain Llyfrgell Dyfed / Ceredigion. 99253592502419; Evans, Hywel: Cneifio yng Nghraig y Pistyll, 1984 (video cassette 59m); 'Richard Ronald Hughes, Glennydd', *Y Tincer*, 80 (1985), t. 12; Ellis, Bryn: 'Mewnfudwyr i ddiwydiant plwm Sir y Fflint', *Y Casglwr*, 65 (1999), t. 19. Gwybodaeth a delweddau gan y teulu / Information and images from the family: Rhian Davies (Aberystwyth) & John Davies (Towcester, Northants); hefyd / also: Pat & Ruth Evans (Penrhyn-coch).

Huws, Dafydd (1936-2011): *Medical Directory / Medical Register*; *Welsh Nation*, June 1969, p. 2, May 1972, p. 4; *Y Byd ar Bedwar*, 9 Rhagfyr 1996 (Archif Sgrin a Sain, Llyfrgell Genedlaethol Cymru); *Cerddi Dafydd Huws*, (2002); *Cambrian News*, 4 August 2011, p. 38-39; Stephens, Meic: 'Dr Dafydd Huws: obituary', *The Independent* 14 September, 2011, p. 23; Cronfa Eleri: http://ynniamgen. com; Whitchurch Hospital Historical Society: http://whitchurchhospital.co.uk/?p=791; Dafis, Llinos: 'Marian Jenkins, Eryl', *Y Tincer*, 429 (2020), t 9. Gwybodaeth gan y teulu / Information from the family: Rhian Huws (Caerffili), y diweddar Marian E. Jenkins (Llandre) & Elen Clwyd Roberts (Bont-goch); hefyd / also Marian B. Hughes (Bow Street). Delweddau / Images : Elen Clwyd Roberts.

James, James (Spinther) (1837-1914): *Y Bywgraffiadur Cymreig*: https://bywgraffiadur.cymru. Delwedd / Image: Llyfrgell Genedlaethol Cymru.

Jenkins, Edward Evan ('Hafanydd'; 1866--1928): *Baner ac Amserau Cymru*, 29 Tachwedd 1899, t. 11; 13 Rhagfyr 1899, t. 11, 20 Rhagfyr 1899, 7 Chwefror 1900, t. 2; *Cambrian News*, 20 April 1984, p. 8.

Jenkins, John Richard (1864-1945): *Cambrian News*, 31 January 1896, p. 8, 15 February 1918, p. 6; *Y Negesydd*, 7 Chwefror 1896, t. 3; *Tarian y Gweithiwr*, 13 October 1898, p. 1; *Aberystwyth Observer*, 25 June 1903. p.2; *Y Barcud*, 47 (1980), t. 7; Jones, J. R.: 'Teyrnged; y diweddar Enoc Ll. Jenkins', *Papur Pawb* 131 (1987), t. 9; Jenkins, Gwilym: *Ar bwys y ffald; atgofion amaethwr o ogledd Ceredigion* (2001); Gwefan Llangynfelyn: www.llangynfelyn.org/dogfennau/Marty-landers-Ship.html. Gwybodaeth gan y teulu / Information from the family: Rhian Haf Evans, Elisabeth James, Dafydd & Glenys Jenkins & Evan Jenkins (Tal-y-bont): hefyd / also: Ellen ap Gwynn (Tal-y-bont). Delweddau'r teulu / Family images.

Jenkins, Joseph (1886-1962): *Robin y Pysgotwr ac ystraeon eraill* (1929); *Y Bywgraffiadur Cymreig*: https://bywgraffiadur.cymru; Evans, D. Tecwyn 'Y Parch Joseph Jenkins, Llywydd y Gymanfa', *Yr Eurgrawn*, 144 (1952), tt. 1-3; Parry, Cledwyn: 'Y Parch Joseph Jenkins', *Yr Eurgrawn*, 156 (1962), tt. 115-16; Jones, Gwynn: 'Joseph Jenkins 1886-1962', [Yn] *Dewiniaid difyr: llenorion plant Cymru hyd tua 1950*; gol. Mairwen a Gwynn Jones, (1983), tt. 104-06; *Pwy oedd pwy*, 4; golygydd D. Hywel E. Roberts (1987), tt. 44-45; 'Colli'r dramodydd Mr E. Jenkins', *Cambrian News*, 7 March 1986, p. 11. Gwybodaeth a delwedd gan y teulu / Information and image from the family: Dr Eirian Dafydd (Caerdydd) & Eleri Sewards (Llundain); hefyd / also: Mary Burdett-Jones (Aberystwyth).

Jenkins, Sydney (1908-1941): Commonwealth War Graves Commission: www.cwgc.org; *Cambrian News*, 27 November 1931, p. 6, 10 March 1933, p. 8, 12 December 1941, p. 2; Huws, Richard E.: 'Elizabeth Anne Steele Jenkins, Llundain', *Papur Pawb*, 344 (2008), t. 6. Delwedd / Image: yr awdur / the author.

Jeremy, William Raymond Thomas (1890-1969): *The Observer*, 31 March 1935, p. 32; *The Welshman*, 10 January 1908, p. 8; *The Times*, 12 April 1920, p. 17, 8 October 1932, p. 15, 20 June 1933. p. 1; *Cambrian News*, 21 March 1969, p. 14; Barrett, Nigel: 'From Wales to London and back: an appreciation of the great violist', *British Music*, 33 (2011), pp. 25-35; Parrot, Ian: *The Spiritual Pilgrims* [1964], pp. 123-25; *Parrottcisms: the autobiography of Ian Parrott* (2003), p. 52; *Dictionary of National Biography of Sweden*: https://sok.riksarkivet.se/sbl/Presentation.aspx?id=15133. Gwybodaeth / Information: Dr Rhian Davies, Bethan Miles (Aberystwyth) & Jonas Nordebrand (Kungliga biblioteket, Stockholm). Delwedd / Image: Bethan Miles.

John, Meurig Hywel (1946-2019): *Crockford's Clerical Directory*; *Western Mail*, 22 August 2019, p.36. Gwybodaeth a delwedd / Information and image: Delyth Ralphs (Penrhyn-coch).

Jones, Charles (Elerch) (1859-1937): *Aberystwyth Observer*, 28 January 1888 , p. 4; *Y Gwyliedydd*, 11 Medi 1889, t. 7 & 18 Mawrth 1891, t. 2; *Tarian y Gweithiwr*, 13 October 1898, p. 1; *Welsh Gazette*, 19 October 1905, p. 3; *The Weekly Mail*, 28 October 1905, p. 3; *Y Drych*, 26 Awst 1937, t. 4; *Cambrian News*, 17 September 1937. p. 9; *Welsh Gazette*, 9 September, 1937. p. 8. Gwybodaeth / Information: Gil Jones (Llandre).

Jones, David Rowland (1926-2009): Huws, Richard E.: 'David Rowland Jones, 1926-2009', *Papur Pawb* 355 (2010), t. 10; *Y Tincer*, 325 (2010), t. 10. Gwybodaeth a delwedd gan y teulu / Information and image from the family: Brian & Liz Ashton (Goginan), Lilian Jones (Llanbadarn Fawr); hefyd / also: Annwen Isaac (Aberystwyth) & Jean M. Jones (Llandre).

Jones, David Sinnett (1863-1927): *Crockford's Clerical Directory*.

Jones, Frederick Morgan (1919-2016): *Crockford's Clerical Directory*; *Western Mail*, 5 February 2016; 27 July 2019, p. 42. Gwybodaeth a delwedd gan y teulu / Information and image from the family: Dewi Owen Jones (Llangefni).

Jones, John David ('Jac y Sowldiwr; 1880-1944): *Cambrian News*, 12 March 1880, p.14; *Welsh Gazette*, 9 November, 1944, p. 2. Delwedd / Image: Arthur J. & Gavin Morris (Landbeach, Cambridge).

Jones, John Richard (1923-2002): Davies, Alun Creunant: 'J. R. Jones [ysgrif goffa]', *Yr Angor* 250 (2002), t. 4; *Atgof a cherdd* (2003); Llwyd, Hefin: 'J. R. Jones [ysgrif goffa]', *Papur Pawb*, 281 (2002), t. 8. Gwybodaeth gan y teulu / Information from the family: Rosina Jones (Llandudno); hefyd / also: D. Philip Davies (Tal-y-bont). Delwedd / Image: *Atgof a cherdd*.

Jones, Lewis Arthur (1890-1959): Information and image from family members: Eirwen McAnulty (Capel Bangor), David Jones (Aberystwyth) & Glyn Jones (Cambridge); also Mina Morel (Bont-goch); *Cambrian News*, 20 October 1916, p.8, 2 February 1917, p. 3 & 16 October 1959, p. 4.

Jones, Morris Benjamin ('ap Einiog'; 1882-1949): *Baner ac Amserau Cymru*, 10 Hydref 1901, t. 11; *Dysgedydd y Plant*, Mai 1901, t. 129; *Welsh Gazette*, 10 March 1904, p. 8, 28 July 1949, p. 6; *Cambrian News*, 29 July 1949, p. 6. Gwybodaeth a delwedd gan y teulu / Information and image from the family: David & Mair Evans (Bow Street).

Jones, Valma (1919-2020): *Atgofion = memories Ysgol Trefeurig* / [paratowyd y llyfr ar gyfer y wasg gan Linda Healy], (2000); Jones, Diana: 'Ithel Wyn Jones, 1916-2006, *Papur Pawb*, 321 (2006), t. [15]; 'John Morris, Meisgyn', *Papur Pawb*, 351 (2009), t. 14; *Papur Pawb*, 455 (2020), t.3, 460 (2020), t.6; *Cambrian News*, 21 May 2020, p. 21; *Y Tincer* 430 (2020), t. 19. Delwedd / Image: *Papur Pawb*.

Jones, William John Francis (1908-2005): *Papur Pawb*, 312 (2005), t. 312.

Lloyd, Ceredig (1941-2005): Huws, Richard E.: 'Teyrnged: 'Y diweddar Mr Ceredig Lloyd', *Papur Pawb*, 406 (2015), t. 8. Gwybodaeth / Information: Anna Sander (Balliol College, Oxford). Delwedd / Image: Ramsey & Muspratt, Oxford trwy law Erwyd Howells (Capel Madog).

Lloyd, Stanley (1908-1986): *Papur Pawb*, 120 (1986), t. 2; Howells, Erwyd: *Good men and true: the lives of the shepherds of mid Wales*, (2005), pp. 182-194. Gwybodaeth / Information: Erwyd Howells (Capel Madog). Delwedd / Image: Erwyd Howells.

Lloyd, William (1910-1970): *Crockford's Clerical Directory*. Gwybodaeth / Information: Denise Entwistle (Moccas, Herefordshire). Delweddau / Images: Erwyd Howells & Denise Entwistle (Moccas).

Lowe, Michael Anthony (1948-2020): *Pwy yw pwy yn llyfrgellyddiaeth Cymru / Who's who in Welsh librarianship* (1999); *Cambrian News*, 1 October 2020, p. 27; *Papur Pawb*, 462 (2020), t. 3; Gwybodaeth a delwedd gan y teulu / Information and image from the family: Sue Lithgow.

Mason, David ('Grugog'; 1861-1914): *Y Celt*, 20 Mai 1904, t. 2; Adams, David 'Hawen': 'Grugog', *Y Geninen GD* 30 (1915), tt. 58–60; *Y Drafod*, 28 Mai 1915, t. 3; Mason, David: *Odlau hamdden*, (1903). Gwybodaeth / Information: Ceris Gruffudd (Penrhyn-coch).

Mason, Dewi (1892-1916): *Y Brython*, 19 Hydref 1916, t. 3; *Yr Herald Cymraeg*, 2 Mehefin 1914, t. 5; Delwedd / Image: ww1.wales/ceredigion-memorials/trefeurig-war-memorial.

Morgan, John (1872-1958): *Crockford's Clerical Directory*; *Cambrian News*, 11 November 1892, p. 8, 27 December 1907, p. 8; *Nelson Leader*, 26 August 1955 & 21 January 1959. Gwybodaeth / Information: Elaine Butterworth & Darran Ward (Nelson); Sarah Roberts (UWTSD, Lampeter). Delweddau / Images: Elaine Butterworth.

Morgan, Olwen Eluned (1899-1947; née Jones): *Welsh Gazette*, 6 November 1957, p. 5; *Cambrian News*, 7 November 1947, p. 3; Morgan, Elystan: *Atgofion oes* (2002), tt. 29-32; Griffiths, Beti: *Rho imi nerth: hunangofiant* (2019), t. 24; Archifdy Ceredigion: Vehicle Registration Database: http://www.archifdy-ceredigion.org.uk/vehiclesdb.php. Gwybodaeth gan y teulu / Information from the family: Eleri Hurt (Derby); hefyd / also: Carys Briddon (Tre'r-ddôl). Delwedd / Image: *Atgofion oes*.

Morgan, Thomas ('Professor Melini'; 1869-1937): *Y Genedl Gymreig*, 25 Medi 1894, t. 6; *Tarian y Gweithiwr*, 4 Chwefror 1904, t. 1; *Baner ac Amserau Cymru*, 10 Mai 1905, t. 12; *Cambrian News*, 15 February 1905, p. 4; *Y Tyst*, 15 Tachwedd 1905, t. 12, 10 Hydref 1907, p.13; *Daily Mail*, 13 December 1916, p. 3; *Daily Telegraph*, 23 December 1911, p. 11; *Abergavenny Chronicle*, 5 January 1917, p. 3; Adroddiad Eglwysi Salem Coedgruffydd a Siloa, Cwm Merfyn, 1929-1937; *Welsh Gazette*, 2 April 1931, p. 7, 4 November 1937, p. 8; Edwards, Huw: 'Darllen pennau'. *Cennad* 15 (1986), t. 96; *Dorset Echo*, 17 May 1988; *Y Bywgraffiadur Cymreig*: https://bywgraffiadur.cymru-David Henry 'Myrddin Wyllt'; 1816 – 1873). Gwybodaeth / Information: Cledwyn Fychan (Llanddeiniol), Elwyn Ioan (Aberystwyth), Eleri James (Cyngor Tref Caerfyrddin), Dai Mason (Cwmsymlog), Nicola McConnell (Dorset History Centre), Janice Thomas-Cowley (Cwmerfyn), Catherine Webb (Dorset County Council) & Dr Huw Walters (Aberystwyth). Delwedd / Image: Elwyn Ioan (Aberystwyth).

Morris, Arthur (1891-1918): *Welsh Gazette*, 20 January 1916, p. 6; Huws, Richard E.: 'Arthur Morris, Elerch House, Bont-goch a'i deulu', *Papur Pawb*, 330 (2007), p. 8; ap Dafydd, Myrddin: *Senghennydd* (2013), tt. 112-13; Commonwealth War Graves Commission: www.cwgc.org. Gwybodaeth gan y teulu / Information from the family: Arthur J. & Gavin Morris (Landbeach, Cambridge) & Revd Dr David H. Williams (Lingfield, Surrey). Delweddau / Images: Arthur J. Morris.

Morris, Richard (1863-1955): *Welsh Gazette*, 3 June 1909, p. 6; 6 March 1947, p. 2; 17 March 1955, p. 6. Gwybodaeth / Information: Helen Gwerfyl (Bangor) & Emeritus Professor John Prag (Manchester).

Owen, James (1927-2013): *Papur Pawb*, 391 (2013), t. 3. Gwybodaeth a delwedd gan y teulu / Information and image from the family: Christina Honeysett (Solihull), Maria Myatt (Telford, Shropshire), & Victor J. Owen (Warwick).

Owen, Richard (1838-1913): Huws, Richard E. 'Offeiriad cyntaf Elerch: Richard Owen (1838-1913)', *Papur Pawb*, 440 (2018), t. 11; *Y Tincer*, 410 (2018), t. 7. Delwedd / Image: yr awdur / the author.

Page, Ceinwen Elizabeth (1936-2010): Huws, Richard E.: 'Ceinwen Elizabeth Page (1936-2010)', *Papur Pawb*, 363 (2010), p. 5. Gwybodaeth a delwedd gan y teulu / Information and image from the family: Siân Elen Pugh Evans (Dinas Mawddwy); hefyd / and Kim James-Williams, RCAHMW (Aberystwyth).

Parry, Dafydd Llewelyn (1925-2020): Gruffudd, Robat: 'Dafydd Parry', *Papur Pawb*, 462 (2020), p. 8; *Liverpool Daily Post*, 3 October 2020, p. 23; *Western Mail*, 3 October 2020, p. 45. Delwedd / Image: *Papur Pawb*. Gwybodaeth gan y teulu / Information from the family: Rhiannon Dafis (Llanarthne).

Pell, Jonathan (1834-1884): *The Cambrian*, 3 December 1858; *Morning Chronicle*, 6 December 1859, p. 8; *Liverpool Mercury*, 27 January 1875; *Cambrian News*, 3 October 1884, p. 5, 7 November 1884, p. 5; *Aberystwyth Observer*, 4 October 1884, p. 4; Ceredigion Archives: North Cardiganshire Silver Lead Mining Company (Ref: DB/95); Delwedd / Image: http://pint-of-history.wales/en/index.php

Pendrell-Smith, Eric (1871-1935): *The Times*, 14 May 1903, p. 15, 20 May 1935, p. 1; *Daily Telegraph*, 20 May 1935, p. 1; Archifdy Ceredigion: Vehicle Registration Database: http://www.archifdy-ceredigion.org.uk/vehiclesdb.php; Gwybodaeth / Information: Anthony Moyes (Penrhyn-coch). Delwedd / Image: *Grace's Guide to British Industrial History*.

Prag, Adolf (1906-2004): *Western Mail*, 25 October 1973, p. 16; 'In Memoriam – Adolf Prag (1906–2004)', *Historia Mathematica* 31 (2004) 409–413; *Who's who* (2019). Gwybodaeth a delwedd gan y teulu / Information and image from the family: Emeritus Professor John Prag.

Pryse, Lady Gwendoline Marjorie (1906-1993): *Cambrian News*, 5 November 1984, p. 8; Gorman, David: 'A colourful character: Marjorie, Lady Pryse', *Ego Magazine*, November 2016, pp. 66-7; Lewis, David T. R.: *The families of Gogerddan in Cardiganshire and Aberglasney in Carmarthenshire* (Pumsaint, 2020). Delwedd / Image: Archidfy Ceredigion / Ceredigion Archives.

Rees, David John (1905-1986): *Blwyddiadur yr Annibynwyr 1986* (1987), t. 129; *Papur Pawb*, 332 (2008), t. 11; *Western Mail*, 23 January 2008, p. 27. Gwybodaeth gan y teulu / Information from the family: Dwynwen Gwawr Williams (Rhydaman); hefyd / also: Siân M. Davies (Glynarthen). Delweddau / Images: Dilwyn & Marion Evans (Bont-goch); yr awdur / the author.

Rees, John (1845-1934): NLW SD/O/1419; *Crockford's Clerical Directory*; *Y Bywgraffiadur Cymreig*: https://bywgraffiadur.cymru – Ebenezer Morris; *Peppard News* (Spring 2020), p. 14. Gwybodaeth / Information: Keith & Sandra Atkinson, Bob Newnham (Rotherfield Peppard); Tricia Lovell (Oxfordshire Libraries); Kate Theobald (Letterston).

Rowlands, William ('Gwilym Lleyn'; 1802-1865): Edwards, Eric: *Yr Eglwys Fethodistaidd : hanes ystadegol am aelodau, gweinidogion, capelau &c yn y taleithiau Cymraeg* / casglwyd gan Eric Edwards (1980); *Y Bywgraffiadur Cymreig*: https://bywgraffiadur.cymru. Delwedd / Image: Llyfrgell Genedlaethol Cymru.

Tait, John Wilson (1874-1946): www.scotlandspeople.gov.uk. Gwybodaeth / Information: Siân Davies (Abergwaun) & Janice McFarlane (Livingston, West Lothian).

Thomas, David James ('Dei Bont-goch'; 1938-2009): Huws, Richard E.: 'David James Thomas (1938-2009)', *Papur Pawb*, 355 (2011), t. 11. Delwedd / Image: yr awdur / the author.

Thomas, David John Clifton ('John Cwmere'; 1940-2018): Gruffudd, Robat: 'Cofio John Cwmere', *Papur Pawb*, 441 (2018), t. 11. Gwybodaeth a delwedd gan y teulu / Information and image from the family: Sujittra Thomas (Tal-y-bont); hefyd /also: Hefin Llwyd (Chwilog).

Thomas, David Morris ('Dai Bont-goch'; 1907-1982): Gruffudd, Robat: 'Dai Bont-goch', *Papur Pawb*, 76 (1982), t. 5. Delwedd / Image: *Papur Pawb*.

Thomas, Hilda Elizabeth ('Hilda Cwmere'; 1914-2008): Llwyd, Hefin: 'Mrs Hilda Thomas, Cwmere', *Papur Pawb*, 339 (2008). t. 8; Thomas, Hilda: 'Dewi', *Papur Pawb*, 272 (2001), t. 5. Gwybodaeth a delwedd gan y teulu / Information and image from the family: Barbara Jenkins (Tre'r-ddôl) & Sujittra Thomas (Tal-y-bont).

Thomas, Melvyn (1904-1993): *Crockford's Clerical Directory*; *Western Mail*, 6 December 1969, p. 11; *Western Telegraph*, 20 October 1993, p. 27, 28 August 2002, p. 42.

Thompson, Samuel (Sam) (1876-1920): *Denbighshire Free Press*, 4 July, 1908, p. 1 (Supplement); Huws, Richard E.: 'Samuel (Sam) Thompson: Brexiteer cynnar o Bont-goch', *Papur Pawb*, 426 (2017), t. 8; Delwedd / Image: *Denbighshire Free Press*.

Williams, Alexander (1839- 1910): *Crockford's Clerical Directory*; *Aberystwyth Observer*, 22 December, 1910, p. 8; *Y Llan*, 16 Rhagfyr 1910, t. 2. Delwedd / Image: Llyfrgell Genedlaethol Cymru.

Williams, John Alexander (1872-1933): *Crockford's Clerical Directory; The register of S. Chad's College, Denstone, from the opening of the school in February 1873 to April 1904* (Shrewsbury, 1904); p. 65; *The Times*, 5 January 1933, p. 1. Delwedd / Image: yr awdur / the author.

Williams, William David (1899-1968): *Crockford's Clerical Directory; Daily Mail*, 29 February 1936, p.16: Huws, Richard E.: '*Daily Mail* Nipperisms from Elerch', *Cylchgrawn y Plwyf: Llanbadarn Fawr: Capel Bangor: Elerch: Penrhyn-coch*, 35 (2019), t. 10. Delwedd / Image: Eira John (Begelly).

Yates, Jack (1923-2012): Welsh Plant Breeding Station: *Report 1 October 1956 – 30 September 1958*. Delwedd / Image – Jack Yates Artist: http://www.jack-yates.co.uk. Gwybodaeth gan y teulu / Information from the family: Paul and Susan Iris Yates (Yorkshire); hefyd / also: Jonathan Karas (Bont-goch).

MYNEGAI I ENWAU LLEOEDD ARDAL BONT-GOCH (ELERCH)
INDEX TO PLACE-NAMES IN BONT-GOCH (ELERCH)

Alltgochymynydd: Edward Evan Jenkins.

Blaencastell: James Glyndwr Davies; Margaret Mary Evans.

Bryngwyn Mawr: Daniel Davies (1908-1980); Dafydd John Lewys Huws

Bryn-y-fedwen Fawr: David Rowland Jones.

Bwlch-glas (fferm / farm): Lewis Arthur Jones.

Bwlch-glas (gwaith / mine): William Morgan Edwards; James Ellis; Roderick Hubert Hall; John Wilson Tait; David Morris Thomas.

Bwlchrosser: John Harry Westwood Dare; James (Spinther) James; John Richard Jenkins; Sydney Jenkins; William John Francis Jones.

Bwlch-styllen: Gwladys Evans.

Bwlch-y-dderwen: John Davies; James (Spinther) James; David Mason; Dewi Mason.

Camddwr Mawr: Stanley Lloyd.

Carregydifor: John David Edwards; Gwyneth & Edward Francis-Jones; John David Jones; David James Thomas.

Cefn Gwyn: *gweler / see:* **Plas Cefn Gwyn**

Cwmere: Dorothy Ann Evans; David John Clifton Thomas; Hilda Elizabeth Thomas.

Cwm-glo: John David Edwards; Lewis Arthur Jones; Richard Morris.

Cyneiniog: Morris Benjamin Jones.

Dôlgarn-wen: James Pearce Evans; William Thomas Evans.

Elerch House (Hafod Elerch): William Morgan Edwards; Arthur Morris.

Erw-las: John Harry Westwood Dare.

Y Felin / Tai'r Felin / Lerry Cottage / Llety'r Felin: William Davies; David Rowland Jones; Stanley Lloyd; William Lloyd; Arthur Morris.

Ficerdy / Vicarage (Elerch): David Charles; Harold John Charles; Julian Robert Edwards; Alfred Leslie Evans; Ruth Hubertha Mathilde Evans; William Raymond Thomas Jeremy; David Sinnett Jones; John Rees; Melvyn Thomas; Alexander Williams; John Alexander Williams; William David Williams; Jack Yates.

Ffynnonwared: Dafydd John Lewys Huws; Lewis Arthur Jones.

Gerddigleision: Gwladys Evans.

Glanrafon: William Thomas Evans; John Wilson Tait.

Glyntuen (Llawr-y-glyn): William Henry Edwards.

Hafod Elerch: Michael Anthony Lowe.

Hengoed: James (Jim) Owen.

Lerry Cottage (Y Felin): David Rowland Jones.

Lerry View (Penrhiw): William Henry Edwards.